怪老子教你

這樣算 解答一生財務問題

怪老子◎著

目錄

行前準備篇

1 站穩馬步 製表快速上手

基礎技巧篇

2 掌握要點 搞定複雜運算

財務概念篇

導正觀念　難題迎刃而解

實用招式篇

抓住竅門　輕鬆網羅資訊

投資理財篇

聽明滾利　躋身富人行列

保險規畫篇

精省費用　打造全面保障

7

貸款評估篇

壓低利息　無痛清償債務

8

退休籌備篇

提前準備　老年安心樂活

半通本書 財務無憂

生活中常會碰到金錢相關決策，諸如買車該用現金或分期付款？挑哪一種房貸最符合自己的需求？手中現有的保單到底保障夠不夠？退休金該怎麼準備才能事半功倍？諸如此類，因牽涉複雜的計算，加上不少人對數字有恐懼症，最後的決定往往是「聽別人說」、「業務員介紹」，甚至是「跟著感覺走」。

關於金錢的決策，如果金額只有數萬元就還好，若是數百萬、甚至上千萬，錯誤的選擇可能導致昂貴的代價。譬如以退休金規畫來說，若方法錯誤，經過數十年的時間滾動，小錯會變得極為巨大，更可怕的是，等到幡然醒悟時，已是白髮蒼蒼，沒有另一個數十年可以重來。

對小市民理財困擾了解甚深的精算達人怪老子，一直以來努力想協助大家，不需要複雜工具、不必有專業財務或數學背景，只要肯花一點時間學習 Excel 軟體，就能動手算出符合自己需求的財務解答。

本書堪稱是怪老子多年來活用 Excel 之精華大成，也是他一直期盼能提供給讀者的一本財務工具書，其內容由 Excel 基礎觀念出發，到財務 5 大函數的介紹與使用，最終到保險、投資、退休年金等等生活常見財務問題的解答，這本書，看通半本已足夠自助，若能全通，甚至可以助人，提供專業諮詢，非常適合所有金融從業人員研讀。

據我了解，怪老子在寫書的過程中，為求讀者能讀通本書，投注極大心力，以至於篇幅一再擴增，並且反覆修改多次，其求好心切之態度令人感動。甚至因為寫作本書過於耗費心神，讓他一度浮現「以後不敢再出書」的念頭。見到一位作者能以出好書為志業，寫作過程幾乎是以生命在雕琢內容，作為首批讀者的我，何其榮幸能為之作序，期盼怪老子莫輕言封筆，否則將是讀者的損失。

《Smart 智富》月刊社長

人生重要時刻
靠Excel做對財務決策

如果無法自行估算一檔股票值多少錢，為何敢將辛苦賺來的錢投資這檔股票？如果你不知道債券是什麼，難道投資債券型基金不怕虧損嗎？有太多的投資者無法評估投資標的，僅聽號稱是專家的建議，盲目地買進賣出，這樣的投資方式想要獲利也難。

想要在這詭譎多變的投資環境獲得好績效，唯有將馬步確實站好，充實自己的投資理論基礎，才是釜底抽薪的辦法。只是許多投資者一看到數字就怕了起來，學習意願自然低落。

如果有一本書，可以讓投資理論變得親民，將繁雜的數學理論化為一般人聽得懂的語言，學習起來自然輕鬆容易；再佐以Excel試算表，讓理論以數字清楚呈現，這就是本書最主要的目的。

Excel是投資理財必備之工具，不只學習理財時用得著，在實務應用上也非常需要。記得當初學習投資學，閱讀波動風險章節時，書上描述股票的報酬呈現「常態分布（Normal Distribution）」，又稱「鐘型曲線」（詳見註1）。心中不免納悶「真的是那樣嗎？」這跟我們的了解很不一樣，股價的技術線型不都是上上下下地波動，怎會出現規律的鐘型曲線？於是我就動手用 Excel 照著書上所述方法，將台積電（2330）3 年的月報酬率次數分配用直方圖畫出，還真的出現常態分布。從此，我再也沒有懷疑過股票的可分析性。

實務上，Excel 發揮了相當強大的功效，當保險業務員介紹一份保單給我時，我會實際試算一下年化報酬率是多少，藉以判斷是否值得買。在定存股炒得很熱門時，我就會用 Excel 試算殖利率對股價波動的影響。幾乎在我遇到投資問題時，很自然地就會用 Excel 試算來化解我心中的疑惑，可想見我對 Excel 依賴的程度有多高。

其實，一生中會面臨許多的投資決策，例如中華電（2412）的股價來到了每股 100 元，是否值得買呢？目前房貸利率那麼低，而手中正好有一筆獎金，是該拿去投資或者償還房貸呢？該如何做好正確決策，正考驗著投資者是否擁有分析的能力。

所以，本書的規畫，從最基本的財務理論，到各式各樣的財務應用，舉凡貸款、保險、退休規畫等都包含在內；將我們一生中會用到的財務知識，搭配 Excel 的運算，一步一步地呈現給讀者。

註 1：當數字呈現常態分布時，落在平均值附近的機率是最高的，極大或極小數字的發生機率相對較小；這些數字的分布狀況，會呈現出一個兩端低、中央高的圖形，稱為「鐘型曲線」，此概念常應用於各種統計。

書中每一個應用所使用的Excel試算表，製作方法及公式也都有詳細的說明，讓讀者除了學習到投資理論之外，同時也可以提升Excel的製作能力。這樣讀者就能自行製作適用的試算表、找到答案。還有，Excel不只可以應用到投資理財，在職場上也非常有用，是個相當值得花時間學習的工具。

我的文學基礎很爛，國中時期的國文常常落在及格邊緣。曾經試著看完《紅樓夢》這本古典名著，幾次翻沒幾頁就放棄了，因為古文對我是有難度的。有一次看到女兒買的《吳淡如紅樓夢》，整本書用白話文將原著精髓描述出來，看得我欲罷不能，一口氣將整本從頭至尾全部看完，這才了解到《紅樓夢》為何那麼出名。

我一直有個期許，希望能像吳淡如書寫《紅樓夢》的方式，將艱澀難懂的投資理論用白話的方式呈現，讓一般人也能夠了解財務基礎理論，而這本書就是這個願望的最佳實現。

怪老子

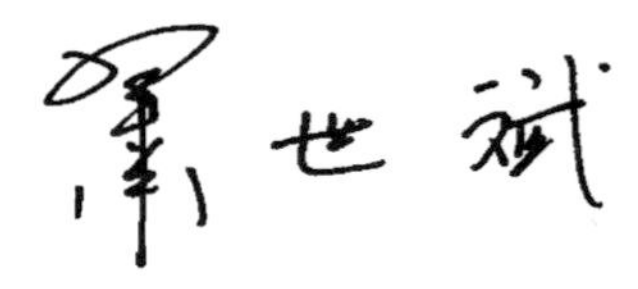

本書 Excel 試算表下載網址（網址有大小寫之分）：
http://masterhsiao.com.tw/Books/978-986-7283-71-9/dl.php

1

行前準備篇

站穩馬步
製表快速上手

1-1

掌握簡單觀念 就足以解決多數財務問題

Excel 擁有非常強大的計算功能，再複雜的難題，都能請它代勞。其實投資上，運用到的 Excel 功能不會太複雜，像是計算貸款條件、儲蓄險投資報酬率、考慮通膨的未來生活費……只要能掌握幾個簡單的觀念，就能解決大部分的問題喔！

為了服務 Excel 初學者，本篇先為大家介紹一些本書會用到的 Excel 基本功能。後續講述投資的篇章時，再陸續搭配介紹相關功能（本書圖解使用版本為 Microsoft Excel 2010）。

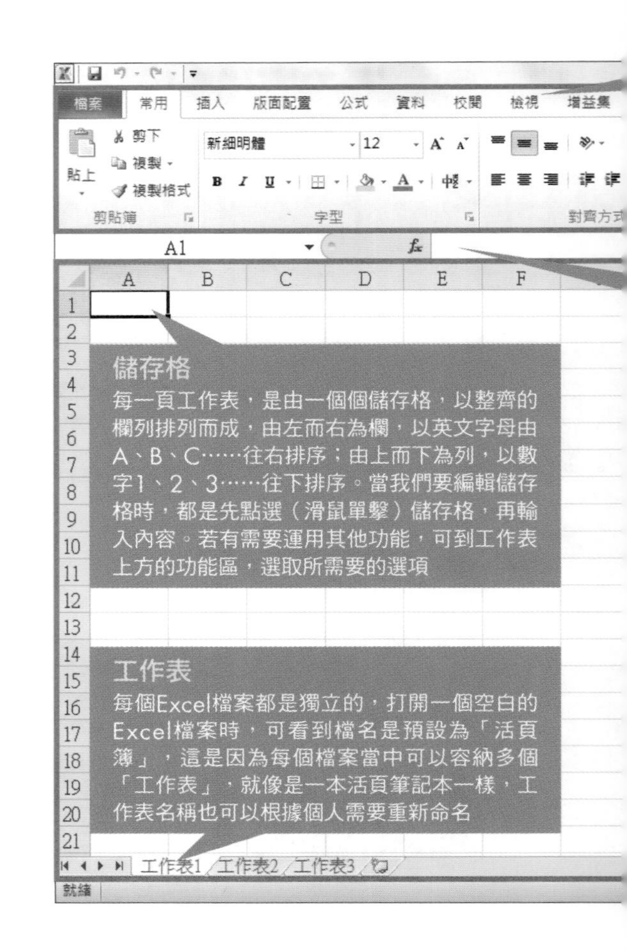

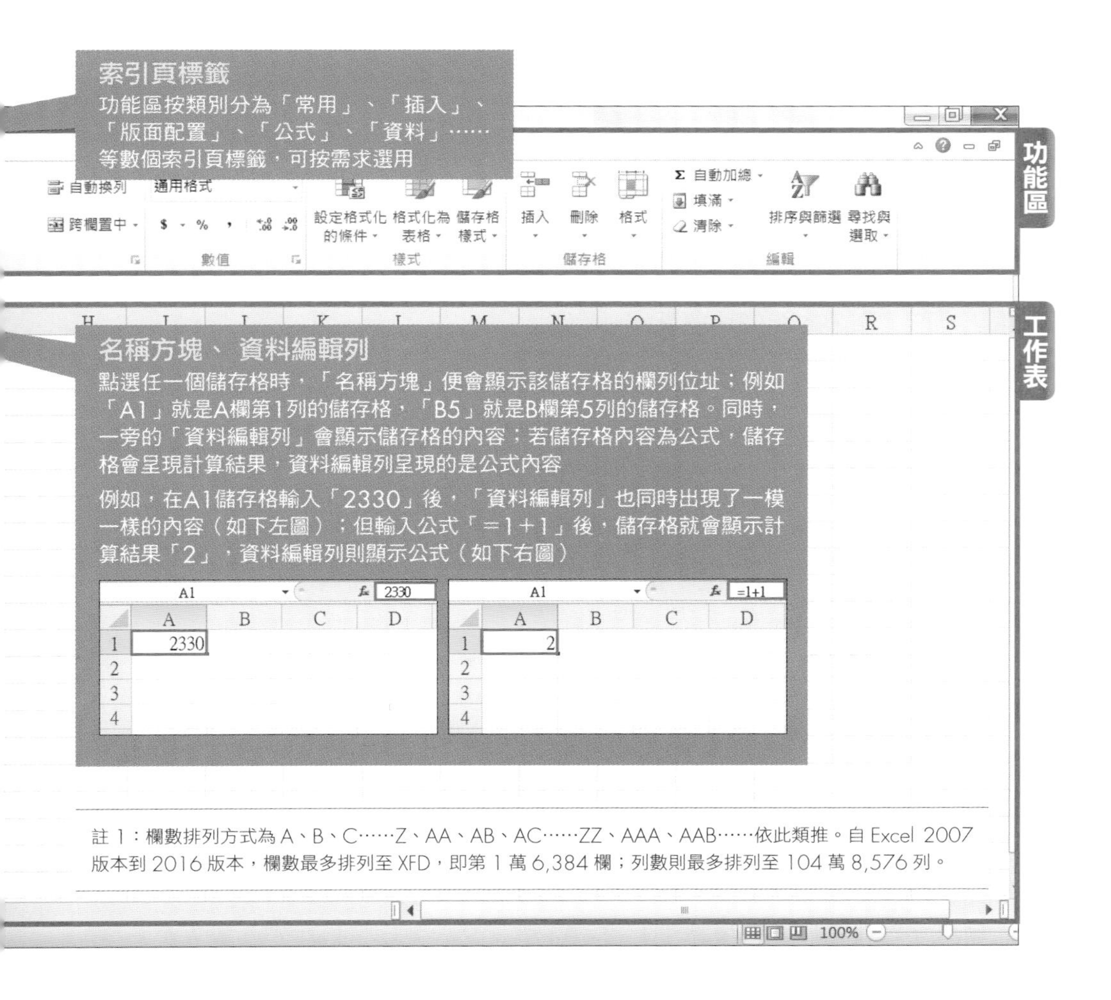

註 1：欄數排列方式為 A、B、C……Z、AA、AB、AC……ZZ、AAA、AAB……依此類推。自 Excel 2007 版本到 2016 版本，欄數最多排列至 XFD，即第 1 萬 6,384 欄；列數則最多排列至 104 萬 8,576 列。

認識常用基本功能

1. **點選儲存格**：選取單一儲存格，只要用滑鼠單擊即可。

2. **連續選取儲存格**：先點選一個儲存格再按著滑鼠不放，拖曳至想要選取的範圍後再放開即可。本書中，若提及選取範圍為 A1、A2、B1、B2 這 4 個儲存格時，以「A1：B2」表示。

3. **儲存格輸入內容**：選取單一儲存格後，即可開始輸入數字或文字，輸入完畢按下 Enter 鍵即可。要特別注意，輸入公式或任何數值，都要用「半形」字，才能成功運算。

Excel 會根據輸入儲存格的字串，自動判別是屬於數值、文字、日期、時間等（詳見表 1）。輸入數字時，Excel 就會直接判定為「數值」；但若第一個字母輸入「'」，則會幫助 Excel 認定為文字。例如，輸入「0050」並按下 Enter 鍵，會顯示為「50」，但若輸入「'0050」，則會顯示為「0050」。

4. **輸入公式，需先鍵入等號**：若要輸入公式，第一個字母一定要輸入「＝」，才會有運算功能。例如，想要計算「1 ＋ 2」，就必須輸入「＝ 1 ＋ 2」，再按下 Enter 鍵，即會自動運算出結果「3」。

如果儲存格 A1 的數值為「1」，B1 為「2」，我們想在 C1 輸入公

表1 Excel會依據輸入字串自動判斷儲存格式
——Excel輸入內容認定格式

輸入字串	Excel認定格式	意義
2330	數值	通用格式的數字
20%	數值	百分比格式的數字
數量	文字	文字
'2330	文字	視為「2330」的字串，但仍可以被運算
2016/5/30	日期	被認定為日期時，會直接顯示為：「2016/5/30」
	數值	被認定為數值時，會顯示為：「42520」 這數值是怎麼來的？原來，系統預設以1900年1月1日為「1」，「42520」代表2016年5月30日是1900年1月1日起第4萬2,520天。當我們需要計算兩個日期相距的天數時，就可以善加利用
07:00:00 AM	時間	被判定為時間時，會直接顯示為：「07:00:00 AM」
	數值	被認定為數值時，會顯示為：「0.29」 系統預設以24個小時為「1」，因此每1小時為1/24，每1分鐘為（1/24）×（1/60）＝1/1,440，每1秒為（1/24）×（1/60）×（1/60）＝1/86,400 例如「5小時3分24秒」＝5/24＋3/1,440 ＋24/86,400＝0.210694，如果一個儲存格數值為0.210694，用時間的格式來表示就是「05:03:24 AM」
=B1*B2	公式	公式的第1個字元必須是等號。以輸入此公式為例，則會算出儲存格B1的數值乘以儲存格B2的數值

整理：怪老子

式「＝ A1 ＋ B1」，除了直接以鍵盤輸入，亦可按以下方式輸入：點選 C1 →鍵入等號「＝」→滑鼠點選 A1 →鍵入加號「＋」→滑鼠點選 B1 →按下 Enter 鍵即可。

5. **設定儲存格格式**：輸入內容時，每個儲存格格式會先預設為「通用格式」，我們可以根據需求自行更改。

最快的方法是在點選欲設定的儲存格後，將滑鼠移到❶「常用」索引頁標籤→❷「數值」區塊的下拉選單，選擇所需要的格式。

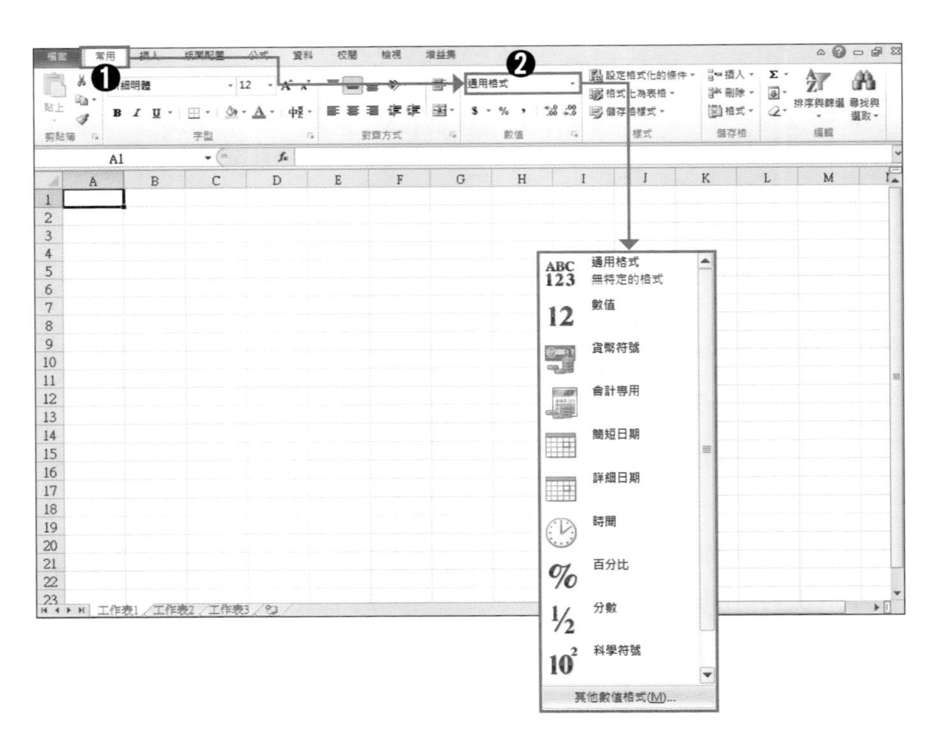

❶在數值功能區中也設有按鈕，方便使用者快速設定百分比、千分位、小數點等格式。如果還想做更詳細的設定，點選儲存格後，按下❷「數值」區塊右下角的小按鈕，即可叫出「儲存格格式」小視窗，按需求設定。

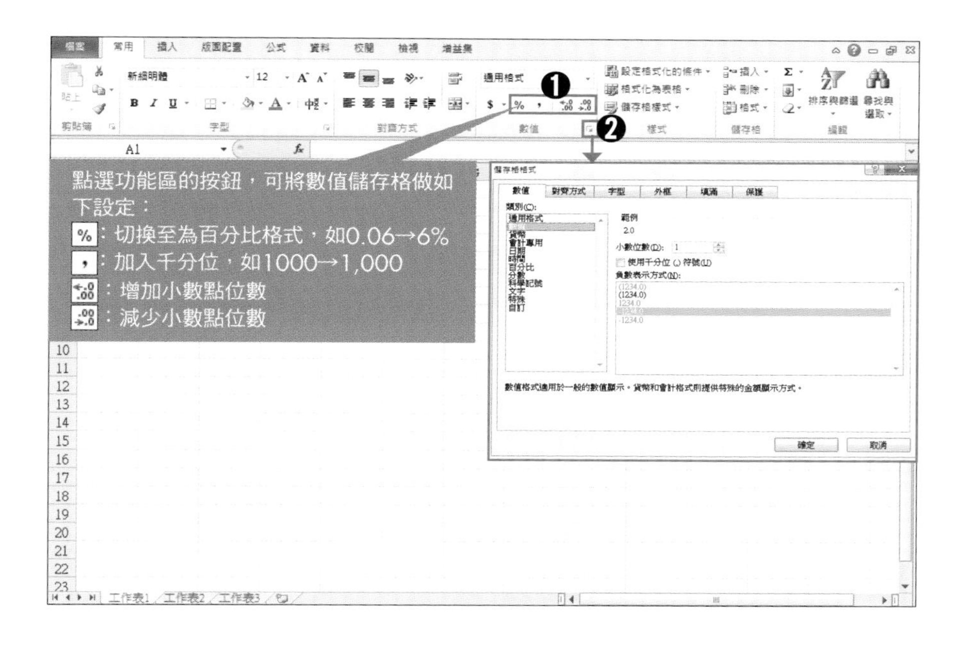

雖然 Excel 看起來是一個很大的表格，而且可以輸入文字，許多使用者把 Excel 當成 Word 的表格來使用。其實 Excel 最大的功能是計算的能力，所以用的最多的格式應該是公式。

檢驗 Excel 是否使用得當，只要看公式儲存格數量占使用儲存格的比例，如果不到一半，就是沒有充分利用 Excel 的功能。

認識函數格式

Excel 有許多內建函數，可以幫我們快速運算其他儲存格的資料，有簡單的加總（SUM）、平均（AVERAGE）、計算儲存格數目（COUNT）；投資時需要用到的現值（PV）、未來值（FV）、報酬率（RATE）、內部報酬率（IRR）等。在儲存格當中使用函數時，一定要用半形字，絕不能用全形字，而且必須遵守基本格式，才能有效運算出結果：

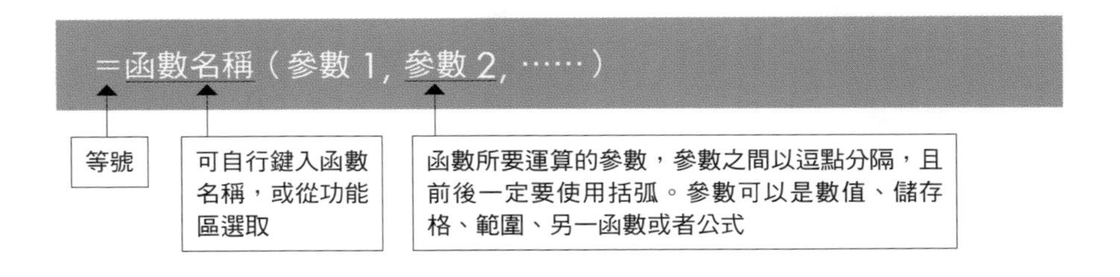

以下用範例來說明。右頁圖表列出 5 家公司的負債比，若想要計算它們的負債比平均值，有 2 種做法：

做法1》手動輸入

如果已經熟悉函數內容，就可在儲存格中直接手動輸入函數，即可快速得出計算結果。

Step1：點選一個要呈現計算結果的儲存格，例如 C9。輸入❶「＝AVERAGE（C2：C6）」，這代表我們要用 AVERAGE 函數，去運算

C2：C6 的儲存格資料。

Step2：按下❷ Enter 鍵，即可運算出結果：「42.59」。當 C2 ～ C6 的內容改變時，C9 運算結果也會跟著改變。

AVERAGE =AVERAGE(C2:C6)

	A	B	C	D
1	公司代號	公司簡稱	負債比(%)	
2	1232	大統益	26.95	
3	1210	大成長城	51.82	
4	1219	福壽實業	37.9	
5	1218	泰山企業	56.6	
6	1225	福懋油	39.68	
7				
8				
9			❶ =AVERAGE(C2:C6)	

C
負債比(%)
26.95
51.82
37.9
56.6
39.68
❷ 42.59

做法2》從功能區點選函數

我們也可以從功能區尋找適合的函數，系統會跳出對話方塊，教我們按部就班完成計算工作。

Step1：點選要呈現計算結果的儲存格，例如「C9」。點選資料編輯列前方的❶「f（x）」符號，或是公式功能區的❷「插入函數」按鈕，皆可叫出❸「插入函數」小視窗。

選取需要的函數名稱❹「AVERAGE」，最下方會有簡單的函數用法說明，確認無誤後點選❺「確定」按鈕。

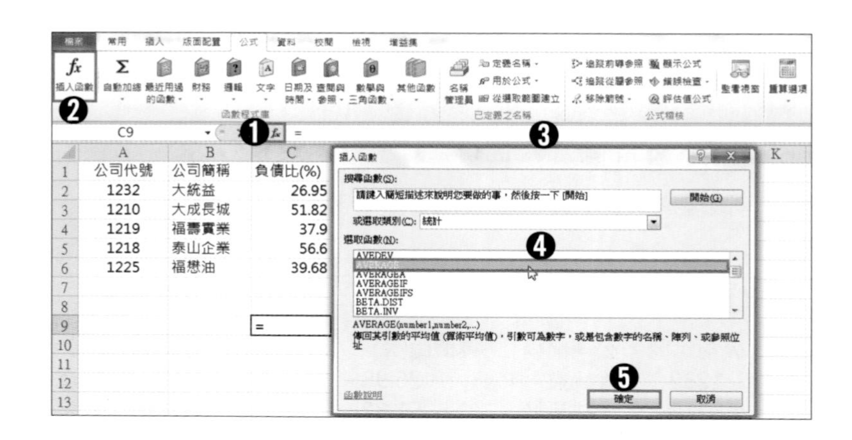

Step2：接著會跳出「函數引數」小視窗，系統會自動判斷我們想運算的儲存格範圍，若有錯誤則可自行鍵入更改，也可用選取的方式修改。選取方法是按下❶紅色按鈕，此時「函數引數」視窗會縮小，接著我們用滑鼠選取要運算的儲存格範圍，選好之後再按一次❷紅色按鈕，「函數引數」視窗又會放大，最後按下❸「確定」即可。

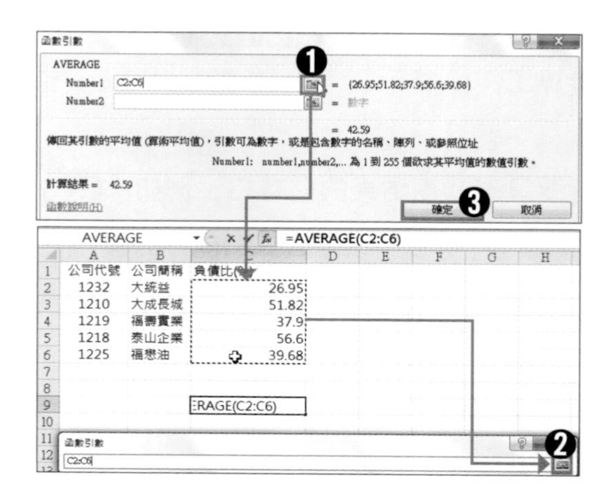

本書會再進一步教大家公式使用方法，以及投資理財時常用到的函數，只要把觀念弄清楚，並將幾個關鍵的函數反覆運用，要解決各式各樣的財務問題，一點也不難。

1-2

運用「填滿功能」資料再多也不怕

製作資料表時，常常會需要複製一個或多個儲存格到其他儲存格。或是在一欄或一列中，依序填入多個連續的數值到相鄰儲存格，例如 0、1、2、3、4⋯⋯100，或是等差的數值（任何相鄰數值的差皆相等），例如 0、5、10、15⋯⋯100。我們通常不會一個一個慢慢打字，而是善用 Excel 自動填滿功能快速完成工作，常用的方式有 3 種：

方式1》使用「填滿控點」

最方便的填滿方式，是用「填滿控點」快速填入資料。「填滿控點」就是我們選取任一個儲存格時，所看到的右下角小黑點；只要點選要複製的儲存格，用滑鼠左鍵拖曳這個小黑點，就可以執行許多種填滿的工作，包括複製數字、文字與公式等。

以下用範例來說明。假設我們要製作一張表，需列出從 1 到 10 的期數，製作方式如下：

Step1：於 A1 儲存格輸入「期數」，A2 儲存格輸入「1」。

Step2：點選 A2 儲存格，可看到滑鼠游標顯示為空心十字形狀；只要把滑鼠游標輕輕移到儲存格右下角的填滿控點，游標就會變成實心＋號。此時按住滑鼠左鍵，往下拖曳 10 格（含 A2）再放開，A2 下方其他 9 個儲存格，就會填滿為 A2 儲存格的內容。

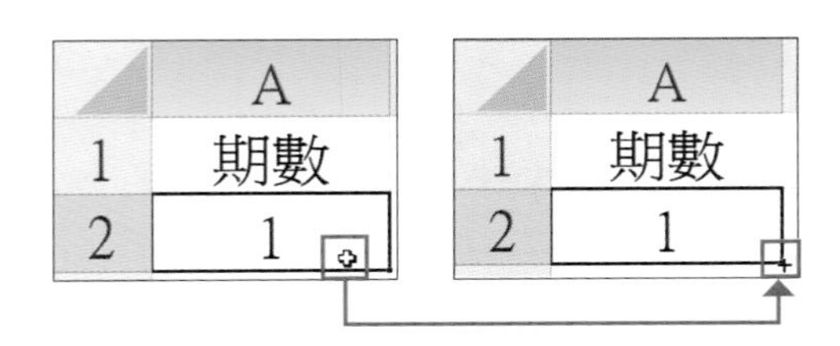

Step3：填滿後，儲存格旁會出現一個❶「自動填滿選項」按鈕；按下按鈕右側的小箭頭叫出選單，勾選❷「以數列方式填滿」，A2 到 A11 就變成了從 1 到 10 的完整數列。

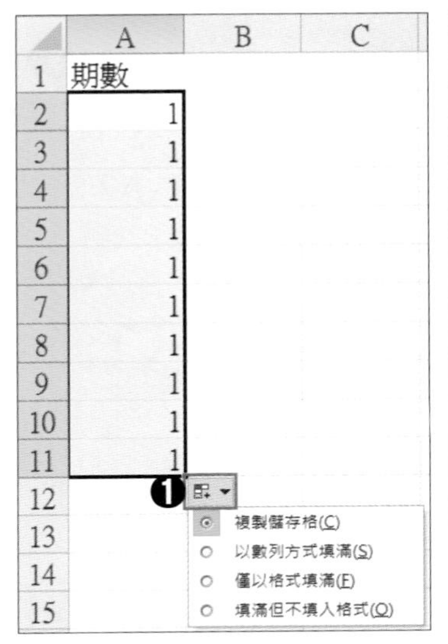

「自動填滿選項」主要有幾個選項：複製儲存格、以數列方式填滿、僅以格式填滿、填滿但是不填入格式等；若要填滿的是日期，則會再出現以天數、工作日、月、年填滿等選項。Excel 會根據已輸入的資料，自動判斷最可能的一種，我們可在此處，按需求選擇自己需要的項目。各項功能簡單介紹如表 1。

方式2》複製儲存格公式

除了使用「填滿控點」，也可以直接用複製儲存格的方式，讓儲存格複製公式往下填滿。同樣以製作從 1 到 10 的表格為例：

Step1：在儲存格 A2 輸入數字「1」，按 Enter。

Step2：點選儲存格 A3，輸入等號「＝」，再直接用滑鼠點選儲存格 A2，接著連續輸入「＋」及「1」，可看到儲存格及資料編輯列顯示為「＝ A2 ＋ 1」，這代表 A3 儲存格被我們指定為 A2 儲存格加 1 的數值；如果 A2 的數值有變，A3 也會跟著改變。

A3 fx =A2+1

	A	B
1	期數	
2	1	
3	=A2+1	
4		
5		

表1 依據不同選項，Excel會自動填滿儲存格
——自動填滿選項功能

自動填滿選項	作用
複製儲存格	將整個儲存格的內容完整複製，包括數值、公式及格式等
以數列方式填滿	將儲存格內的數字以數列的方式複製。例如複製的儲存格為數值1，複製過去就會是2、3、4……。複製的儲存格內容有文字加數字，數字的部分也會以數列方式變更。例如複製儲存格內容為「第1列」，那麼以數列填滿的結果是「第2列」、「第3列」、「第4列」……依此類推
僅以格式填滿	只會複製儲存格格式，不會複製數值及公式
填滿但是不填入格式	只會複製數值及公式，但是維持填滿前的格式
以天數填滿	當要複製的儲存格內容為日期時，填滿時以日增加。例如複製內容為「2015/5/20」，被填滿的儲存格將會是「2015/5/21」、「2015/5/22」、「2015/5/23」、「2015/5/24」、「2015/5/25」……
以工作日填滿	當要複製的儲存格內容為日期時，填滿時以工作日增加，非工作日跳過。例如要複製儲存格內容為「2015/5/20」。被填滿的儲存格將會是「2015/5/21」、「2015/5/22」、「2015/5/25」、「2015/5/26」、「2015/5/27」……由於5/23及5/24是星期六、日，所以跳過
以月填滿	當要複製的儲存格內容為日期時，填滿時以1個月增加。例如複製內容為「2015/5/20」， 被填滿的儲存格將會是「2015/6/20」、「2015/7/20」、「2015/8/20」、「2015/9/20」、「2015/10/20」……
以年填滿	當要複製的儲存格內容為日期時，填滿時以1年增加。例如複製內容為「2015/5/20」，被填滿的儲存格將會是「2016/5/20」、「2017/5/20」、「2018/5/20」、「2019/5/20」、「2020/5/20」……

整理：怪老子

Step3：滑鼠移至儲存格 A3 右下角的填滿控點，當指標顯示為「＋」時，按住滑鼠左鍵拖曳至儲存格 A11，就會完成公式的複製。如果一一點選儲存格，可看到 A4 內容為「A3 ＋ 1」、A5 內容為「A4 ＋ 1」……依此類推。

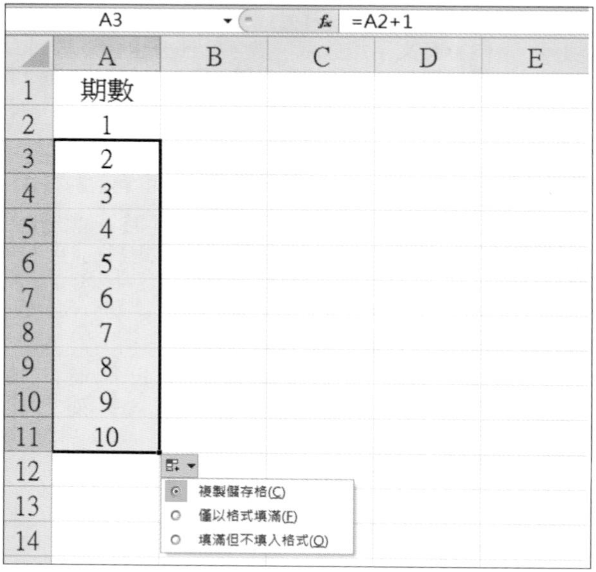

A3 =A2+1

	A	B	C	D	E
1	期數				
2	1				
3	2				
4	3				
5	4				
6	5				
7	6				
8	7				
9	8				
10	9				
11	10				
12					
13					
14					

複製儲存格(C)
僅以格式填滿(F)
填滿但不填入格式(O)

方式3》以數列工具填滿

當我們要製作較龐大的資料時，例如要製作 20 年期的貸款每月攤還表，20 年一共有 240 個月，需要輸入從 0 到 240 期的期數，如果只用滑鼠拖曳填滿控點就太累了。因此，我會利用「填滿」工具，迅速完成工作。

Step1：儲存格 F2 鍵入「0」，按下 Enter 鍵。

Step2：點選儲存格 F2。並於❶「常用」索引頁標籤下，點選❷「填滿」下拉選單的❸「數列」，即會開啟「數列」視窗。

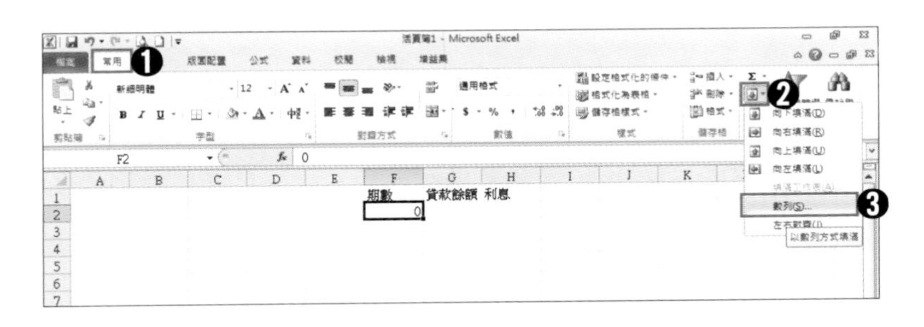

Step3：「數列」視窗當中，❶數列資料勾選「欄」，❷類型勾選「等差級數」，❸間距值輸入「1」，❹終止值輸入「240」，再按下❺「確定」，這是代表我們要在此欄建立從 0 開始、間距為 1 的等差級數數列，並且結束在 240。完成後，可看到 F 欄已經出現從 0 到 240 的數列。

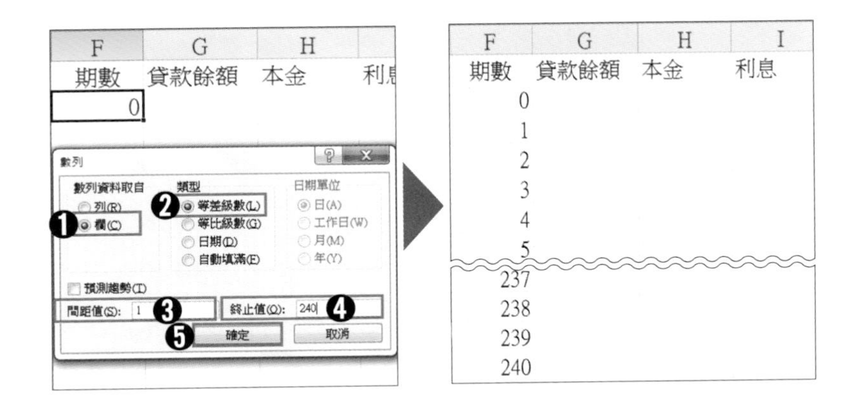

1-3

認識「絕對參照」正確複製運算公式

一張好用的試算表，大部分儲存格都應該是公式，而不是自行填入的文字及數字。因為儲存格相當多，最快速的方式就是使用複製的功能。然而，複製儲存格內的公式，並貼到其他儲存格時，若沒有特別設定，公式並不會完全複製過去，而是依預設的「相對參照」方式，將儲存格的相對位置貼上，以下我們來了解，如何正確地複製儲存格公式。

欄列皆相對參照》複製相對位置

以右頁圖為例，我們先將儲存格 B7 輸入公式「＝ E2」，可看到 B7 的數值是參照儲存格 E2 的數值，顯示為「5」。

若選取儲存格 B7，按滑鼠右鍵點選「複製」、貼到儲存格 A6：C8 之後，可以看到，其中 B8 的公式並不是「＝ E2」，而是「＝ E3」。

為什麼公式會改變呢？這是因為，當我們將儲存格 B7 輸入公式「＝ E2」時，系統內部對於 E2 位置的紀錄是「B7 的右 3 欄、上 5 列」，所以 B7 的公式被複製至其他位置時，公式都會自動改為目的地儲存格的「右 3 欄、上 5 列」位置。

當 B7 的公式被複製至 B8 儲存格時，公式就被轉換成「＝ E3」，得到數字「8」，因為儲存格 B8 的右 3 欄及上 5 列的位置就是 E3。如果複製到 A6，可看到 A6 的右 3 欄、上 5 列是儲存格 D1，所以公式會被轉成「＝ D1」，得到數字 1。

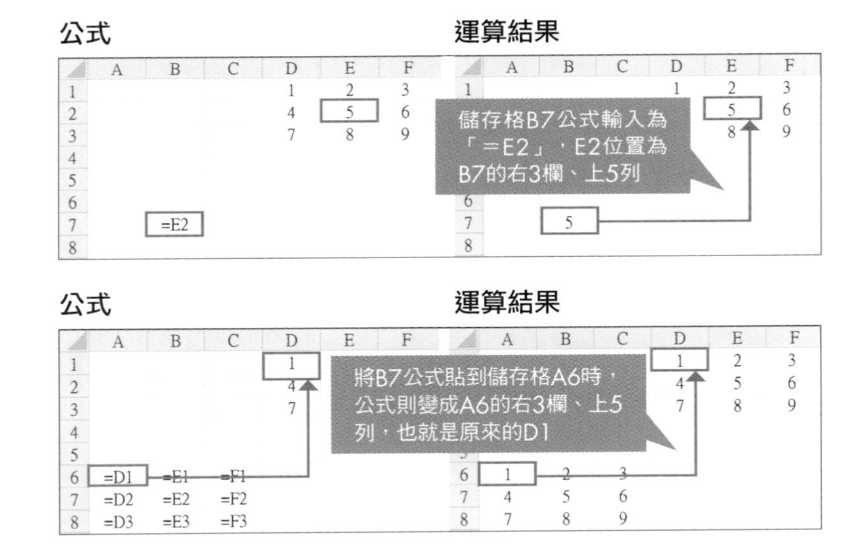

欄列皆絕對參照》可完全複製公式

如果我們希望完全複製儲存格公式，就可以採取「絕對參照」，方法很簡單，只要在要複製的儲存格公式，欄名及列名前各加上一個「$」符號即可（將游標移到要絕對參照的欄列位置上，按一下 F4 鍵，可快速切換為絕對參照）。

例如，儲存格 B7 的公式輸入「＝ E2」是相對參照，但當我們輸入為「＝ $E$2」，那麼欄、列的位址都是絕對參照。也就是說，儲存格 B7 的公式不論被複製哪一個儲存格，目的地儲存格的公式都會維持「＝ $E$2」，永遠不會被轉換。

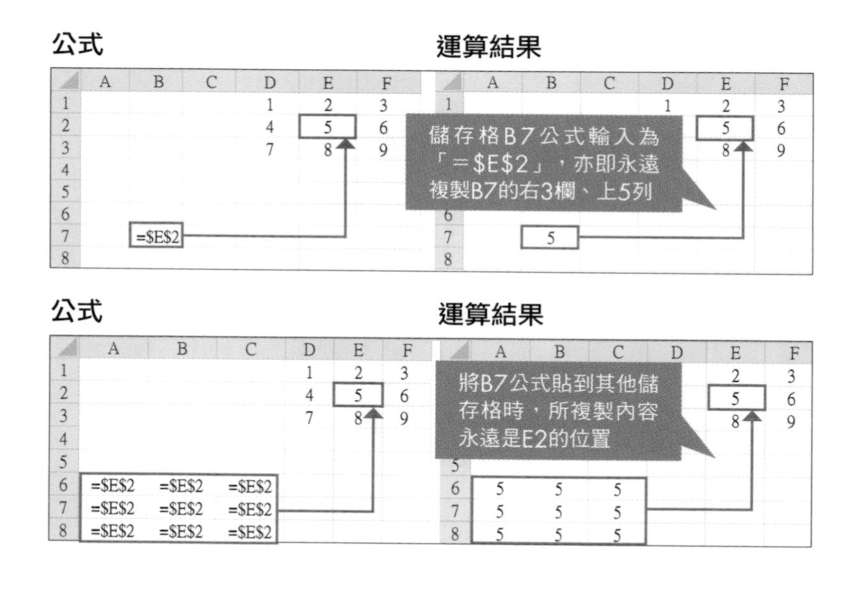

混合參照》欄或列擇一鎖定

混合參照指的是欄與列的參照方式不一樣，可以是「欄絕對參照、列相對參照」，或者「列絕對參照、欄相對參照」；這也是我們在製作表格時，很常用到的方式。

欄絕對參照、列相對參照

如果是 B7 內的公式輸入為「＝ $E2」（滑鼠移到公式裡的「E2」連按 3 次 F4 鍵），「$」只位於欄名「E」之前，代表欄絕對參照，列相對參照；E2 位於 B7 的右 3 欄、上 5 列位置，但不論複製到哪裡，永遠會鎖定 E 欄，列名因為沒有鎖定，則是轉換成目的地儲存格的上 5 列。例如，將 B7 公式複製到 A8 時，公式就會轉換成「＝ $E3」；複製到 C6 時，公式轉換成「＝ $E1」。

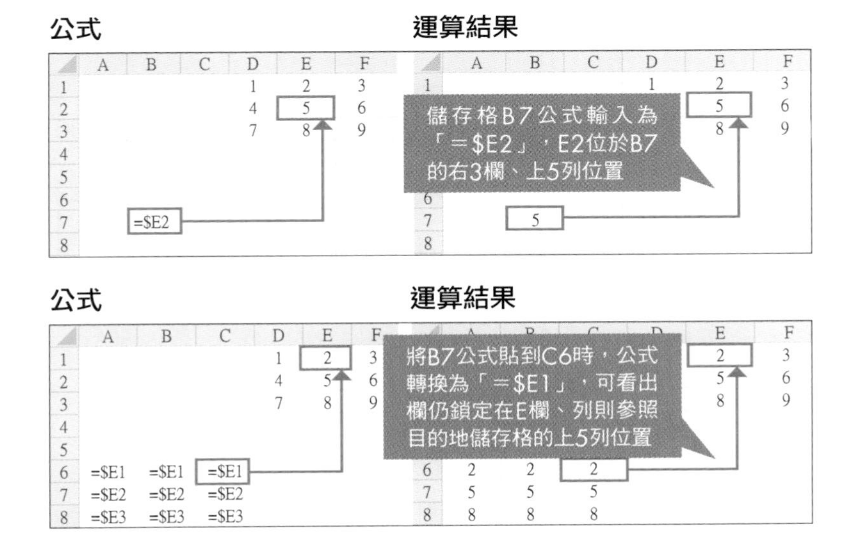

欄相對參照、列絕對參照

如果是 B7 內的公式為「＝ E$2」（滑鼠移到公式裡的「E2」連按 2 次 F4 鍵），「$」只位於列名「2」之前，代表只有列是絕對參照，欄則是相對參照。E2 位於 B7 的右 3 欄、上 5 列位置，不論 B7 公式複製到哪裡，永遠參照第 2 列，欄位則是轉換成目的儲存格的右 3 欄。所以 B7 公式複製到儲存格 A8 時，公式轉換成「＝ D$2」；複製到 C6 時，公式轉換成「＝ F$2」。

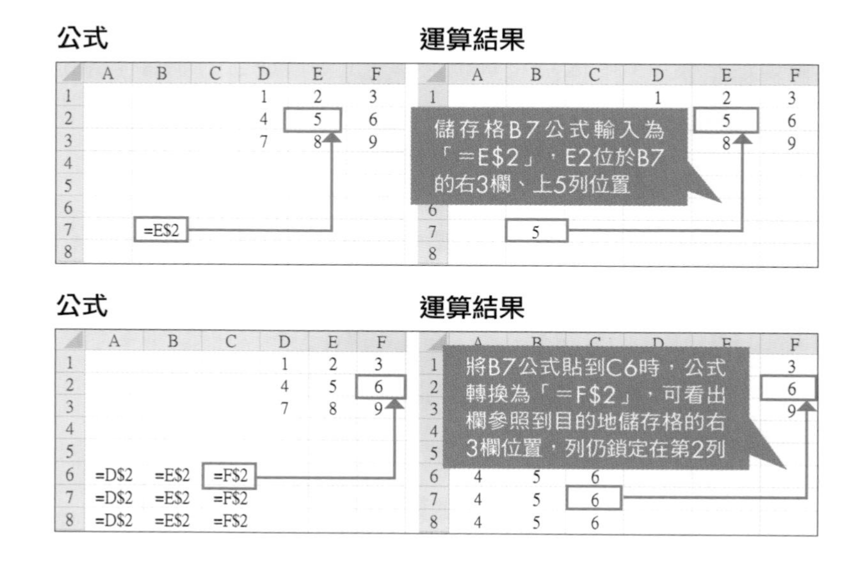

範例》活用參照功能製作複利試算表

對理財有興趣的讀者，對於「複利」一定不陌生，也多多少少都有看過類似這樣的敘述：「第 1 年投資 1 萬元，每年獲利 6.5%，將獲利再投入，5 年後可以累積到 1 萬 3,701 元」，這就是「複利期末本利和」的概念。

製作試算表最能夠看出複利成長的過程，只要了解複利觀念，再搭配本文所介紹的 Excel 相對參照與絕對參照原理，就可輕鬆做出試算表。

先來複習一下，「期末本利和」指的是期初投入一筆本金，經過一段期間後產生獲利或虧損，到了期末時，將期初本金加上當期獲利，就是期末本利和。

「複利」是將當期獲利，滾入下一期的本金繼續投入，所以下一期的期初金額會等於上一期的期末本利和。因為期末的獲利都再投入，所以期初投入的金額就會一期比一期多；即便是每一期的投資報酬率都一樣，獲利也會一期比一期還要多，隨著時間累積，本利和就會有爆炸性成長。

	A	B	C	D
1	投資報酬率	6.50%		
2				
3	期數	期初投入	獲利	期末本利和
4	期初			10,000
5	1	10,000	650	10,650
6	2	10,650	692	11,342
7	3	11,342	737	12,079
8	4	12,079	785	12,865
9	5	12,865	836	13,701
10				

投資報酬率、期初投入金額可依需求任意變更

期初投入＝上一期的期末本利和

獲利＝期初投入×投資報酬率

期末本利和＝期初投入＋獲利

以下就透過實作練習，學習製作複利試算表。

實作練習

先填寫表格欄列名稱。所需的欄位共有「投資報酬率」、「期數」、「期初投入」、「獲利」、「期末本利和」，按下圖位置填入儲存格。

「投資報酬率」（B1）與期初的「期末本利和」（D4）可設定為黃底色，提醒我們未來使用時，可任意變更數值。本例以投資報酬率 6.5%、第 1 期期初投入 1 萬元為例，於❶「B1」輸入「6.50%」，❷「D4」輸入「10,000」。

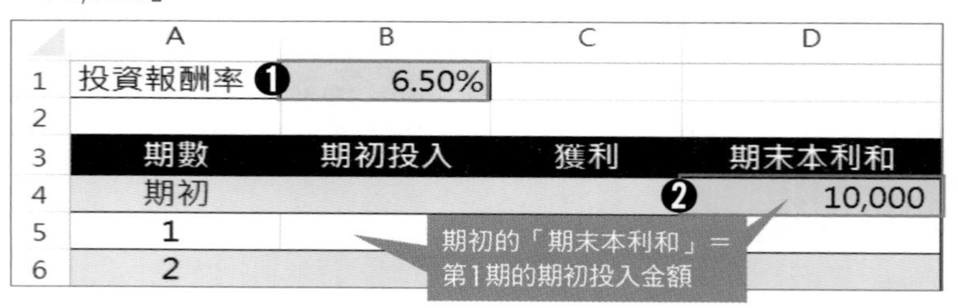

	A	B	C	D
1	投資報酬率 ❶	6.50%		
2				
3	期數	期初投入	獲利	期末本利和
4	期初		❷	10,000
5	1			
6	2			

STEP 2

設定第 1 期的期初投入金額「B5」＝上一期的期末本利和「D4」。在❶「B5」儲存格輸入公式「＝D4」，按下 Enter 鍵，❷會自動運算出「B5」等於「D4」的值「10,000」。

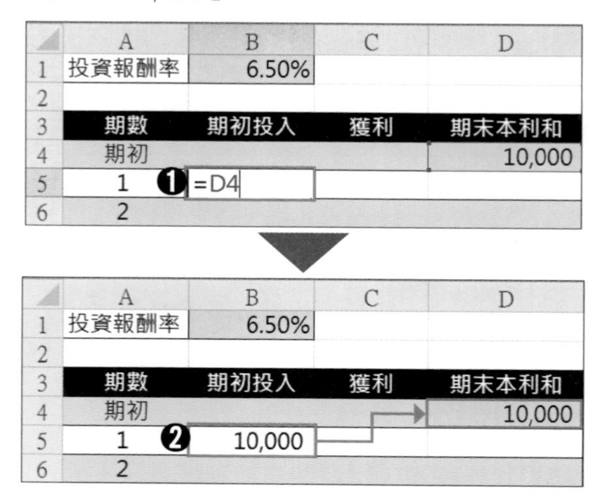

	A	B	C	D
1	投資報酬率	6.50%		
2				
3	期數	期初投入	獲利	期末本利和
4	期初			10,000
5	1 ❶	=D4		
6	2			

	A	B	C	D
1	投資報酬率	6.50%		
2				
3	期數	期初投入	獲利	期末本利和
4	期初			10,000
5	1 ❷	10,000		
6	2			

STEP 3

設定第 1 期獲利「C5」＝第 1 期期初投入「B5」× 投資報酬率「B1」，公式中需絕對參照投資報酬率儲存格。❶「C5」輸入公式「＝B5*B1」，此時將游標停留在公式「B1」處，按一下 F4 鍵，❷公式會變成「＝B5*$B$1」→按 Enter 鍵，「C5」出現運算結果「650」。

	A	B	C	D
1	投資報酬率	6.50%		
2				
3	期數	期初投入	獲利	期末本利和
4	期初			10,000
5	1	10,000	=B5*B1 ❶	

	A	B	C	D
1	投資報酬率	6.50%		
2				
3	期數	期初投入	獲利	期末本利和
4	期初			10,000
5	1	10,000	=B5*$B$1 ❷	

設定第 1 期期末本利和「D5」＝第 1 期期初投入「B5」＋獲利「C5」。❶「D5」輸入公式「＝B5＋C5」按 Enter 鍵，❷得出計算結果「10,650」。

	A	B	C	D
1	投資報酬率	6.50%		
2				
3	期數	期初投入	獲利	期末本利和
4	期初			10,000
5	1	10,000	650	=B5+C5
6	2			❶
7	3			

	A	B	C	D
1	投資報酬率	6.50%		
2				
3	期數	期初投入	獲利	期末本利和
4	期初			10,000
5	1	10,000	650	10,650
6	2			❷

將第 1 期公式複製至其他期數。❶點選儲存格「B5」，按住往右拖至「D5」放開，這時「B5：D5」儲存格會被框選起來，❷將滑鼠移至儲存格「D5」的右下角的填滿控點，當游標出現「＋」號時，滑鼠左鍵快點兩下（或直接往下拖曳）， 就會❸將「B5：D5」的公式複製到「B6：D9」的範圍。

	A	B	C	D
1	投資報酬率	6.50%		
2				
3	期數	期初投入	獲利	期末本利和
4	期初			10,000
5	1 ❶	10,000	650	10,650 ❷
6	2			

	A	B	C	D
3	期數	期初投入	獲利	期末本利和
4	期初			10,000
5	1	10,000	650	10,650
6	2	10,650	692	11,342
7	3 ❸	11,342	737	12,079
8	4	12,079	785	12,865
9	5	12,865	836	13,701

經過以上 5 步驟，表格就完成了。若想要檢查公式是否正確，可以點選❶「公式」→❷「顯示公式」，工作表就會出現所有公式，再點選一次又會恢復為運算結果。

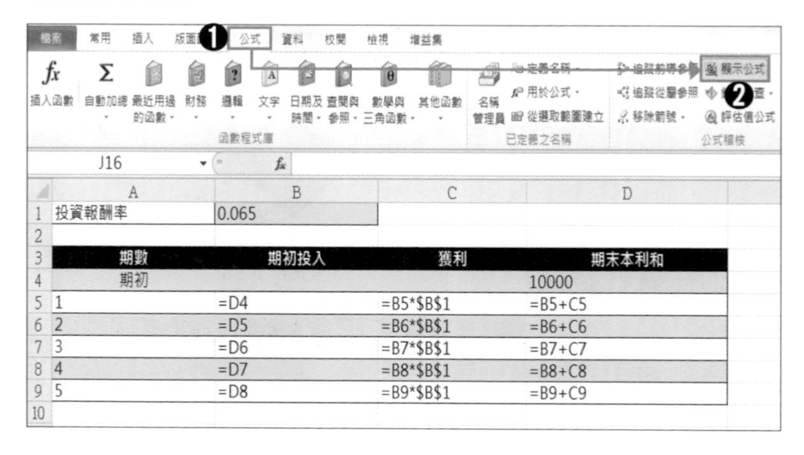

	A	B	C	D
1	投資報酬率	0.065		
2				
3	期數	期初投入	獲利	期末本利和
4	期初			10000
5	1	=D4	=B5*$B$1	=B5+C5
6	2	=D5	=B6*$B$1	=B6+C6
7	3	=D6	=B7*$B$1	=B7+C7
8	4	=D7	=B8*$B$1	=B8+C8
9	5	=D8	=B9*$B$1	=B9+C9
10				

1-4
學會「定義名稱」日後管理快速又方便

我們知道，儲存格的位址是以欄名及列數組成，例如 B5 指的是 B 欄第 5 列的儲存格，以下圖為例，這是一張本利和試算表，列出了期初金額（A5）、利息（B5）、期末本利和（C5）以及年利率（B1）。

當我們想要知道「利息」的公式，就可以點選 B5，名稱方塊會顯示儲存格位址「B5」，資料編輯列則可以看到公式「＝ A5*B1」。

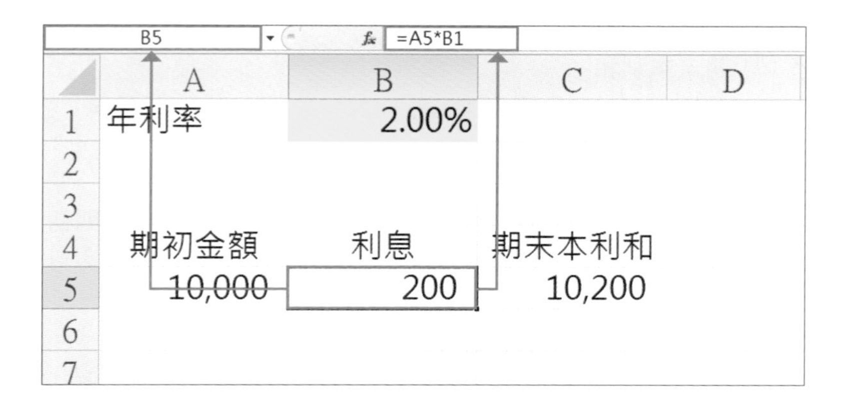

接著就要根據公式內容，對照 A5、B1 的位置，才會知道這 2 個儲存格分別代表期初金額、年利率。

這個表格還算簡單，簡單對照一下就能理解公式內容；但若遇到稍加複雜的公式，光是尋找儲存格位置，就得花上許多功夫。為了讓製作表格過程以及未來檢視時更輕鬆，我們在製作表格時，可以先利用「定義名稱」的功能，讓公式在參照儲存格時，直接顯示儲存格所代表的名稱，這樣往後就不用苦苦對照儲存格位址，幫助我們節省許多精力！

範例》為本利和試算表定義儲存格名稱

以上述本利和試算表為例，我們可直接將以下儲存格定義成它們所代表的中文名稱：

B1：「年利率」

A5：「期初金額」

B5：「利息」

C5：「期末本利和」

定義完成後，要輸入儲存格 B5（利息）的公式時，就能輸入為「＝期初金額 * 年利率」，儲存格 C5（期末本利和）則輸入「＝期初金額＋利息」。以後一看公式就能快速明瞭，將來維護工作表也省事很多。

為儲存格定義名稱不止一種方法，可以在選取儲存格後，直接在「名稱方塊」鍵入我們指定的名稱。不過，當一張表格有好幾個儲存格需要設定時，就可以利用以下介紹的「以選取範圍建立名稱」，運用現成的表格欄列名稱，快速完成工作。

實作練習

首先，我們要將 B1 儲存格定義為「年利率」。❶選取「A1：B1」範圍，點選❷「公式」索引頁標籤→❸「從選取範圍建立」，就會出現 「以選取範圍建立名稱」視窗，此時勾選❹「最左欄」並按❺「確定」鍵。Excel 就會將儲存格內容，自動設定為我們選取範圍的最左欄當作儲存格名稱。

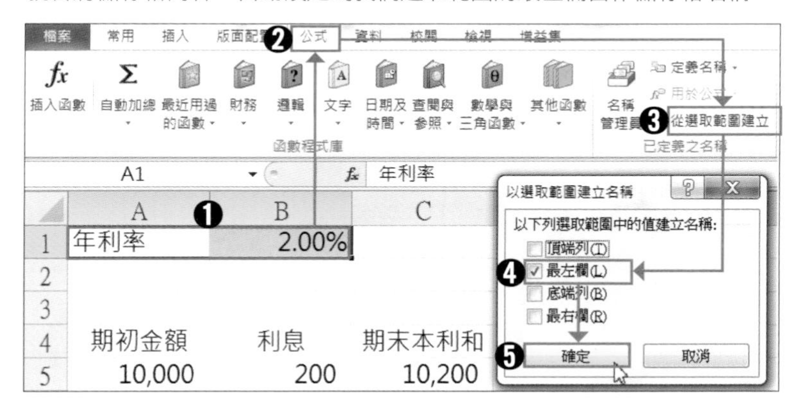

STEP 2

接著，我們要為「A5」到「C5」儲存格定義名稱。❶選取「A4:C5」範圍，點選❷「公式」索引頁標籤→❸「從選取範圍建立」，在小視窗中，勾選❹「頂端列」，按❺「確定」鍵。Excel 會讀取選取範圍的頂端列「A4：C4」，當作「A5：C5」的名稱。

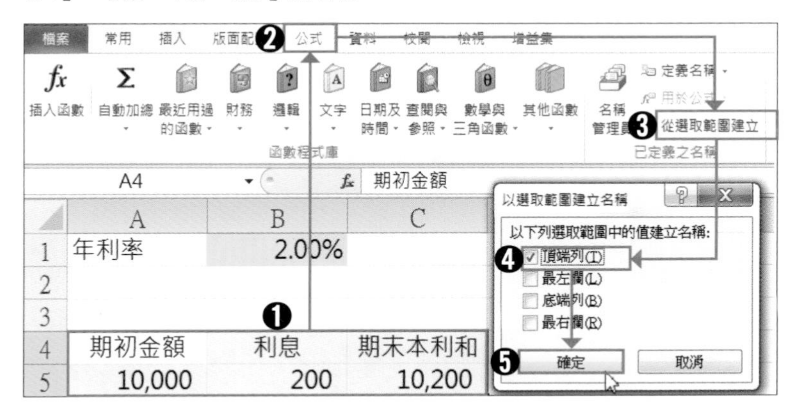

STEP 3

最後檢查一次名稱定義是否正確。❶點選「A5」，可看到名稱方塊已經不是 A5，而是「期初金額」。

若要查看所有名稱，可點選❷「公式」索引頁標籤→ ❸「名稱管理員」，就會出現「名稱管理員」的小視窗，在此可看到這個檔案所定義名稱的參照儲存格位址、數值（運算結果）、適用領域（顯示為「活頁簿」，意思是這些名稱設定，適用於這個 Excel 檔案的所有工作表）。

此後，當你打開這個 Excel 檔案時，只要公式中輸入「年利率」，就會絕對參照到這張工作表的 B1 儲存格。如果想要增加、編輯及刪除名稱定義，也可以在這個小視窗進行。

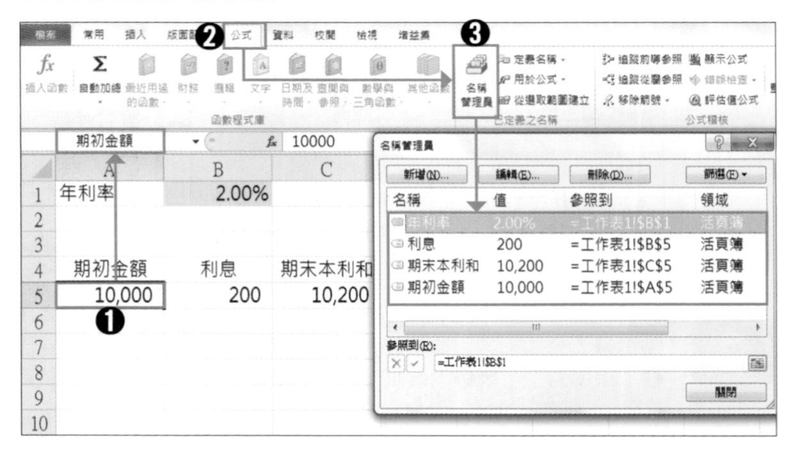

1-5

活用「定義表格」計算時不必再動手寫公式

Excel的儲存格是行列整齊的排列，看起來已經是一張超級大的表格，難怪常有人當作一般文字表格使用。例如，大家都會像下圖（定義表格前）這樣，將資料一一輸入儲存格，但只是這樣做，並沒有真正享受到Excel「表格」（Table）功能的優點。

Excel 試算表的表格是有特定用途的，我們只要多按一個鈕，將儲存格範圍重新「定義」為表格（如下頁圖，定義表格後），之後不論要將表格中的數字加總、平均、排列順序或過濾不要的資訊，都能輕易辦到，而且也不需要自己動手輸入公式，非常便利。

定義表格前

	A	B	C	D
1	公司代號	公司簡稱	負債比(%)	
2	1232	大統益	26.95	
3	1210	大成長城	51.82	
4	1219	福壽實業	37.9	
5	1218	泰山企業	56.6	

定義表格後

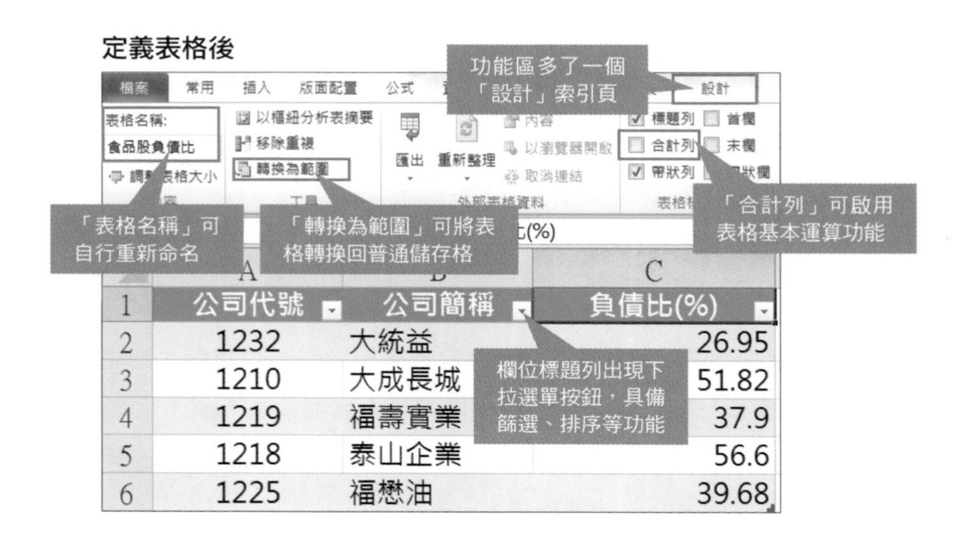

該怎麼定義表格呢？以下用實作練習來說明。我們在儲存格範圍「A1：F6」列出 5 檔食品股的負債比、資產報酬率、權益報酬率、股價等數據，首先將儲存格範圍定義為表格，再來學習應用幾項基本的表格功能。

實作練習

定義表格與命名：讓儲存格發揮表格功能

選取「A1：F6」儲存格範圍，點選❶「插入」索引頁標籤→❷「表格」，即會出現「建立表格」小視窗。

確認❸「請問表格的資料來源」是否正確，若不正確，可用滑鼠拉動選取範圍來更正。若選取範圍的第 1 列是欄位標題，可勾選❹「有標題的表格」，最後按下❺「確定」就大功告成！

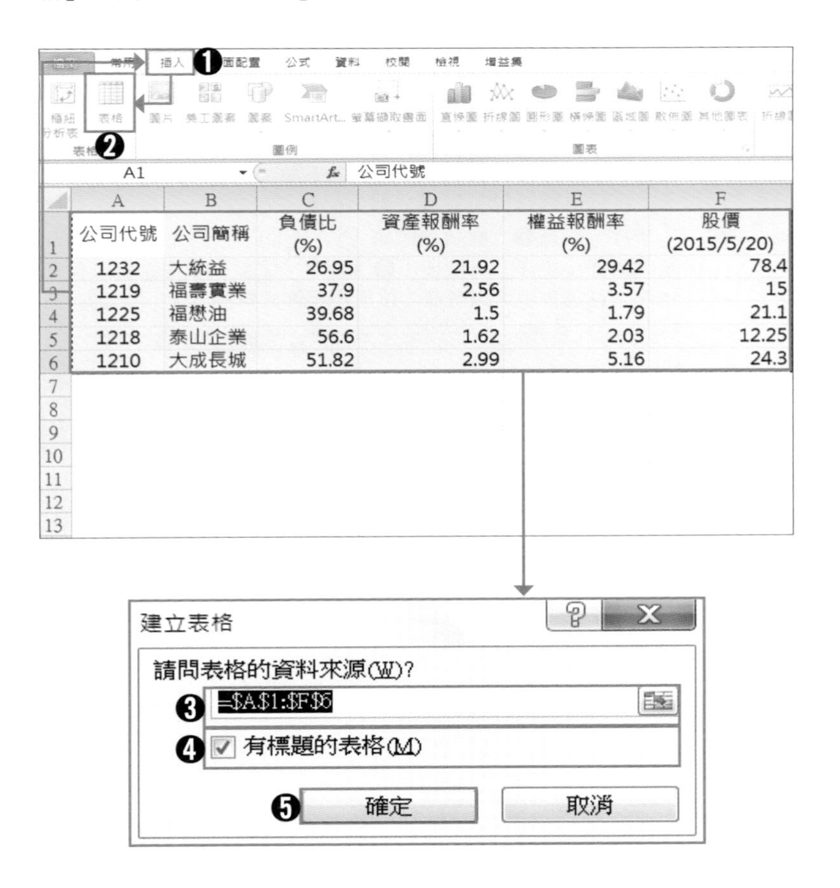

公司代號	公司簡稱	負債比(%)	資產報酬率(%)	權益報酬率(%)	股價(2015/5/20)
1232	大統益	26.95	21.92	29.42	78.4
1219	福壽實業	37.9	2.56	3.57	15
1225	福懋油	39.68	1.5	1.79	21.1
1218	泰山企業	56.6	1.62	2.03	12.25
1210	大成長城	51.82	2.99	5.16	24.3

STEP 2

建立完成的表格如下圖，此時我們要為這個表格命名，可點選表格中任一儲存格，點選❶「設計」，可看到 ❷「表格名稱」預設為「表格 1」（或「表格 2」、「表格 3」……），但為了利於之後的編輯與維護，我們可以重新命名表格名稱，此例就命名為「獲利分析表」。亦可根據個人喜好，在❸「表格樣式」區塊挑選喜歡的顏色。

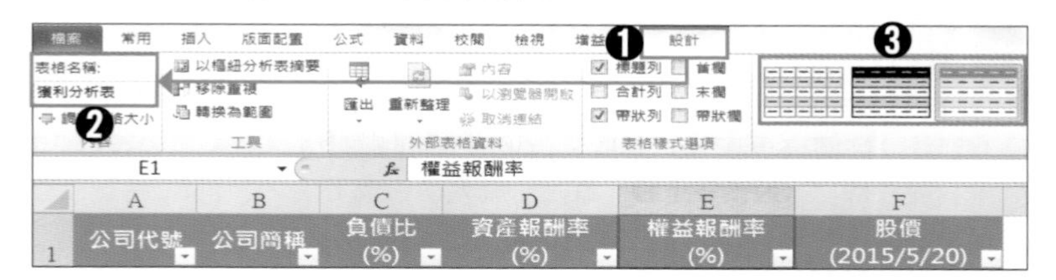

排序與篩選：讓表格數據按需求呈現

表格建立好之後，每欄的標題列右下角，都各有一個下拉選單按鈕，可讓我們運用各種排序及過濾功能。例如，要讓「權益報酬率（%）」從大至小排序，點選❶「權益報酬率（%）」的下拉選單，從選單中選擇❷「從最大到最小排序」，並按下❸「確定」，整張表格就會以權益報酬率大小排序；當然，也可以選擇「由最小至最大排序」。

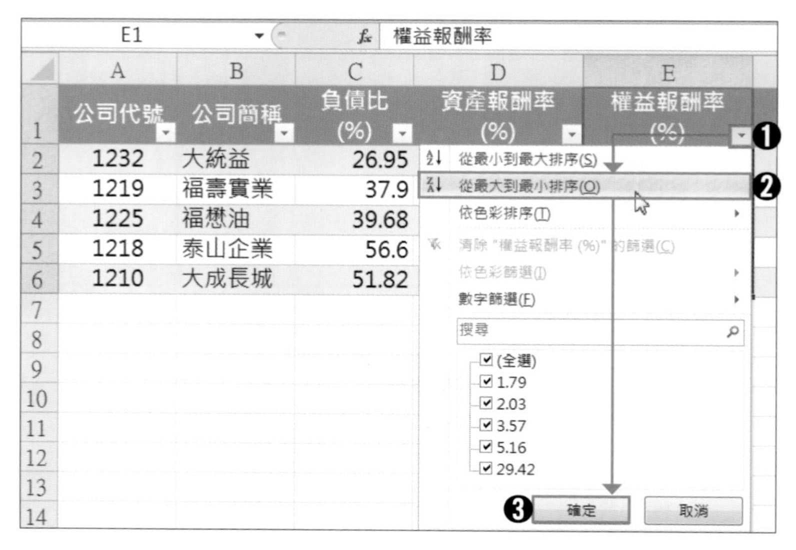

STEP 2

如果我們想將這張表當中，負債比高於 50% 的公司過濾掉，只留下負債比低於 50% 的公司，只需要點選❶「負債比（%）」標題列的下拉選單，❷將滑鼠移到「數字篩選」時（不用點選），就會滑出另一個子選單，此時點選❸「小於」選項，叫出「自訂自動篩選」小視窗。❹將負債比「小於」條件設定為「50」，按下❺「確定」，這張表格就只會顯示出負債比低於 50% 的公司了。

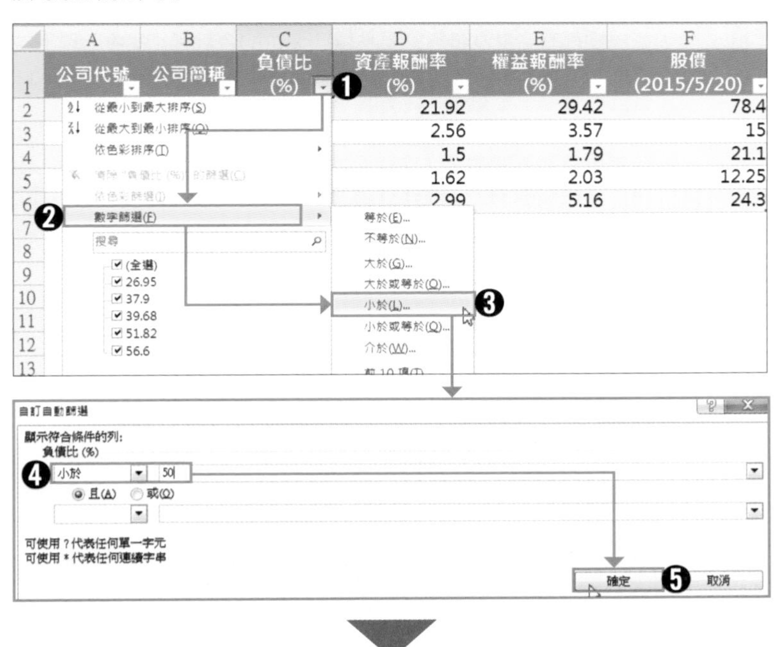

	A 公司代號	B 公司簡稱	C 負債比 (%)	D 資產報酬率 (%)	E 權益報酬率 (%)	F 股價 (2015/5/20)
2	1232	大統益	26.95	21.92	29.42	78.4
4	1219	福壽實業	37.9	2.56	3.57	15
6	1225	福懋油	39.68	1.5	1.79	21.1

被過濾掉的列數只是暫時隱藏起來。若想顯示完整表格，只要再點選一次「負債比（%）」下拉選單，選擇「清除"負債比（%）"的篩選」即可

以「負債比（%）」篩選資料後，下拉選單圖示多了一個漏斗圖案，代表該欄位有篩選條件

以「權益報酬率（%）」排序後，下拉選單圖示多了一個向下的箭頭，代表該欄位由大至小排序

合計列：不需輸入公式，就能運算每欄數據

使用「合計列」，可讓表格中的每一欄，直接套用預設的基礎統計功能或是自行選擇需要的函數。先點選表格的任一儲存格，點選❶「設計」索引頁標籤→❷勾選「合計列」，就能看到表格最下方新增了一列❸「合計列」。

每一欄都有合計功能，只要點選該欄位的合計列，就會出現下拉選單按鈕，我們可任意選擇需要的函數功能。例如，在「負債比（%）」欄位下方的合計列選單，點選❹「平均值」，就會算出平均負債比。

若想再重新篩選表格，合計列也會馬上算出篩選後的合計結果。有沒有發現，善用這樣的表格功能，其實不用寫任何公式，很簡單就可以得到所要的答案。

檔案 常用 插入 版面配置 公式 資料 校閱 檢視 增益 ❶ 設計
表格名稱: 獲利分析表 調整表格大小 內容
以樞紐分析表摘要 移除重複 轉換為範圍 工具
匯出 重新整理 內容 以瀏覽器 取消連結 外部表格資料
❷ 標題列 首欄 合計列 末欄 帶狀列 帶狀欄 表格樣式選項

C7 =SUBTOTAL(101,[負債比

	A	B	C	D	E	F
1	公司代號	公司簡稱	負債比 (%)	資產報酬率 (%)	權益報酬率 (%)	股價 (2015/5/20)
2	1232	大統益	26.95	21.92	29.42	78.4
3	1210	大成長城	51.82	2.99	5.16	24.3
4	1219	福壽實業	37.9	2.56	3.57	15
5	1218	泰山企業	56.6	1.62	2.03	12.25
6	1225	福懋油	39.68	1.5	1.79	21.1
7	合計		42.59			30.21

❸

❹
無
平均值
項目個數
數字項個數
最大值
最小值
加總
標準差
變異值
其他函數...

以「名稱」取代「儲存格範圍」，維護超方便

上一章才為大家介紹「替儲存格取名字」，適用於單一儲存格（詳見 1-4）；我們也可以「替表格取名字」，這也是我認為 Excel 表格最重要的功能——結構化的表格參照。當我們想在其他儲存格運算表格中的數據時，不需要指定欄列位址，只要敍述「名稱」就可以了。

這就像學校朝會時，校長想要點名某一班的兩位同學上台，如果校長不曉得同學的班級和姓名，就必須說：「司令台前第 1 個班級，第 1 排第 1 個、第 2 排第 1 個同學請上台。」但如果校長知道這兩位同學的班級和姓名，就可以說：「甲班的黃小明和楊小穎同學請上台。」就算這兩位同學換到其他位置，校長也不用去記他們換到哪裡，只要叫出班級、姓名就可以了。

以前述案例為例，當我們想另外在 C9 儲存格，運算表中所有公司的負債比（C2：C6）平均值，在沒有定義表格時，公式如下：

= AVERAGE（C2：C6）

這樣的缺點是，「C2：C6」的範圍可讀性不佳，必須對照後，才知道範圍是哪裡。另一個缺點是當表格移動時，公式中的儲存格範圍就得跟著修正，非常不利於未來試算表的維護。

但當我們定義為表格，並命名為「獲利分析表」之後，C9 儲存格的

公式就可以寫為：

= AVERAGE（**獲利分析表 [負債比（%）]**）

當在公式中使用到「C2：C6」的範圍，Excel 會自動改用名稱「獲利分析表 [負債比（%）]」取代，這個名稱代表獲利分析表中「負債比（%）」欄所有資料列的儲存格；就算之後要移動表格，或增加表格列數，C9 的公式一個字都不用更動，之後維護試算表時，就變得相當便利。

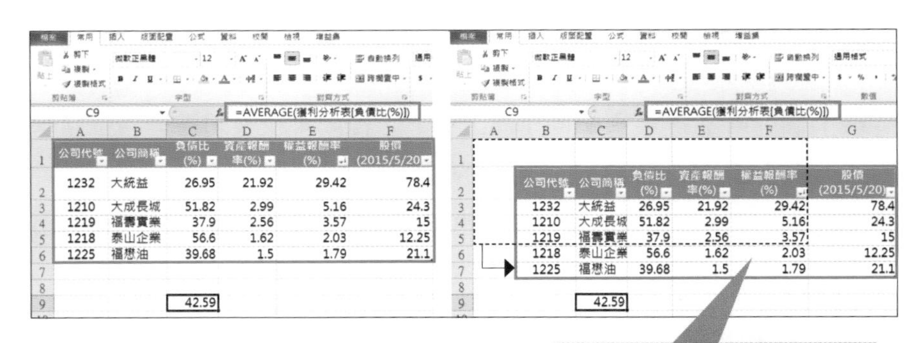

輸入公式時，直接使用字串來描述表格，不用去管儲存格範圍，可以增加公式的可讀性，並減少出錯的機會，是非常好用的功能。

由於表格是由多個欄位組成，第 1 列為「欄位標題列」，表格內容為「資料列」、最後一列為「合計列」（只有被勾選時才會出現），在公式中描述整張表格或特定區域時，基本格式為：

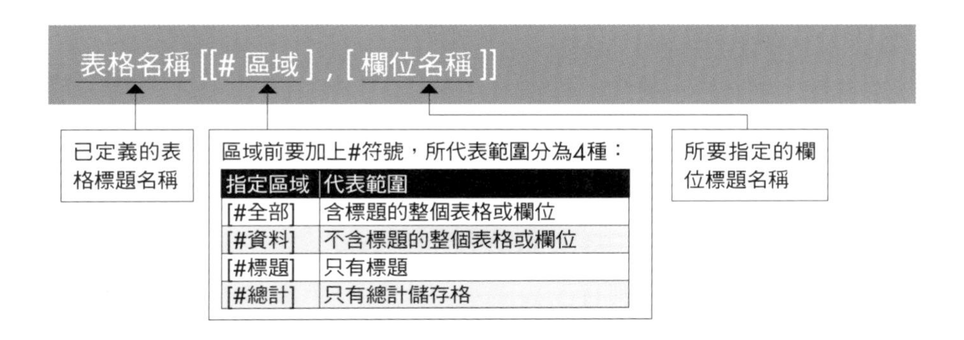

指定區域	代表範圍
[#全部]	含標題的整個表格或欄位
[#資料]	不含標題的整個表格或欄位
[#標題]	只有標題
[#總計]	只有總計儲存格

以下方各公式為例，表格名稱已定義為「獲利分析表」，不同的描述方式，各代表不同的範圍。指定完成後，將來不論這表格增加或減少多少公司資料，公式一字都不用改，不僅更利於理解，出錯機率也能降低許多；所以當公式需要運算到表格中的範圍，都應該盡量使用結構化參照表示。

獲利分析表[#全部]

代表範圍：整張獲利分析表，包含標題列、資料列及合計列

例如，用「COLUMNS」函數計算整張表共有幾欄，公式可寫為：

= COLUMNS (獲利分析表 [# 全部])

即可運算出這張表共有 6 欄。

	A	B	C	D	E	F
1	公司代號	公司簡稱	負債比 (%)	資產報酬率 (%)	權益報酬率 (%)	股價 (2015/5/20)
2	1232	大統益	26.95	21.92	29.42	78.4
3	1210	大成長城	51.82	2.99	5.16	24.3
4	1219	福壽實業	37.9	2.56	3.57	15
5	1218	泰山企業	56.6	1.62	2.03	12.25
6	1225	福懋油	39.68	1.5	1.79	21.1
7	合計		42.59	6.12	8.39	30.21

獲利分析表[#資料]

代表範圍：獲利分析表的資料列

例如，用「ROWS」函數計算表格資料共有幾列，以計算公司數量，可寫為：

= ROWS（**獲利分析表 [# 資料]**）

即可運算出表中資料共有 5 列。

	A	B	C	D	E	F
1	公司代號	公司簡稱	負債比 (%)	資產報酬率 (%)	權益報酬率 (%)	股價 (2015/5/20)
2	1232	大統益	26.95	21.92	29.42	78.4
3	1210	大成長城	51.82	2.99	5.16	24.3
4	1219	福壽實業	37.9	2.56	3.57	15
5	1218	泰山企業	56.6	1.62	2.03	12.25
6	1225	福懋油	39.68	1.5	1.79	21.1
7	合計		42.59	6.12	8.39	30.21

獲利分析表[[#資料],[權益報酬率（%）]]

代表範圍：「權益報酬率」欄位中，不含標題及合計列的所有資料

公式也可簡化為：「獲利分析表 [權益報酬率（%）]」。例如，用「MEDIAN」函數計算表中「權益報酬率」所有資料的中位數，可寫為：

= MEDIAN（**獲利分析表 [權益報酬率（%）]**）

即可得出結果為 3.57。

	A	B	C	D	E	F
1	公司代號	公司簡稱	負債比 (%)	資產報酬率 (%)	權益報酬率 (%)	股價 (2015/5/20)
2	1232	大統益	26.95	21.92	29.42	78.4
3	1210	大成長城	51.82	2.99	5.16	24.3
4	1219	福壽實業	37.9	2.56	3.57	15
5	1218	泰山企業	56.6	1.62	2.03	12.25
6	1225	福懋油	39.68	1.5	1.79	21.1
7	合計		42.59	6.12	8.39	30.21

獲利分析表[[#全部],[權益報酬率（%）]]

代表範圍：「權益報酬率（%）」欄位的所有儲存格，含標題列及合計列

例如，要用「ROWS」函數計算權益報酬率這一整欄一共有幾列，可寫為：

= ROWS（**獲利分析表 [[# 全部],[權益報酬率（%）]]**）

可得出結果為 7。

	A	B	C	D	E	F
1	公司代號	公司簡稱	負債比(%)	資產報酬率(%)	權益報酬率(%)	股價(2015/5/20)
2	1232	大統益	26.95	21.92	29.42	78.4
3	1210	大成長城	51.82	2.99	5.16	24.3
4	1219	福壽實業	37.9	2.56	3.57	15
5	1218	泰山企業	56.6	1.62	2.03	12.25
6	1225	福懋油	39.68	1.5	1.79	21.1
7	合計		42.59	6.12	8.39	30.21

獲利分析表[#標題]

代表範圍：表格中所有的標題列

	A	B	C	D	E	F
1	公司代號	公司簡稱	負債比(%)	資產報酬率(%)	權益報酬率(%)	股價(2015/5/20)
2	1232	大統益	26.95	21.92	29.42	78.4
3	1210	大成長城	51.82	2.99	5.16	24.3

獲利分析表[[#標題],[資產報酬率（%）]]

代表範圍：「資產報酬率（%）」欄位的標題儲存格

	A	B	C	D	E	F
1	公司代號	公司簡稱	負債比(%)	資產報酬率(%)	權益報酬率(%)	股價(2015/5/20)
2	1232	大統益	26.95	21.92	29.42	78.4
3	1210	大成長城	51.82	2.99	5.16	24.3

如果要以公式運算同張表格其他欄的同列資料，在描述欄位名稱時，前面加入 @ 符號就可以了，如下：

@ [欄位名稱]

以上述的獲利分析表為例，如果要再增加一欄「權益資產比」，計算表中所有公司的「權益報酬率」與「資產報酬率」比值，做法為：插入一欄（F 欄），並在資料列第 1 個儲存格輸入公式：

＝[@[權益報酬率（%）]]/[@[資產報酬率（%）]]

	A	B	C	D	E	F	G
1	公司代號	公司簡稱	負債比 (%)	資產報酬率 (%)	權益報酬率 (%)	權益資產比	股價 (2015/5/20)
2	1232	大統益	26.95	21.92	29.42	1.34	78.4
3	1210	大成長城	51.82	2.99	5.16	1.73	24.3
4	1219	福壽實業					
5	1218	泰山企業					
6	1225	福懋油	3				

公式：
＝[@[權益報酬率（%）]]/[@[資產報酬率（%）]]

輸入完成後，按下 Enter 鍵就會自動運算出結果；若要計算所有公司，只要將公式直接往下複製即可。因為同屬一張表格，所以表格的名稱就直接省略，不用贅述。

表中新增的「權益資產比」這一欄，雖然每一列公式都一樣，但是 Excel 會自動參照指定欄位的同一列資料，例如大統益的權益資產比「F2」，所指定的「[@[權益報酬率（%）]]」，就是參照至大統益這一列的權益報酬率儲存格「E2」，依此類推。所以雖然公式都相同，但利用 @ 符號，可讓實際參照的儲存格，隨著同列資料而改變。

基礎技巧篇

掌握要點 搞定複雜運算

2

2-1

輸入公式活用2方法 製表事半功倍

Excel 會根據儲存格內容自動辨認格式，當第一個文字為等號「＝」，就會認定是公式。例如儲存格 B3 的字串為「＝ B1*B2」，就會將 B1 的數值乘上 B2 的數值，再顯示於 B3 儲存格。只要 B1 及 B2 儲存格數值有變化，儲存格 B3 就立即更新運算結果。

雖然 Excel 允許一字一字的鍵入公式，但是較為費時且容易出錯。實務上，我們通常會使用半自動的方式，當第 1 個文字鍵入等號時，Excel 就知道我們要開始輸入公式了，這時候只要用滑鼠點選儲存格位置，就會在編輯列自動插入該儲存格的位址（若有重新定義名稱，則會插入該儲存格名稱）。如果點選一個儲存格範圍或已定義的表格，編輯列也會自動插入儲存格範圍或表格名稱。

狀況1》儲存格未定義新名稱

例如在儲存格 B3 上鍵入公式「＝ B1*B2」，順序如下：

Step1：滑鼠點選儲存格 B3

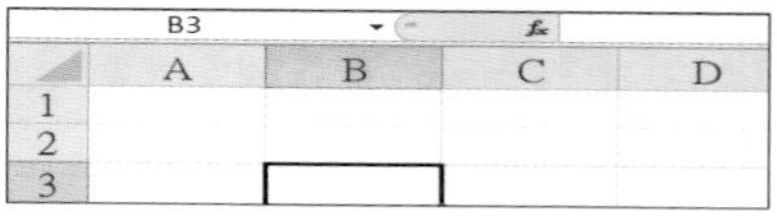

B3 fx

	A	B	C	D
1				
2				
3				

Step2：輸入等號「＝」

編輯列顯示文字：「＝」

Step3：滑鼠點選儲存格 B1

編輯列顯示文字：「＝ B1」

Step4：輸入乘號「*」

編輯列顯示文字：「＝ B1*」

Step5：滑鼠點選儲存格 B2

編輯列顯示文字：「＝ B1*B2」

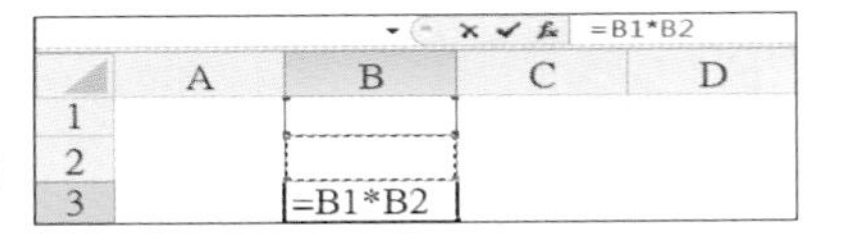

Step6：按 Enter 鍵

狀況2》儲存格名稱重新定義

若 B1 名稱被定義為「本金」，B2 為「利率」，B3 為「利息」，那麼儲存格 B3 的公式輸入就可使用名稱，將來維護表格時會便利許多。

Step1：滑鼠點選儲存格 B3

Step2：輸入等號「＝」

編輯列顯示文字：「＝」

Step3：滑鼠點選儲存格 B1

編輯列顯示文字：「＝本金」

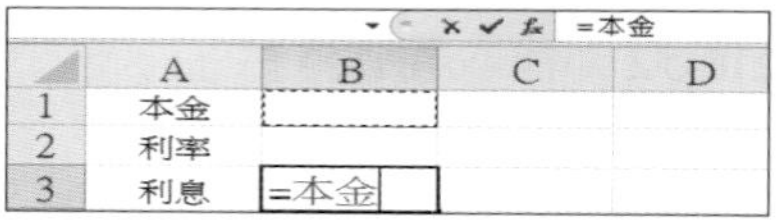

=本金

	A	B	C	D
1	本金			
2	利率			
3	利息	=本金		

Step4：輸入乘號「*」

編輯列顯示文字:「＝本金 *」

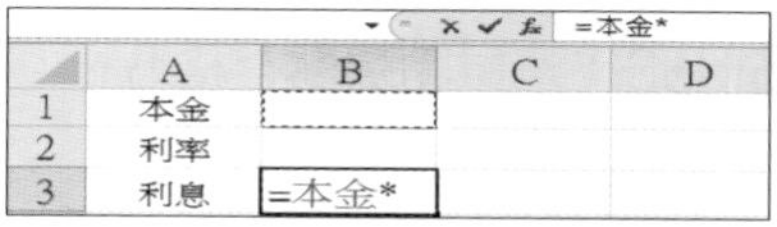

=本金*

	A	B	C	D
1	本金			
2	利率			
3	利息	=本金*		

Step5：滑鼠點選儲存格 B2

編輯列顯示文字:「＝本金 * 利率」

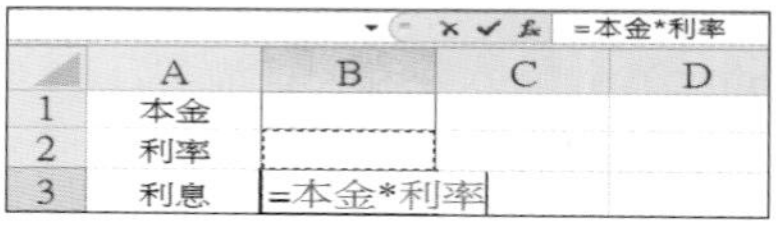

=本金*利率

	A	B	C	D
1	本金			
2	利率			
3	利息	=本金*利率		

Step6：按 Enter 鍵

範例》製作基金資產現況表，運算匯率與現值

假設我們要製作一張境外基金的資產現況表，表中列出基金名稱與基金代碼（ISIN），以及單位數、幣別、淨值、匯率、新台幣現值等欄位。以下我們就來練習 2 種公式輸入方式：

1.**「匯率」欄位：**不直接輸入數字，而是利用「VLOOKUP」函數（詳見 2-2），從另一張「匯率表」相對應的幣別，取得該幣別的最新匯率。公式為：

```
= VLOOKUP（ [@ 幣別 ], 匯率表 ,2,FALSE）
```

這個公式共有 4 個參數，中間以半形的逗號「,」相隔：

參數 1：要輸入欲查詢字串，此處輸入「[@ 幣別]」, 意思是要尋找的目標是「幣別」欄位中，相同列數的儲存格，例如 F3 要尋找的目標是 D3（英鎊），F4 要尋找的目標是 D4（歐元），依此類推。

參數 2：「匯率表」，代表要尋找的範圍是這張工作表中，名稱為「匯率表」的範圍。

參數 3：「2」，當查詢結果符合時，會回傳查詢範圍「匯率表」第 2 欄的值。

參數 4：「FALSE」，代表精準查詢。

2.「新台幣現值」欄位：公式為：

＝單位數 * 淨值 * 匯率

以上的運算公式，我們可以利用「鍵盤＋滑鼠」半自動方式輸入，也可以利用函數視窗編輯公式，以下就用實作練習來說明。

實作練習

前置作業：預先做好兩張表格

首先按照下圖製作兩張表格，一張定義為❶「資產現況表」，另一張定義為❷「匯率表」（定義表格的方法，詳見 1-5），記錄目前各幣別的最新匯率。再來按以下步驟，先根據匯率表，填入資產現況表中的匯率欄位，再來才是填寫新台幣現值欄位公式。

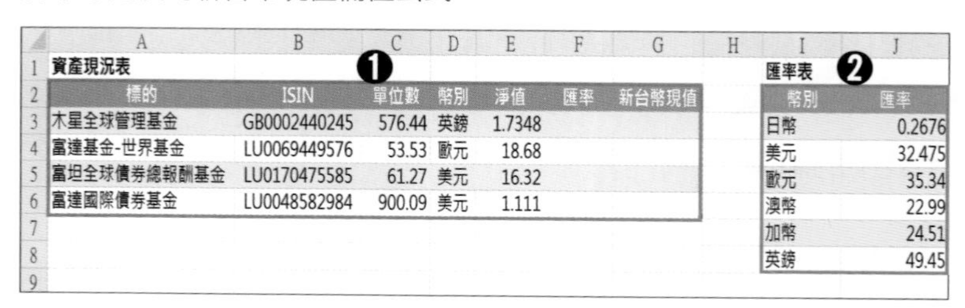

資產現況表 ❶

標的	ISIN	單位數	幣別	淨值	匯率	新台幣現值
木星全球管理基金	GB0002440245	576.44	英鎊	1.7348		
富達基金-世界基金	LU0069449576	53.53	歐元	18.68		
富坦全球債券總報酬基金	LU0170475585	61.27	美元	16.32		
富達國際債券基金	LU0048582984	900.09	美元	1.111		

匯率表 ❷

幣別	匯率
日幣	0.2676
美元	32.475
歐元	35.34
澳幣	22.99
加幣	24.51
英鎊	49.45

匯率欄位》方法1：利用「鍵盤＋滑鼠」輸入公式

準備在「F3」輸入公式。滑鼠點選❶儲存格「F3」（匯率欄位第 1 列），手動鍵入「＝ V」，儲存格下方就會列出所有以 V 開頭的函數，滑鼠點擊兩下❷「VLOOKUP」函數，在編輯列就會出現❸「＝ VLOOKUP（」 。

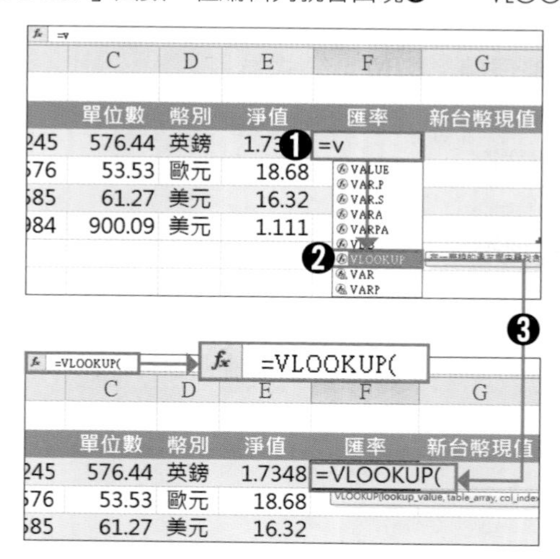

繼續完成儲存格「F3」的後半段公式。滑鼠點選❶儲存格「D3」，此時公式會插入「[@ 幣別]」；接著❷輸入逗號「,」，滑鼠選取匯率表資料範圍，也就是儲存格範圍「I3：J8」，公式就會插入「匯率表」3 字；再接連❸鍵入逗號「,」、數字「2」、逗號「,」、「FALSE」、括號「）」，按下 Enter 鍵即完成輸入。

按 Enter 鍵後，Excel 會自動將儲存格「F3」公式往下複製到儲存格範圍「F4：F6」，若沒有自動複製，我們可手動複製。

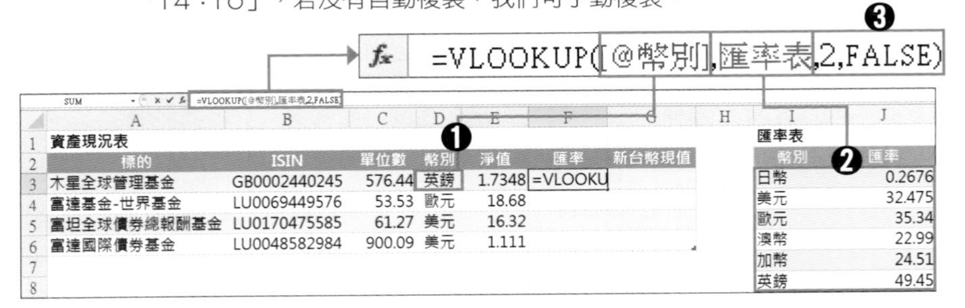

匯率欄位》方法2：利用「函數引數」視窗輸入公式

準備在「F3」輸入公式。滑鼠點選❶儲存格「F3」（匯率欄位第 1 列），❷點選「公式」索引頁標籤→ ❸函數程式庫區塊的「查閱與參照」→❹「VLOOKUP」，會跳出❺「函數引數」小視窗。完成後，在資料編輯列會顯示「＝ VLOOKUP（ ）」。

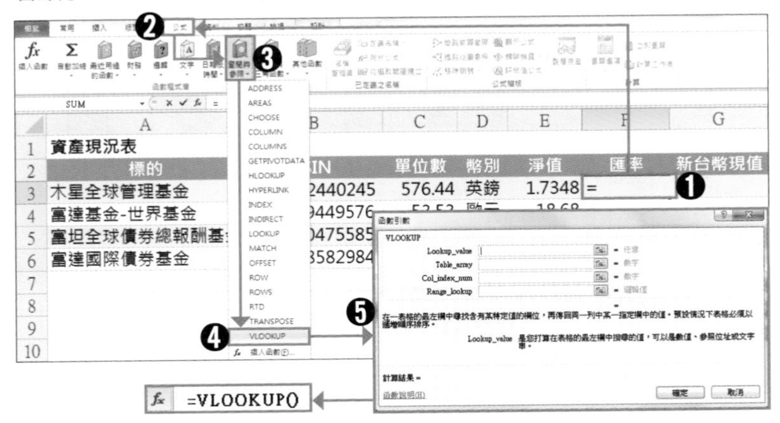

STEP 2

於「函數引數」視窗填入參數。滑鼠先點選❶「Lookup_value」欄位，接著❷點選幣別欄位的第 1 列（儲存格「D3」），「F3」欄位會顯示「[@幣別]」，同時編輯列也會插入「[@ 幣別]」。

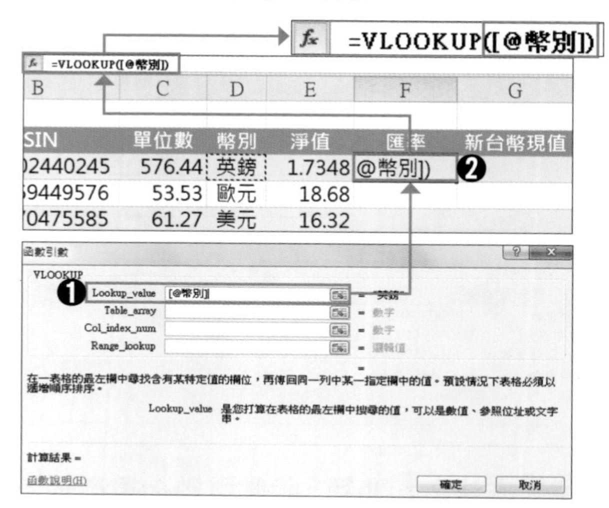

STEP 3

滑鼠點選「函數引數」視窗的❶「Table_array」欄位，之後❷滑鼠再選取匯率表的資料範圍「I3：J8」，「Table_array」欄位就會插入「匯率表」3 字，同時編輯列也會插入「, 匯率表」。

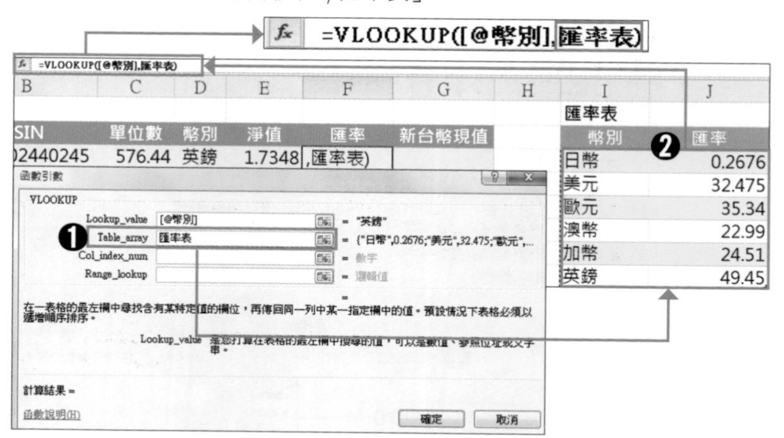

「函數引數」視窗的❶「Col_index_num」欄位鍵入數字「2」，❷「Range_lookup」欄位鍵入文字「FALSE」，編輯列會插入「,2,FALSE」，最後❸按下「確定」按鈕，儲存格「F3」便會顯示運算結果。

Excel 會自動將儲存格「F3」公式往下複製到儲存格範圍「F4：F6」，若沒有自動複製，我們可手動複製。

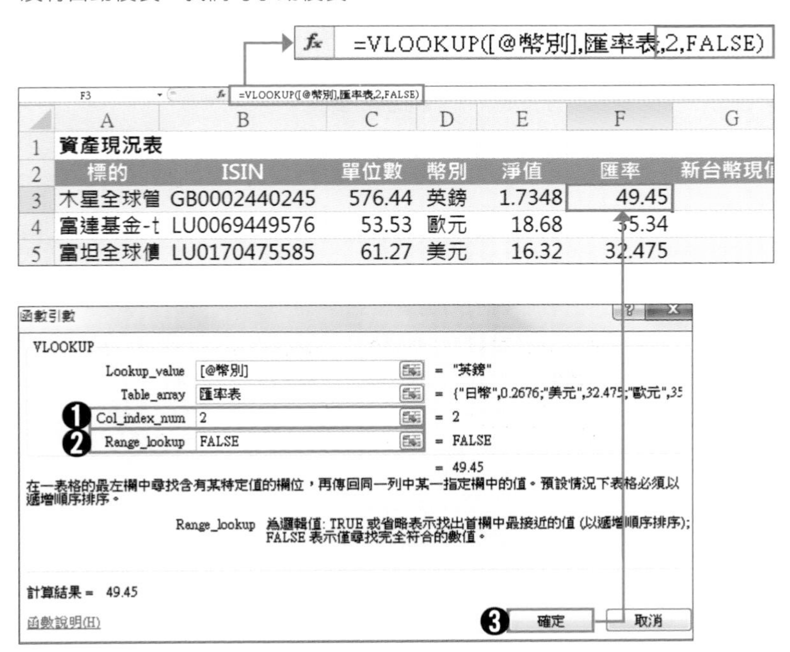

新台幣現值欄位》利用「鍵盤＋滑鼠」輸入公式

滑鼠點選❶儲存格「G3」，也就是新台幣現值欄位第 1 列，❷輸入「＝」後，滑鼠點選儲存格「C3」，此時欄位與編輯列會插入「[@ 單位數]」；❸輸入乘號「*」，滑鼠點選儲存格「E3」，此時欄位與編輯列會插入「[@ 淨值]」；❹輸入乘號「*」，滑鼠點選儲存格「F3」，此時欄位與編輯列會插入「[@ 匯率]」，按下 Enter 鍵即完成。

Excel 會自動將儲存格「G3」公式往下複製到儲存格範圍「G4：G6」，若沒有自動複製，我們可手動複製。

❷ ❸ ❹
fx =[@單位數]*[@淨值]*[@匯率]

	C	D	E	F	G	H
1						
2	單位數	幣別	淨值	匯率	新台幣現值	
3	576.44 ❷	英鎊	1.7348 ❸	49.45 ❹	=[@單位數]*[@淨值]*[@匯率] ❶	
4	5[illegible]53	歐元	1[illegible]58	[illegible]34	35,3[illegible].89	
5	61.27	美元	16.32	32.475	32,472.61	
6	900.09	美元	1.111	32.475	32,475.00	

2-2

善用「查詢函數」快速比對大量資料

Excel 提供非常多種函數功能，可別一看到「函數」就感到害怕，我們要做的只是了解函數的用法，按格式輸入參數，簡單幾個動作就能快速獲得答案，複雜的運算交給 Excel 就可以了。

先來複習函數的基本格式，儲存格以「＝」開頭就代表公式，等號之後若是函數名稱，就會執行特定函數。每個函數都有規定名稱及參數的意義，函數名稱沒有大小寫限制，例如count、COUNT、Count都是「計數函數」。函數名稱之後一定會接小括弧「（ ）」，參數要放在小括弧內；若參數不止一個，那麼參數之間必須以逗號分隔。輸入函數時，儲存格旁或資料編輯列旁，會浮現該函數的參數格式，每個參數都要輸入數值；但若參數外有中括弧「[]」，就可視情況省略，Excel 會採取預設值運算（省略參數的預設值則要參考各函數的定義）。

＝函數名稱（參數 1, 參數 2,[參數 3],……）

參數之間以逗號分隔

在選用函數時，Excel會顯示出該函數的參數格式，若是參數有中括弧，則此參數可省略，並且套用預設值參數可以是一個數值、一個字串或者一個公式，也可以是另一個函數。因此函數可以多層次，但是層次不宜過多，否則會太複雜、容易造成錯誤。要注意，函數所使用的符號包括等號「＝」、左括弧「（」、右括弧「）」、逗號「,」都不可以使用中文全形，必須用英文半形文字。函數名稱必須緊接左括弧「（」，中間不能有空格；函數後的參數輸入完成後，也要緊接右括弧，才算完成。

利用VLOOKUP與HLOOKUP，到指定範圍找特定資料

雖然函數有很多，但是常會使用到的並不多。像是在大量資料中比對資料，最常用的函數是「VLOOKUP」與「HLOOKUP」，可以根據我們指定的查詢值，於另一張有儲存格範圍或已定義表格中，搜尋符合查詢值的資料。

「VLOOKUP」是垂直查詢，以查詢範圍或表格的第 1 欄（最左欄）為查詢欄。而「HLOOKUP」是水平查詢，以表格的第 1 列為查詢列，以下介紹僅以 VLOOKUP 來說明（詳見圖 1）。

VLOOKUP 函數的語法如下：

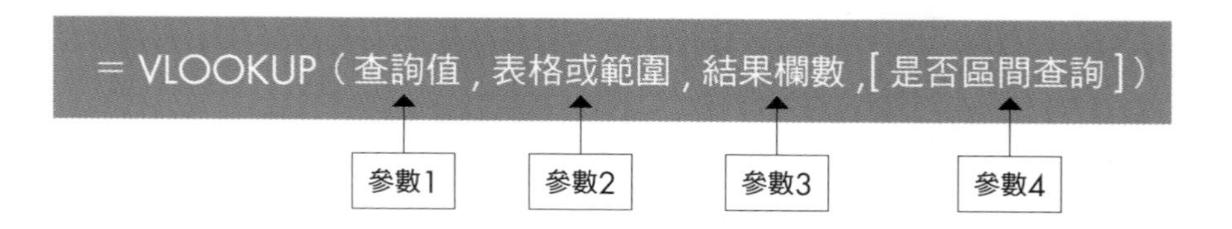

圖1 VLOOKUP查詢「欄」，HLOOKUP查詢「列」

——VLOOKUP函數、HLOOKUP函數使用範例

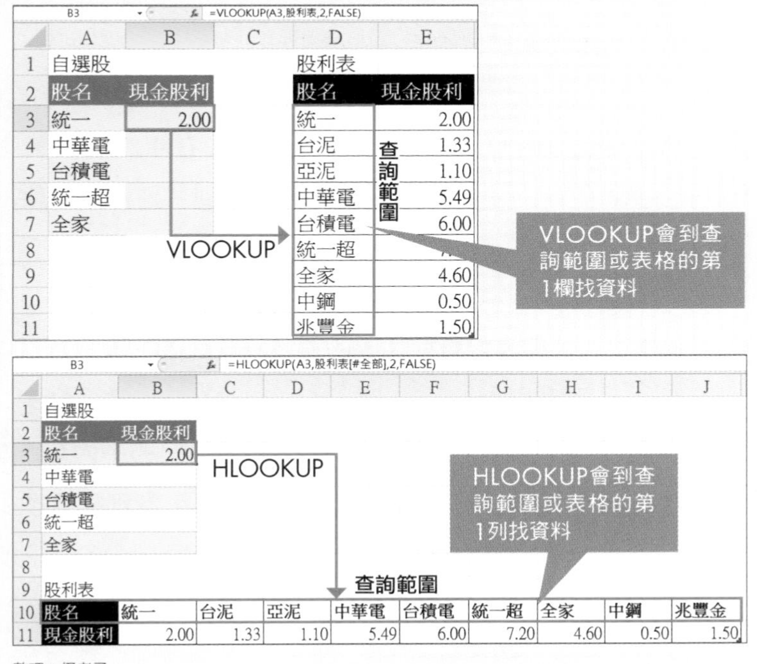

整理：怪老子

VLOOKUP 的工作是到查詢範圍（參數 2）的第 1 欄當中，按列尋找是否有符合查詢值（參數 1）的資料，如果有，就會以符合的那一列及結果欄數（參數 3）為座標，傳回該座標儲存格的數值。

「是否區間查詢」（參數 4）為邏輯值，有「TRUE」和「FALSE」兩

種。預設值為「TRUE」，代表區間查詢，查詢範圍第 1 欄的數值必須按列由小而大排列；當查詢值落在查詢範圍的第 1 列數值與第 2 列數值之間（大於等於第 1 列但小於第 2 列），就會被認定屬於第 1 列區間，並且回傳第 1 列所對應欄位的值，依此類推。

若是輸入「FALSE」則代表精準值查詢，只有在查詢範圍第 1 欄找到完全符合查詢值時，才會回傳資料，若找不到，則會回傳錯誤訊息「#NA」。

精準值查詢》從股利表尋找特定公司的股利

以圖 2 為例，「股利表」（已定義為表格，詳見 1-5）內有目前上市櫃公司的現金股利明細，我想知道 5 檔「自選股」分別配發多少現金股利，但又不想一檔一檔慢慢找，此時就可以利用 VLOOKUP 函數，在股利表中比對是否有符合的資料。

例如我想知道自選股統一（1216）的股利，就在 B3 輸入：

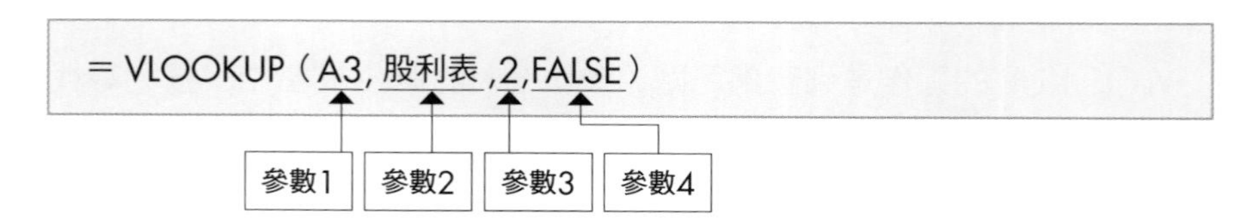

查詢值是儲存格 A3（統一），函數會到股利表（參數 2）的第 1 欄，尋找是否有精準（參數 4）符合「統一」的資料。有找到的話，股利表

圖2 用FALSE精準值查詢，可比對完全符合的資料
——VLOOKUP函數精準值查詢範例

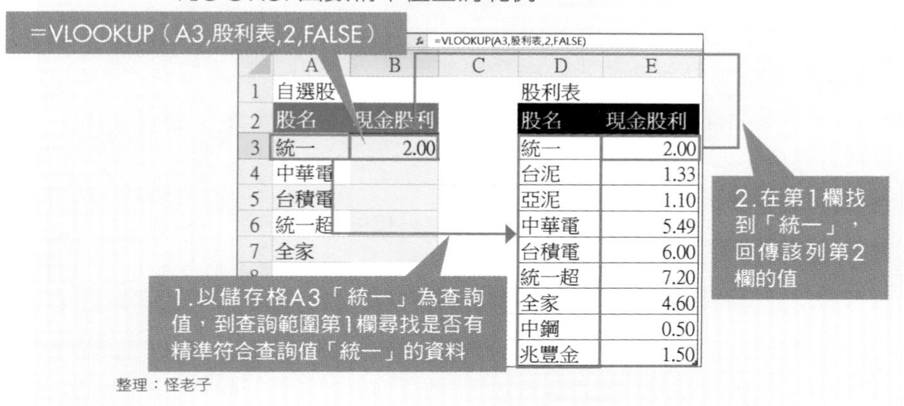

整理：怪老子

中「統一」那一列的「第 2 欄」（參數 3）數值「2.00」，就會回傳到 B3，依此類推。

區間查詢》依年數區間對應每股盈餘成長率

什麼狀況會用到區間查詢呢？當我們要查詢的資料，是落在某個區間內，就會回傳該區間所對應的結果。

以圖 3「每股盈餘預估表」為例，A 公司目前的每股盈餘（EPS）為 5.2 元（儲存格 C3），這張表要模擬 A 公司未來 20 年的每股盈餘成長狀況，模擬的條件是：未來 1 到 5 年，年成長率為 30%，未來 6 到

10 年為 15%，10 年之後為 10%。根據每一年的年成長率，就能用公式計算出預估每股盈餘。

每股盈餘預估公式為：「上一年每股盈餘 ×（1 ＋當年成長率）」。例如：未來第 1 年的每股盈餘＝目前每股盈餘 ×（1 ＋第 1 年成長率）；未來第 2 年的每股盈餘＝第 1 年每股盈餘 ×（1 ＋第 2 年成長率）⋯⋯。圖 3「每股盈餘預估表」中，要輸入每一年的成長率，一共有 20 列；雖然可以一一輸入數值，但要是之後想要更改成長率的預估值，就必須逐一修改。

圖3 用TRUE區間查詢，可對應出區間中的資料
——VLOOKUP函數區間查詢範例

B4 =VLOOKUP([@年數],成長率表,2)

	A	B	C
1	每股盈餘預估表		
2	年數	成長率	每股盈餘
3	目前		5.20
4	1	30%	6.76
5	2	30%	8.79
6	3	30%	11.42
7	4	30%	14.85
8	5	30%	19.31
9	6	15%	22.20
10	7	15%	25.53
11	8	15%	29.36
12	9	15%	33.77
13	10	15%	38.83
14	11	15%	44.66
15	12	15%	51.36
16	13	15%	59.06
17	14	15%	67.92
18	15	10%	74.71
19	16	10%	82.18
20	17	10%	90.40
21	18	10%	99.44
22	19	10%	109.39
23	20	10%	120.33

	E	F
1	成長率表	
2	年數	成長率
3	1	30%
4	6	15%
5	15	10%

＝VLOOKUP（[@年數], 成長率表, 2,TRUE）
舉例：參照「成長率表」資料範圍第1欄，若年數落在「1」到「5」區間，則回傳30%的值

以公式顯示

	A	B	C
1	每股盈餘預估表		
2	年數	成長率	每股盈餘
3	目前		5.2
4	1	=VLOOKUP([@年數],成長率表,2)	=C3*(1+[@成長率])
5	2	=VLOOKUP([@年數],成長率表,2)	=C4*(1+[@成長率])
6	3	=VLOOKUP([@年數],成長率表,2)	=C5*(1+[@成長率])
7	4	=VLOOKUP([@年數],成長率表,2)	=C6*(1+[@成長率])
8	5	=VLOOKUP([@年數],成長率表,2)	=C7*(1+[@成長率])
9	6	=VLOOKUP([@年數],成長率表,2)	=C8*(1+[@成長率])
10	7	=VLOOKUP([@年數],成長率表,2)	=C9*(1+[@成長率])
11	8	=VLOOKUP([@年數],成長率表,2)	=C10*(1+[@成長率])
12	9	=VLOOKUP([@年數],成長率表,2)	=C11*(1+[@成長率])
13	10	=VLOOKUP([@年數],成長率表,2)	=C12*(1+[@成長率])
14	11	=VLOOKUP([@年數],成長率表,2)	=C13*(1+[@成長率])
15	12	=VLOOKUP([@年數],成長率表,2)	=C14*(1+[@成長率])
16	13	=VLOOKUP([@年數],成長率表,2)	=C15*(1+[@成長率])

整理：怪老子

為了讓以後維護表格的工作更便利，我們可以另外製作一張「成長率表」（E2:F5），用來描述不同年數的成長率；再回到「每股盈餘預估表」的成長率欄位，使用「VLOOKUP」函數：

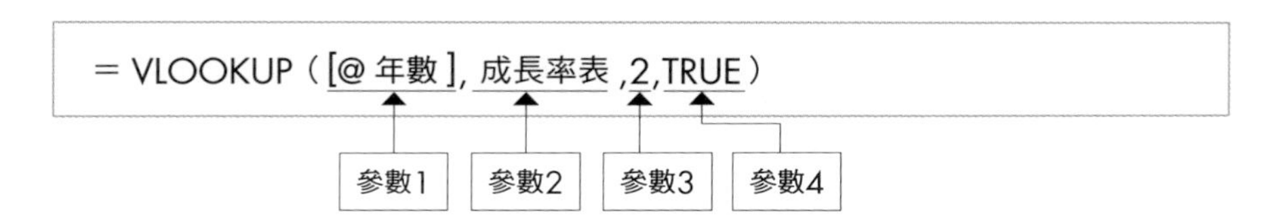

這個函數以同列的年數（參數 1）當查詢值，到「成長率表」第 1 欄（參數 2）找出該年數落在哪個區間，就會回傳該區間所對應的第 2 欄成長率（參數 3）。

參數 4 指定為「TRUE」（此為預設值，亦可不輸入），代表會進行區間查詢，例如「成長率表」第 1 列為「1」，第 2 列為「6」，第 3 列為「15」，那麼第 1 列的區間就會被認定是「第 1 ～ 5 年」，第 2 列的區間為「第 6 ～ 14 年」，因為內容總共只有 3 列，所以第 3 列的區間則為第 15 年以後。例如，在「每股盈餘預估表」中，第 17 年的成長率（B20），因為年數落在「成長率表」的第 3 列區間，就會回傳對應的數值「10%」。

最後，「每股盈餘預估表」就能根據當年的每股盈餘以及每年的成長率，計算出未來 20 年的每股盈餘預估狀況。之後如果要在「成長率表」改變年數或成長率數值，每股盈餘預估表一個字都不用改，就會自動跟著成長率表的變化，算出未來每一年的每股盈餘預估。

2-3

2函數搭配使用 輕鬆解決多條件查詢

使用 VLOOKUP 找資料時，只能找到單一欄位的答案。例如圖 1 是一張定期險的保險費率表（「A6：I62」，已定義為表格），不同的年齡、性別、保險年期，適用的保費都不一樣。如果有一位 25 歲男生，想買 15 年期的保單，而 15 年期是位於保險費率表第 4 欄。那麼，在查詢自己適用的保費時，就要在年齡的查詢欄位（「B1」，已定義名稱）輸入年齡數值，並在保費欄位（B4）輸入公式：

＝VLOOKUP（年齡 , 保險費率表 ,4,FALSE）

這公式的意思是，以「年齡」（B1）為查詢值，例如年齡欄位輸入「25」，那麼 VLOOKUP 函數就會到保險費率表資料範圍第 1 欄尋找完全符合「25」的儲存格；若有找到，就把該列第 4 欄的數值「231」回傳到「保費」欄位（B4）。

因為 VLOOKUP 函數已經指定回傳的欄位為第 4 欄（參數 3 指定為「4」），所以只能查詢「男 15 年期」的保費。如果其他人想查詢其他年期與不同性別的保費，就不能直接用同樣的公式了，必須修改參數

圖1 用VLOOKUP找資料，只能找單一欄位的答案
——VLOOKUP函數範例

	A	B	C	D	E	F	G	H	I
1	年齡	25							
2									
3									
4	保費	231							
5								保險費率表	
6	投保年齡	男6年期	男10年期	男15年期	男20年期	女6年期	女10年期	女15年期	女20年期
7	15	109	121	137	155	53	58	63	69
8	16	118	129	145	165	56	60	66	72
9	17	125	136	153	175	58	63	68	76
10	18	129	142	160	185	60	65	71	79
11	19	134	148	167	196	62	68	73	83
12	20	139	154	176	207				
13	21	146	161	186	221				
14	22	154	169	197	235				
15	23	161	178	209	248				
16	24	169	188	220	262				
17	25	177	196	231	278				
18	26	182	204	245	297				
19	27	187	215	260	318				

=VLOOKUP（年齡,保險費率表,4,FALSE）

以「年齡」（B1）為查詢值，到保險費率表第1欄尋找完全符合的儲存格，並把該列第4欄的數值回傳到「保費」（B4）欄位；此函數僅能搜尋單一條件答案

整理：怪老子

才行。要是不想這麼麻煩，就可以搭配使用「MATCH」和「INDEX」函數加以改良，讓這張表的查詢功能更彈性。

MATCH函數》尋找符合儲存格的位置順序

改良後的保險費率表如圖 2，我們可以先在查詢欄位輸入所欲查詢的年齡（B1），並自由選擇要查哪個保險年期（B2），然後「欄位數」（B3）會去尋找該年期位於查詢範圍的哪一個欄數，傳到保費（B4）的儲存格當中，進而比對出符合的結果。

該怎麼設定呢？首先，要在保險年期（B2）儲存格，把各種保險年期做成下拉選單（直接以保險費率表的標題列當作下拉清單的選項，製作方式詳見第 80 頁）。

接著，在「欄位數」（B3）輸入以下函數：

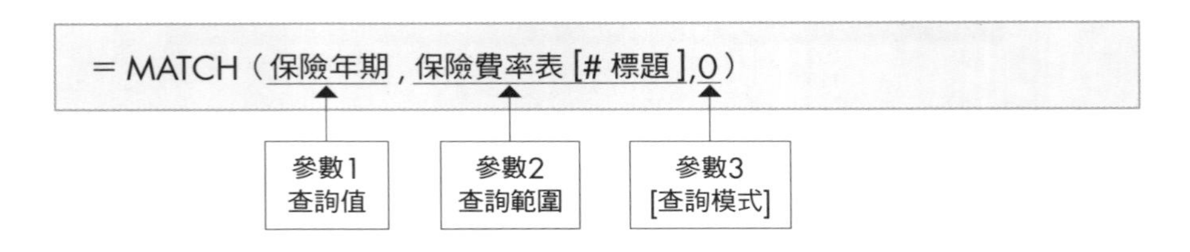

圖2 輸入不同年齡、選擇保費年期，彈性查保費
——MATCH函數範例

＝MATCH（保險年期,保險費率表[#標題],0）

＝VLOOKUP（年齡,保險費率表,欄位數,FALSE）

	A	B
1	年齡	25
2	保險年期	男15年期
3	欄位數	4
4	保費	231

保險費率表

	投保年齡	男6年期	男10年期	男15年期	男20年期	女6年期	女10年期	女15年期	女20年期
7	15	109	121	137	155	53	58	63	69
8	16	118	129	145	165	56	60	66	72
9	17	125	136	153	175	58	63	68	76
10	18	129	142	160	185	60	65	71	79
11	19	134	148	167	196	62	68	73	83
12	20	139	154	176	207	65	70	76	87
13	21	146	161	186	221	68	72	80	91
14	22	154	169	197	235	71	75	84	96
15	23	161	178	209	248	73	78	88	102
16	24	169	188	220	262	75	81	92	108
17	25	177	196	231	278	77	84	97	115
18	26	182	204	245	297	80	88	102	122
19	27	187	215	260	318	82	92	108	130

整理：怪老子

MATCH 函數含有匹配或吻合的意義，以查詢值（參數 1）至查詢範圍（參數 2）搜尋，找到吻合條件的儲存格，就會回傳該儲存格在查詢範圍中的順序。參數模式有 3 種，若設定為「0」，為精準值查詢（詳見第 81 頁）。

因此「欄位數」（B3）輸入如上函數，意思就是以「保險年期」為查詢值，到保險費率表的標題列，比對是否有跟「保險年期」（B2）一模一樣名稱的儲存格，並回傳該儲存格在保險費率表的順序。當使用者在「保險年期」（B2）選擇「男 15 年期」，B3 儲存格就會傳回「4」，因為保險費率表符合「男 15 年期」的儲存格就位於第 4 欄。若使用者選擇「女 20 年期」，B3 儲存格就會傳回「9」，依此類推。

最後回到保費儲存格（B4），將函數改為：

```
= VLOOKUP（年齡 , 保險費率表 , 欄位數 ,FALSE）
```

那麼保費（B4）就會根據我們輸入的年齡、選擇的保險年期，判讀符合的資料。

INDEX函數》傳回指定欄列位置的數值

再來認識一個「INDEX」函數，可以在一個表格或區域中，傳回以列數及欄數為座標所指的數值，函數語法如下：

＝INDEX（查詢範圍或表格 , 列數 ,[欄數]）

函數的輸入參數依序為查詢範圍或表格、列數及欄數；前兩個參數一定要輸入，若查詢範圍只有 1 欄時，則欄數（參數 3）可以省略不用輸入，因為此參數的預設值為 1（再重申一次，函數內的參數，若加中括號，代表可省略之意）。

INDEX 函數會以查詢範圍最左上角儲存格（第 1 列第 1 欄）為基準，傳回往下列數及往右欄數的儲存格。以圖 3 為例，範圍「B5：D16」已定義為表格，名稱為「班表」，輸入「＝INDEX（班表 ,4,2）」或「＝

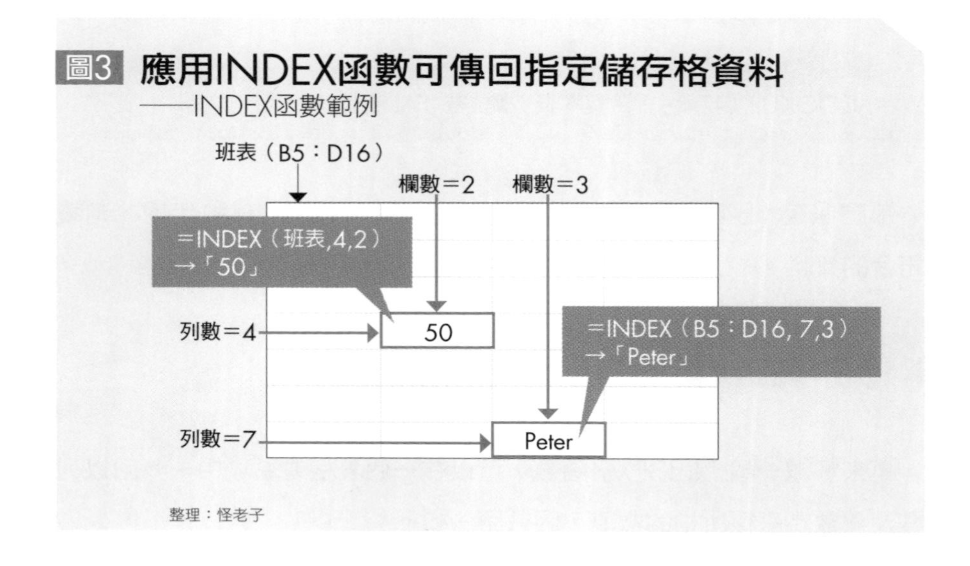

INDEX（B5：D16,4,2）」，就會回傳這張表格從儲存格 B5 往下第 4 列及往右第 2 欄的數值「50」。若輸入「＝ INDEX（班表 ,7,3）」，則會傳回「Peter」字串。

MATCH＋INDEX，搜尋功能再進階

如果將 MATCH 函數與 INDEX 函數搭配使用，不僅能發揮與查詢函數 VLOOKUP、HLOOKUP 的同等功能；且因為 MATCH 有反向區間查詢功能，可以達成這些查詢函數所做不到的事。

以下頁圖 4 試算表為例，B1：B4 儲存格已定義為 A1：A4 名稱，稅率表（D2：F8）已定義為表格。只要在所得淨額（B1）輸入金額，適用稅率（B2）及累進差額（B3）就會根據稅率表資料顯示對應的數字，進而算出應納稅額（B4）。

其中，適用稅率（B2）及累進差額（B3），可以使用 VLOOKUP 函數，或是 MATCH 與 INDEX 函數互相搭配，到稅率表比對符合的資料。若使用 VLOOKUP 函數，公式如下：

適用稅率（B2）＝ VLOOKUP（所得淨額 , 稅率表 ,2）

累進差額（B3）＝ VLOOKUP（所得淨額 , 稅率表 ,3）

意思是以「所得淨額」（B1）為查詢值，分別到「稅率表」資料範圍第 1 欄比對是否有符合「所得淨額」的儲存格，再回傳該列第 2 欄（稅率）及第 3 欄（累進差額）的值。

因為要採取區間查詢，查詢模式（參數 3）可省略，但是稅率表第 1 欄（所得淨額欄）就必須由上而下遞增排序。如圖中所示，查詢值為 60 萬元，落在稅率表第 2 列的區間內，因此稅率為 12%。

若是改用 MATCH 及 INDEX 取代，則公式寫法為：

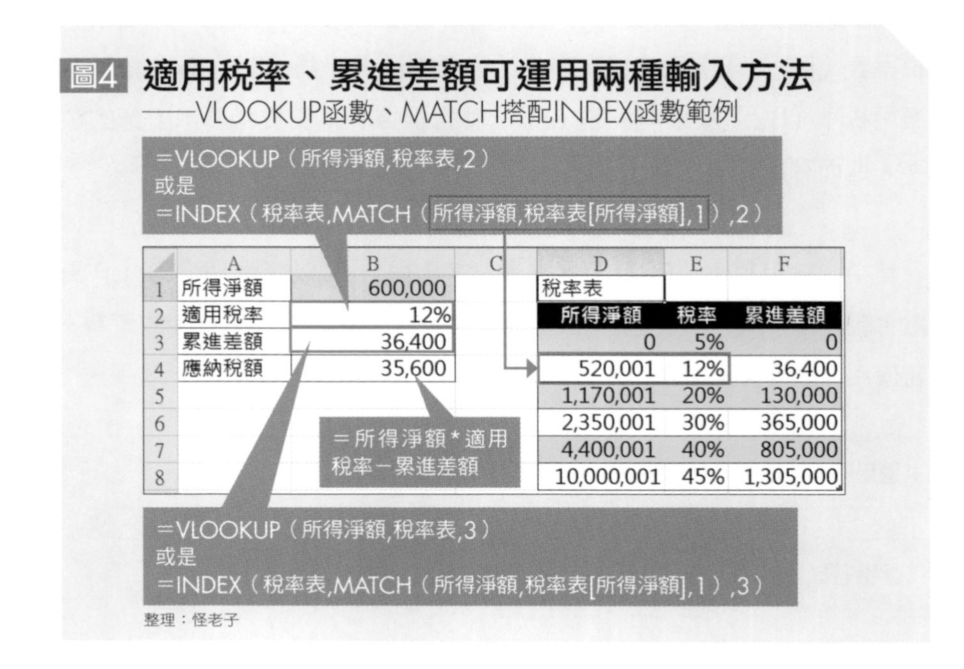

適用稅率（B2）＝INDEX（稅率表,MATCH（所得淨額,稅率表[所得淨額],1）,2）

累進差額（B3）＝INDEX（稅率表,MATCH（所得淨額,稅率表（所得淨額],1）,3）

以適用稅率（B2）來說，是先透過 MATCH 函數，以「所得淨額」（B1）為查詢值，尋找是落在「稅率表所得淨額資料欄」的哪一個區間，並回傳該區間所屬儲存格的順序。再利用 INDEX 函數，比對欲查詢所得淨額所處列數順序以及稅率欄數的座標，回傳該座標的值到適用稅率儲存格（B2）。

如圖中所示，查詢值為所得淨額 60 萬元，用 MATCH 函數找到的順序是 2（位在稅率表所得淨額資料欄第 2 列）。INDEX 就能判讀到「稅率表 ,2,2」這樣的參數，並傳回稅率表資料範圍最左上角儲存格的下方第 2 列、右方第 2 欄的儲存格數值 12%。

而因為 MATCH 函數可以執行反區間查詢，因此稅率表也可以遞減排序，不像 VLOOKUP 函數只能限制遞增排序，讓查詢方式更加彈性。

利用標題列製作下拉選單

為了讓查詢欄位的「保險年期」（B2）能正確比對到「保險費率表」各年期的欄位，可直接將「保險費率表」的標題列，作為「保險年期」（B2）的下拉清單選項，做法如下：

Step1：先點選欲製作下拉選單的❶儲存格「B2」，點選❷「資料」索引頁標籤→❸「資料驗證」，即會跳出「資料驗證」視窗。

Step2：在❹「設定」頁→❺「儲存格內允許」選擇「清單」；❻「來源」則直接用滑鼠連續選取「保險費率表」不含第 1 欄的標題列（「$B$6:$I$6」，絕對參照）；最後按❼「確定」就完成了！

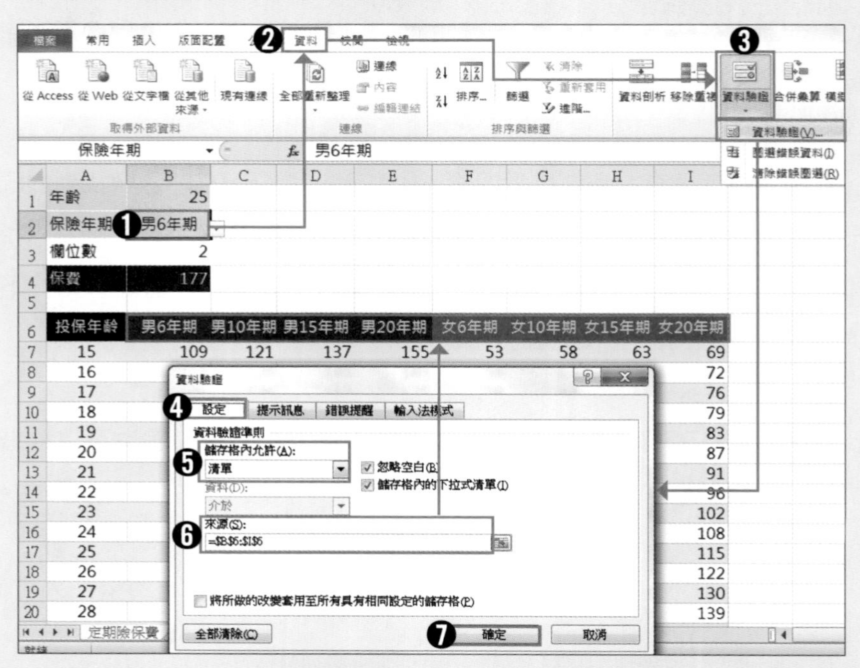

完成後，儲存格「B2」右方會出現「▼」按鈕，點擊後即會出現下拉選單，選單內容為「B6：I6」的欄位名稱，可依需求選擇。

MATCH函數的3種查詢模式

◎精準查詢：只有完全符合才會傳回結果

參數值：0

「查詢區域」內的每一個儲存格代表個別數值，找出第 1 個與「查詢值」完全符合的儲存格，傳回該儲存格在查詢範圍中的排序。若找不到符合者，就會傳回錯誤訊息「#N/A」。

◎正區間查詢：查詢範圍須由小而大排序

參數值：1

「查詢範圍」內的每一個儲存格代表一個區間，區間查詢會找出「查詢值」落於哪一個區間，並傳回該區間的順序，跟上一章所介紹 VLOOKUP 函數的區間查詢是類似的概念。

	A	B
1	年數	成長率
2	1	30%
3	6	15%
4	15	10%

以右圖的成長率表為例，查詢區域為「A2：A4」範圍。年數由上而下的數值分別是 1、6、15，第 1 個儲存格的值為 1，代表的區間為 1 ～ 5 年（大於等於第 1 列但小於第 2 列），第 2 個儲存格代表區間為 6 ～ 14 年，第 3 個儲存格代表區間為 15 以上。當查詢值為 8，就會落在第 2 個儲存格的區間，所以會回傳「2」。

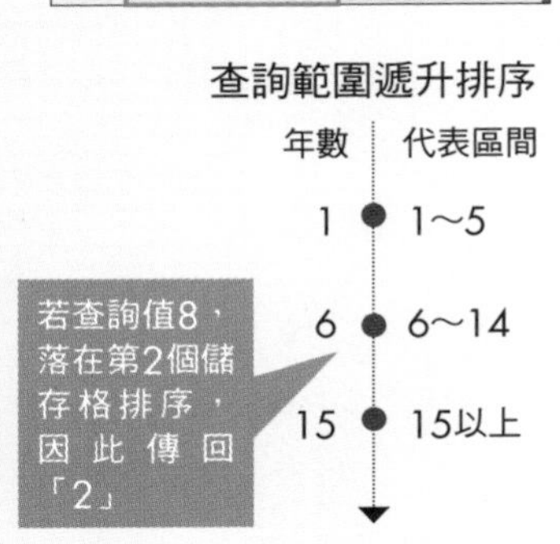

在這個查詢模式下，查詢區域內的儲存格必須相鄰，且由小至大遞增排列（若為上下排列，則由上而下遞增；若為左右排列，則由左而右遞增），否則會回傳不正確結果。而且「查詢值」不得小於最小區間的數值，否則傳回「#N/A」。

◎反區間查詢：查詢範圍須由大而小排序
參數值：−1

此查詢模式與正區間查詢類似，都是區間查詢，只是順序相反。第 1 儲存格的區間為小於等於該儲存格的值，且大於下一個相鄰儲存格的值。

	A	B
1	年齡	每月生活費
2	100	20,000
3	80	30,000
4	70	45,000
5	60	60,000

例如右圖中的退休生活費表，查詢區域為年齡欄位（儲存格範圍「A2：A5」），第 1 個儲存格「A2」代表的區間為 81 ～ 100，第 2 個儲存格「A3」代表的區間為 71 ～ 80，依此類推。當查詢值為 65，就落在第 3 個儲存格的區間內，所以回傳「3」。

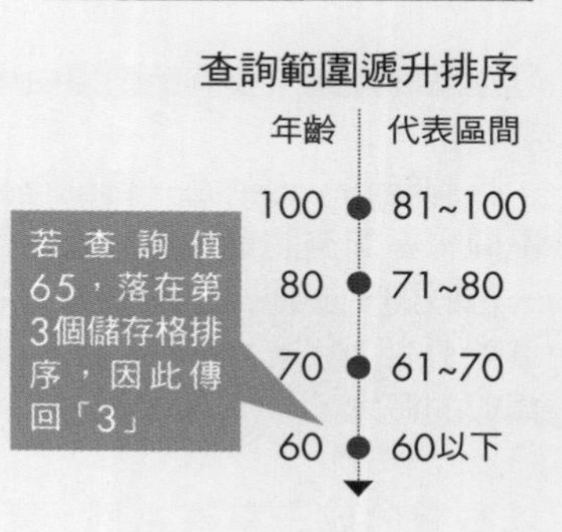

2-4
搞懂「邏輯函數」自動判讀多項條件

「IF」也是相當常用的函數，當我們想讓一個儲存格，根據所設定條件而顯示兩種不同結果，就可以善加利用，語法如下：

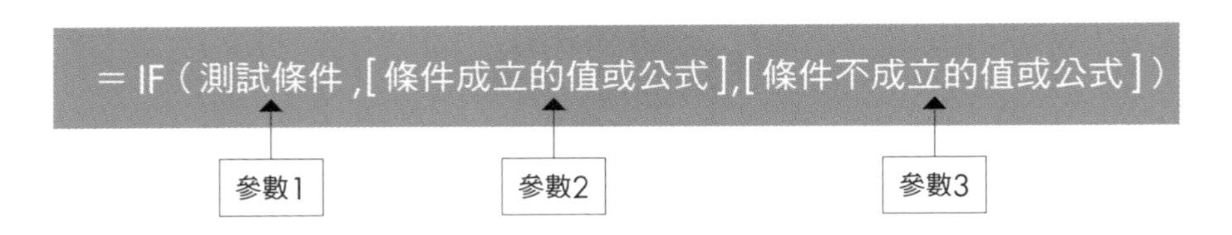

參數 1 是測試條件，當條件成立，儲存格就會顯示參數 2，條件不成立則顯示參數 3（詳見圖 1）。例如，當我們在 A1 儲存格輸入如下公式：

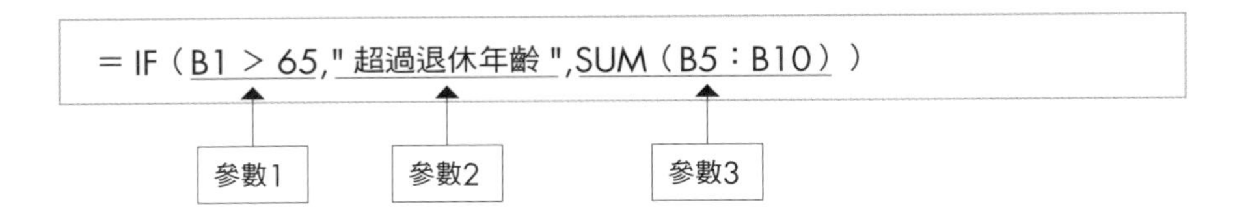

意思是，如果 B1 的數值符合「大於 65」這個條件（參數 1），A1 儲存格就會顯示參數 2 所指定的「超過退休年齡」字串（參數若要

顯示為字串，字串前後須由「"」包圍）。若 B1 內的數值等於或小於 65，就不符合「大於 65」條件，那麼 A1 儲存格就會執行參數 3 指定的公式「B5：B10 加總數值」。當 B1 數值有變動，A1 儲存格的運算結果也會跟著變動。

圖1 IF函數，根據測試條件是否成立而呈現不同結果

——IF函數應用概念

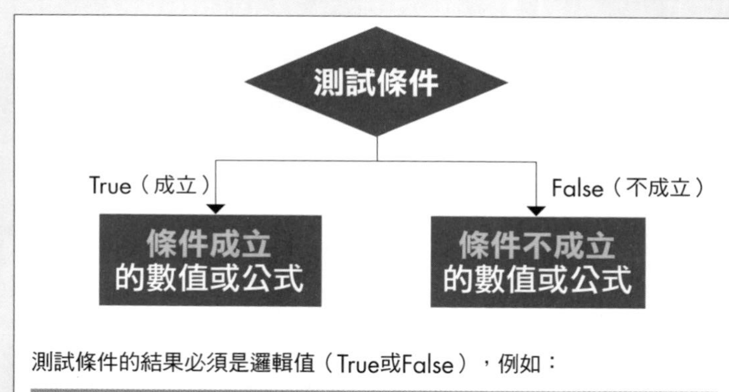

測試條件的結果必須是邏輯值（True或False），例如：

條件式	意義
範例1： B1>65	儲存格B1的值若大於65，就是True（成立），否則就是False（不成立）
範例2： SUM（C10：C15）<=26	加總儲存格範圍C10：C15，若小於等於26為True（成立），否則就是False（不成立）
範例3： AND（B1>3,B2<=4）	若儲存格B1的值大於3，且儲存格B2的值小於等於4，這條件才True（成立），否則就是False（不成立）

整理：怪老子

範例》製作本利和試算表，自動計算單利、複利

我們來練習製作如圖 2 的「計算期末本利和」的試算表，只要在本金（B2）、年利率（B3）、年數（B4）輸入數值，並在「投資方式」

圖2 只要輸入單利或複利，就可算出本利和
——IF函數範例

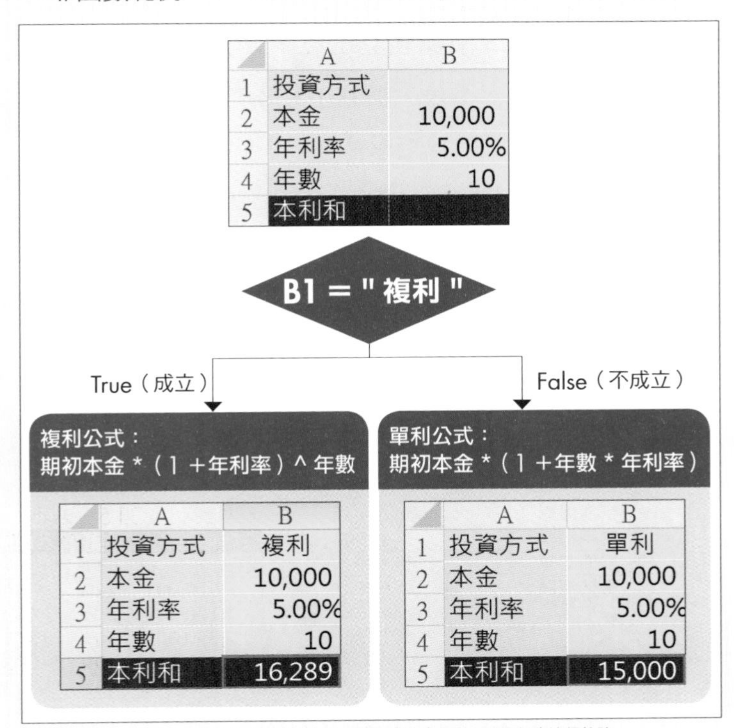

註：複利公式中的「^」符號是幾次方的意思，鍵入「Shift + 6」即可打出這個符號
整理：怪老子

選擇單利或複利（B1），「本利和」（B5）就會自行算出結果。因為本利和的公式不同，我們可在「本利和」（B5）輸入如下函數：

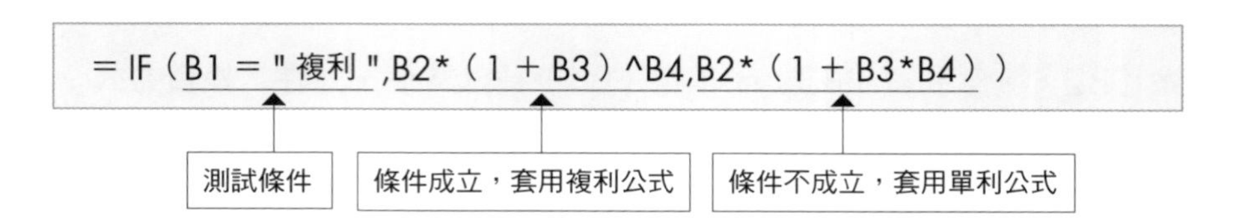

這樣一來，當我們在儲存格B1輸入「複利」時，因為「B1＝"複利"」成立，「本利和」（B5）就會自動出現參數2所設定的複利公式計算結果；當儲存格B1內容不是「複利」，「本利和」（B5）就會出現參數3所設定的單利公式計算結果。

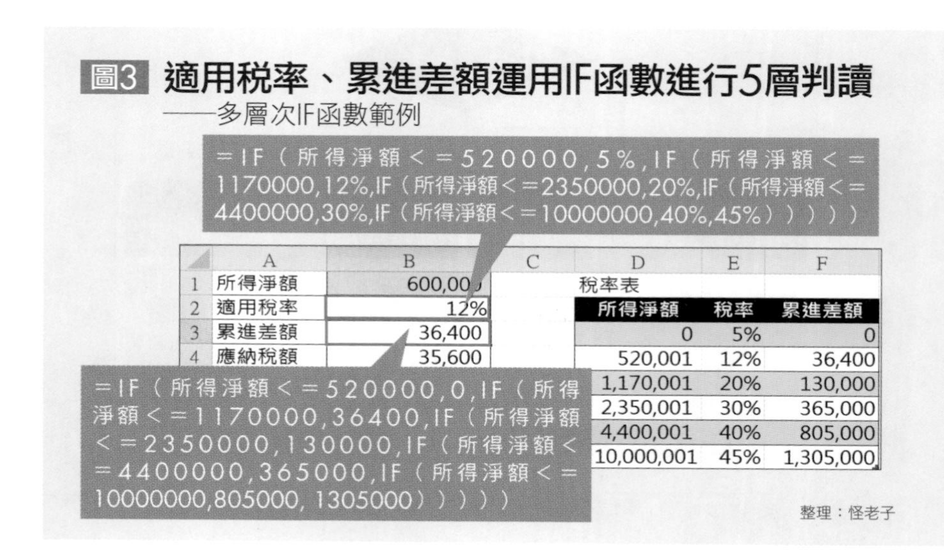

	A	B
1	所得淨額	600,000
2	適用稅率	12%
3	累進差額	36,400
4	應納稅額	35,600

稅率表

所得淨額	稅率	累進差額
0	5%	0
520,001	12%	36,400
1,170,001	20%	130,000
2,350,001	30%	365,000
4,400,001	40%	805,000
10,000,001	45%	1,305,000

若只用以上的做法，我們必須自行在 B1 輸入文字，但若是不小心輸入錯誤，就會導致計算結果不正確。例如「複利」後面多按了一個空白鍵，或打錯字、不小心按到其他符號，都會被誤判為「不是複利」。這種微小的錯誤不容易發現，若想避免錯誤，可再加入「資料清單」功能——於 B1 做出「下拉選單」的方式，選項只有兩個：單利或複利，這樣的輸入方式既方便又不會出錯（詳見第 89 頁）。

多層次運用，讓工作表依序判讀多道選項

IF 函數可以多層次的使用，例如圖 3 範例，右方是一張稅率表，不同的所得淨額所適用的稅率及累進差額都不一樣；左方是查詢欄位，只

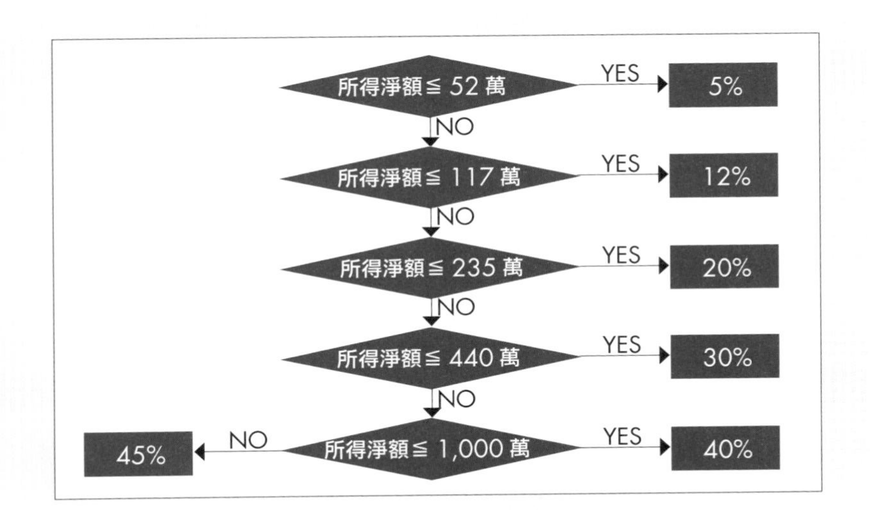

要在查詢欄位輸入所得淨額金額（B1），就能自動對應到稅率表，顯示適用稅率（B2）及累進差額（B3），進而算出應納稅額。

其中，適用稅率（B2）及累進差額（B3），可以使用 IF 完成快速比對的工作（詳見圖 3）。

不過，因為要比對的條件非常多，公式層次會變得非常複雜，也容易出錯；而且以後若有需要修改，就比較不容易。只要超過 3 層，我就不用 IF 函數，因為幾乎都可以使用更簡便的「VLOOKUP」函數來代替（詳見 2-2）。

輸入選項名稱製作下拉選單

儲存格製作下拉選單後，不僅讓未來輸入時更方便，也可避免因輸入錯誤而影響邏輯函數的判別。下拉選單的製作方式如下：

Step1：點選欲製作下拉選單的❶儲存格「B1」，再點選❷「資料」索引頁標籤，從資料工具類組中點選❸「資料驗證」。

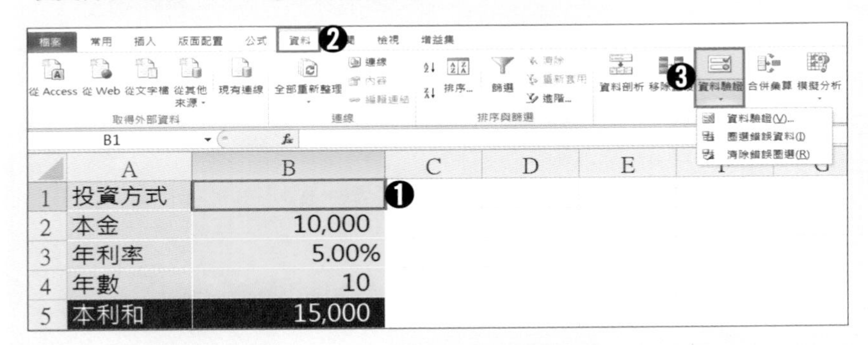

Step2：出現「資料驗證」視窗後，點選❶「設定」→❷在「儲存格內允許」選擇「清單」，❸「來源」內輸入文字「單利,複利」（中間不用空格，不同選項名稱以半形逗點分隔），❹最後按「確定」按鈕就完成了。

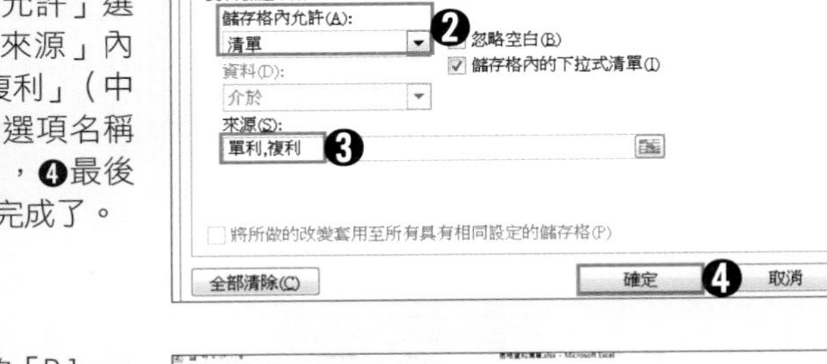

Step3：點選儲存格「B1」，右下角就會出現下拉箭頭，點選箭頭即可看到單利、複利的下拉選單。

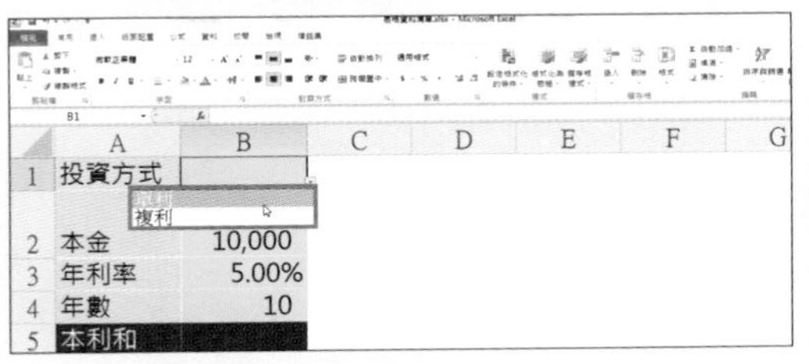

3

財務概念篇

導正觀念 難題迎刃而解

3-1

想做對重要金錢決策 必學5大財務函數

我們一生中會遇到許多跟財務有關的問題，一筆錢要存下來，該放銀行定存？還是買儲蓄險？挑選房屋貸款，該選哪一種繳款方式？貸款買車，付現金還是借車貸划算？現在要存退休金，要怎麼估算未來的退休金需求？

雖然網路上都能找到各種試算網站，不過算完之後，大多還是一頭霧水，不見得能真正解答疑惑。其實，這類問題用的都是同一種觀念——貨幣的時間價值。只要我們能把這個觀念弄清楚，搭配 Excel 財務函數當中的貨幣時間價值函數，就能打好最重要的基礎，進而解決絕大部分的財務問題。

Excel 有非常多的財務函數，但應用在投資理財，只要我們能活用「貨幣時間價值」這個類別就可以了。其他類別如債券、國庫券、貼現、貸款、折舊等，不在本書討論範圍內。

「貨幣時間價值」這個類別的函數，基本上可以分成 2 大類：固定期間及任意期間。固定期間函數適用於週期性出現的現金流量，例如每個月定期繳納貸款、定期投資基金等；任意期間函數則適用於時間不固定的現金流量，例如領取股利等，不過這類是少數，大部分函數都是以固定期間為主（詳見表 1）。

貨幣有時間價值，必須轉換至同一時間點才能運算

貨幣具有時間價值，發生在不同時間的現金流量，不可以直接算術運算，只有相同時間的現金流才可相加減。為了方便運算，須把不同時間點的現金流量轉換至同一時間點來運算，所以當我們計算金錢的「未來

表1 多數貨幣時間價值函數屬於固定期間函數
——5大貨幣時間函數性質

函數功能	固定期間函數	任意期間函數
未來值	FV	
現值	PV NPV	XNPV
年金	PMT	
投資報酬率	RATE RRI IRR MIRR NOMINAL	XIRR
期間	NPER	

註：RRI 函數適用版本：Excel Online、2013 及 2016、Mac 版 2011 及 2016
整理：怪老子

值」，會將所有現金流量轉換至最終時間點，然後再加總起來，又稱「終值」。而「現值」就是將所有現金流量，轉換至最起始點。

常用到的 5 大財務函數分別是「未來值」（FV）、「現值」（PV）、「期數」（NPER）、「期利率」（RATE）、「年金」（PMT），屬於同一套公式當中的 5 個變數，所以若要知道其中一個變數是多少，只要有另外 4 種變數，就能輕易算出來（5 大函數的關係詳見第 99 頁）。事實上，這 5 大函數可說是涵蓋大部分的投資理財應用了。

這幾個函數只適用於固定期間的現金流量，而且每一期固定發生的現金流量，金額也必須一樣才可以。

圖 1 是這幾個函數構成的現金流量圖，現值只有一筆，位於第 1 期的期初，未來值也只有一筆金額，位於最後一期的期末。旁邊標註的 NPER 是期數，RATE 是每一期的利率。

年金的現金流量就不只有一筆，而是每一期都有，發生的數量跟期數一致。若有 6 期現金流量（NPER 等於 6），每期現金流量 1 萬元，一共會有 6 筆 1 萬元的現金流量。

這 6 個 1 萬元，可能發生在每一期的期初，或是期末。若是期初年金，就要加一個參數「TYPE」，數值為 1；期末年金的 TYPE 參數為 0。所以，只有在年金發生時（PMT 不為 0），TYPE 參數才有意義；若是沒有年金（PMT 為 0），TYPE 參數可以不用輸入，因為不管輸入 0 或 1，都不會對運算過程造成影響。

在 Excel 使用這 5 個函數，參數格式如下介紹。前後沒有中括號的參

圖1 現值、未來值與年金的現金流量圖

年金的現金流量發生於期末

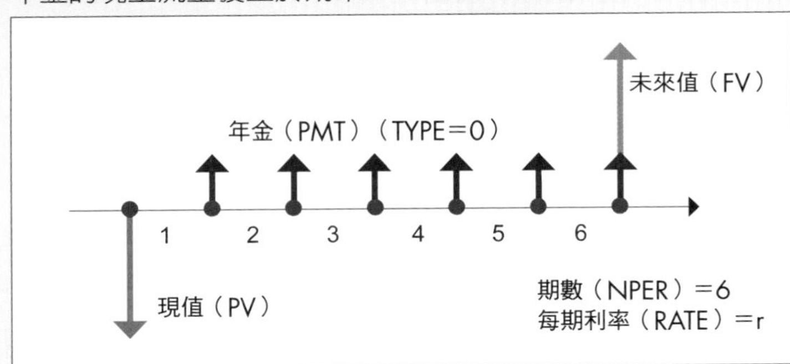

年金的現金流量發生於期初

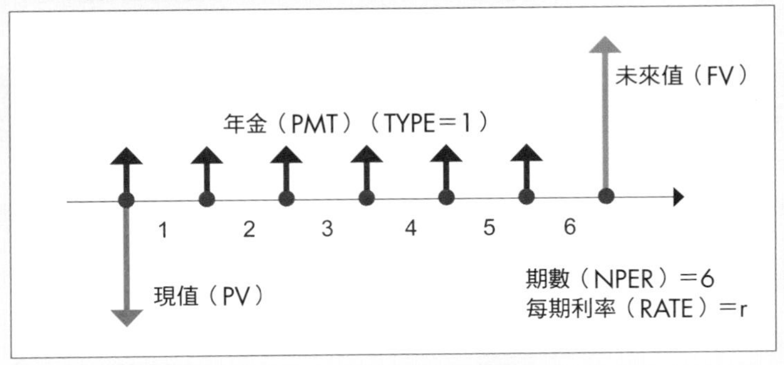

整理：怪老子

數不可省略，由中括號框起的參數可省略，預設值 PV＝0、FV＝0、TYPE＝0。

1.未來值

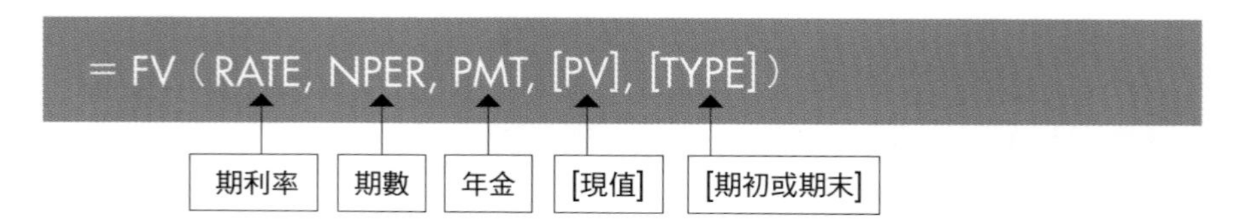

未來值的應用，是在已知道投資報酬率（每期利率）、期數、年金時使用，例如定期存款，已經知道年利率為 1.2%，投資 5 期（1 年為 1 期），每期投入 10 萬元，使用未來值函數就能得知 5 年後，所投入的金額共會累積成多少錢。

＝FV（1.2%,5,-100000,0,1）→可算出答案為 51 萬 8,291 元

2.現值

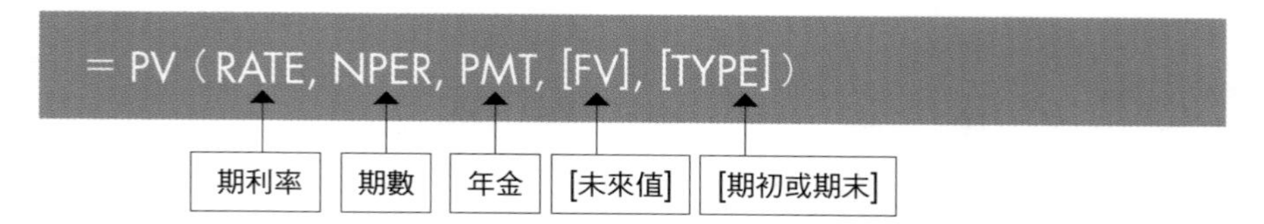

現值的應用，則是已知道投資報酬率、期數、年金時使用。例如，想知道在每年通膨率 2% 的情況下，10 年後的 3 萬元（未來值），現在價值多少錢？這個例子沒有年金的狀況，因此年金為 0。

＝PV（2%,10,0,30000）→答案為 -2 萬 4,610 元（負值代表現金流出）

3.年金

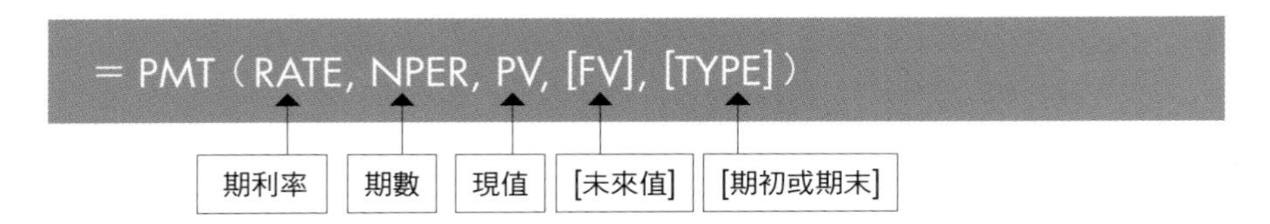

年金則是在已知道投資報酬率、期數、現值時使用。例如，向銀行貸款 900 萬元，借 240 期（1 個月為 1 期），貸款年利率 2%（因 1 月為 1 期，每期的利率就是 2%/12），於每期期末還款，每月應該繳多少本金加利息給銀行，才能還清貸款？

＝PMT（2%/12,240,9000000）→可算出答案為 -4 萬 5,530 元

4.期數

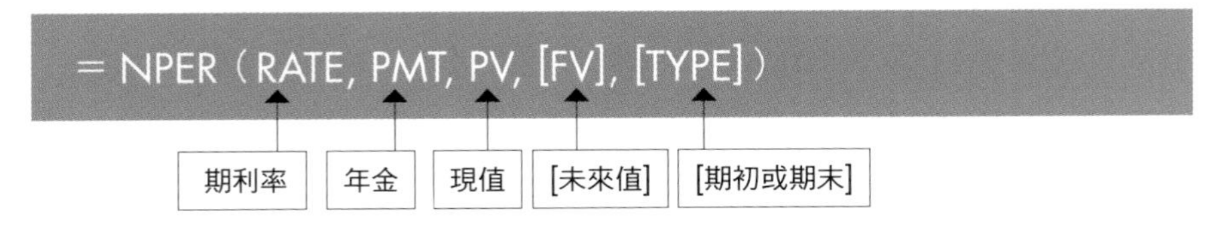

期數是在已知期利率、年金、現值時使用。例如向銀行貸款 600 萬元，年利率 1.8%（每月為 1 期，每期利率 1.8%/12），每期期末繳 3 萬元，需要繳幾期才能還清貸款？

= NPER（1.8%/12,-30000,6000000）→可算出答案為 238 期

5.期利率

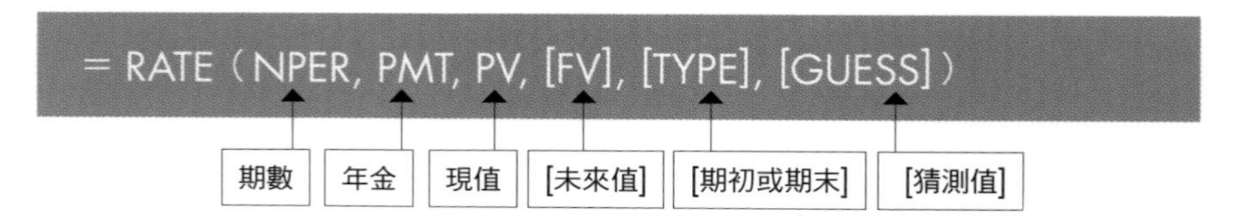

期利率應該是大家比較熟悉的，也就是我們經常計算的「投資報酬率」，比方單筆投資的狀況，只要知道期數、投入金額、現值、未來值，就能算出一期的投資報酬率。假設單筆投入 10 萬元，3 年後拿回 15 萬元，報酬率的函數應用方式如下：

= RATE（3,0,-100000,150000,1）→可算出答案為 14.47%

因為 1 期為 1 年，所以此例的期報酬率就是年化報酬率。

在 RATE 函數中，有一個可省略的參數「GUESS」，這是要我們自行輸入期利率的猜測值。因為 Excel 的計算方式是用一個預設值（10%）去推算可能的答案，如果運算超過一定次數還是無法算出答案，就會回傳錯誤訊息「#NUM!」。通常在計算 1 月為 1 期的利率時較容易出現錯誤訊息，此時如果我們能夠填入較接近可能結果的數值如 1%，可幫助 Excel 從 1% 開始推算，就比較不會出現錯誤訊息（更詳細的說明詳見 3-8）

5大函數方程式

5 大函數之間的關係，可以用下列方程式來表示：

方程式總共有 5 個變數，所以只要知道其中 4 個，就可以解出另外一個變數。例如要求未來值 FV 的值就使用 FV 函數，必須輸入另外 4 個變數當參數（PV、PMT、NPER、RATE）。同樣的，若要求出 PV 的值就使用 PV 函數，必須輸入另外的 4 個變數（FV、PMT、NPER、RATE）。

方程式中還有一個變數 TYPE，這不是獨立的變數，TYPE 只是用來描述 PMT 變數，0 代表期末年金，1 代表期初年金，當 PMT 變數等於 0 時，TYPE 為 0 或 1 都不會改變答案。

方程式左邊有 3 個加項，第 1 個是單筆投資的未來值，第 2 個是年金投資的未來值，第 3 個是淨未來值，這 3 項的加總必須為 0，代表這筆帳才會平衡。所以若 PV 及 PMT 均為負值，代表現金流出（投資者投入現金），那麼淨未來值 FV 必須是正值（代表現金流入，投資者收回現金），這帳才會平衡。

方程式是 5 大函數內部求解所用，使用者並不需要真正計算。使用時只要將應用的現金流量描述給所要的函數，計算部分就交給 Excel，說明這方程式主要是希望幫助讀者更深入地理解函數的內涵，不喜歡數學的人直接跳過也可以。

範例》利用2方式輸入FV函數

要在 Excel 儲存格中輸入函數有兩種方式，一種是以文字直接鍵入，另一種是透過小視窗輸入。在熟練之後，我習慣直接鍵入，比較快速；而且自從 Excel 2007 版以後，使用者介面已經改善很多，不用特別記住參數的順序。輸入函數的名稱後，就會出現該函數的參數導引，使用者只須按導引一一填入參數即可。

以下來練習，如何在 Excel 輸入「＝ FV（10%,6,0,-100000）」，這個函數的意思是，期初支出 10 萬元，每期投資報酬率 10%、期數為6期，沒有其他的年金支出，那麼到了期末時的未來值（FV）是多少？輸入步驟詳見實作練習。

實作練習

方式1》以文字直接鍵入

❶點選要輸入函數的儲存格「A1」，鍵入等號「＝」代表要輸入公式。再鍵入函數名稱的字母「F」，大小寫皆可，這時會出現一串預覽清單，列出所有以F開頭的函數供選擇。❷可拖拉垂直卷軸尋找，選取所要的函數。如果直接輸入「FV」兩個字母，就會過濾所有函數，只剩以FV字母開頭的，需要選擇的數目就只剩下「FV」以及「FVSCHEDULE」。

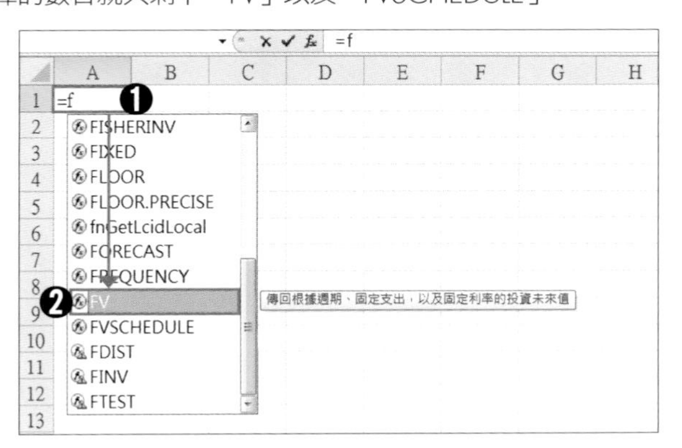

❶點選選單中的「FV」函數，再按一下Tab鍵，就會出現如下圖的函數完整名稱以及左括弧，儲存格下方也會有參數導引。❷依序輸入下列字串「10%, 6, 0, -100000）」，再按Enter鍵就完成了，儲存格會顯示函數運算的數值，資料編輯列則為完整的公式。

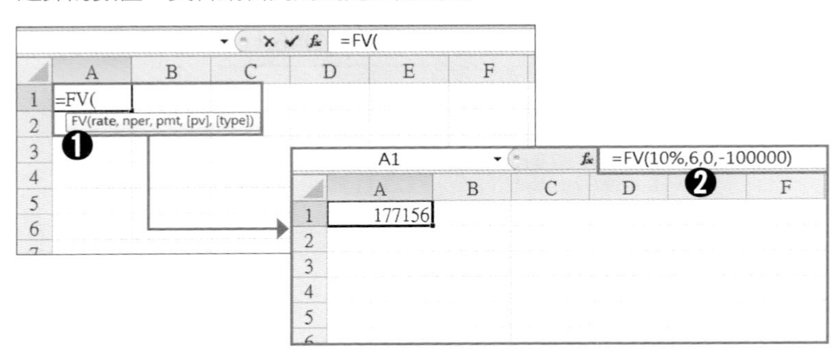

方式2》透過小視窗輸入

❶點選要輸入函數的儲存格「A1」，點選❷「公式」索引頁標籤→函數程式庫區塊的❸「財務」按鈕，就會有下拉選單列出所有財務函數供選擇，點選❹「FV」函數。

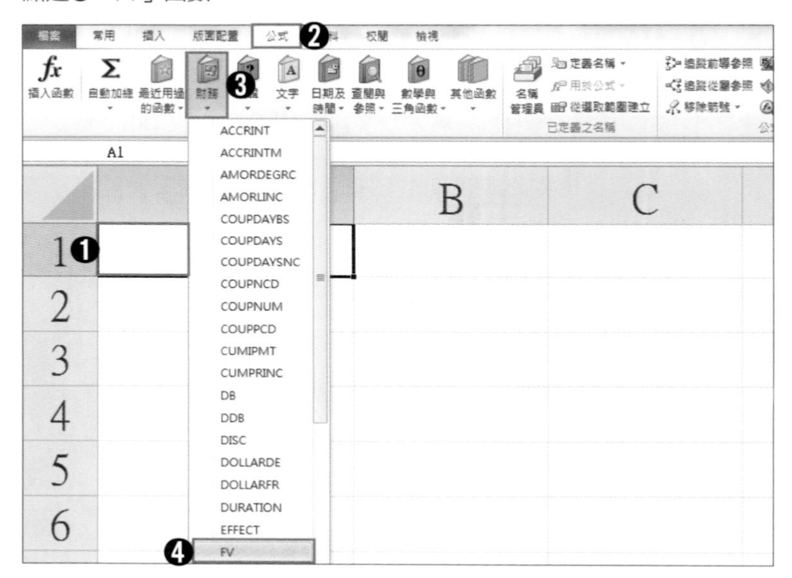

STEP 2

點選FV函數後，會出現函數引數的小視窗，❶依序填入參數後，點選❷「確定」按鈕，儲存格「A1」就會顯示FV傳回的數值「177,156」。

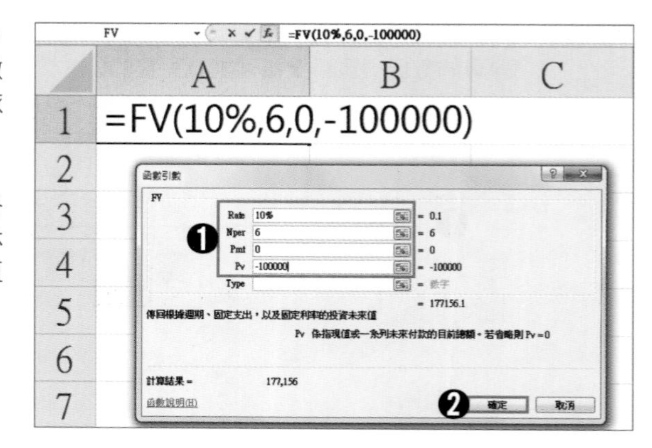

3-2

了解「現金流量」正確評估投資、貸款

現金流量在投資理財的角色，就好似人體中的血液一樣，只要將現金流量圖畫出來，就可以知道投資是否健康。Excel 財務函數也是使用現金流量來描述，只要將所投資項目的現金流量，按格式輸入至財務函數，就可以獲得所要的答案。

現金流入為正，現金流出為負

初學者常常不知道該怎麼正確描述現金流量，為什麼有時候用正值？有時候用負值？簡單說，現金流量就是描述從投資者流入及流出的現金，例如跟銀行貸款，是銀行把錢交到我們手中，所以這筆貸款是現值（PV），屬於現金流入；而之後我們每期要繳交出去的錢，就是年金（PMT），屬於現金流出。

而若是投資股票或基金，則是我們先拿錢出去投資，所以是現金流出，單筆投資金額以現值（PV）表示，定期定額投資金額以年金（PMT）表示。當投資結束，最後所拿回的本利和就是未來值（FV），才是現金流入。

例如James於2012年7月2日投資10萬元於A基金，支出手續費3,000元，2015年6月22日贖回基金12萬元整。因此James總共發生3筆現金進出：

1. 流出10萬元買基金。
2. 流出3,000元支付基金手續費。
3. 流入12萬元的投資款項。

現金流量有3項特質：方向、數值、時間點。在數學計算中，「流入」及「流出」用正負來代表，正號代表流入，負號代表流出，所以James拿出10萬及3,000元都是流出，在Excel中，就以數值「-100000」

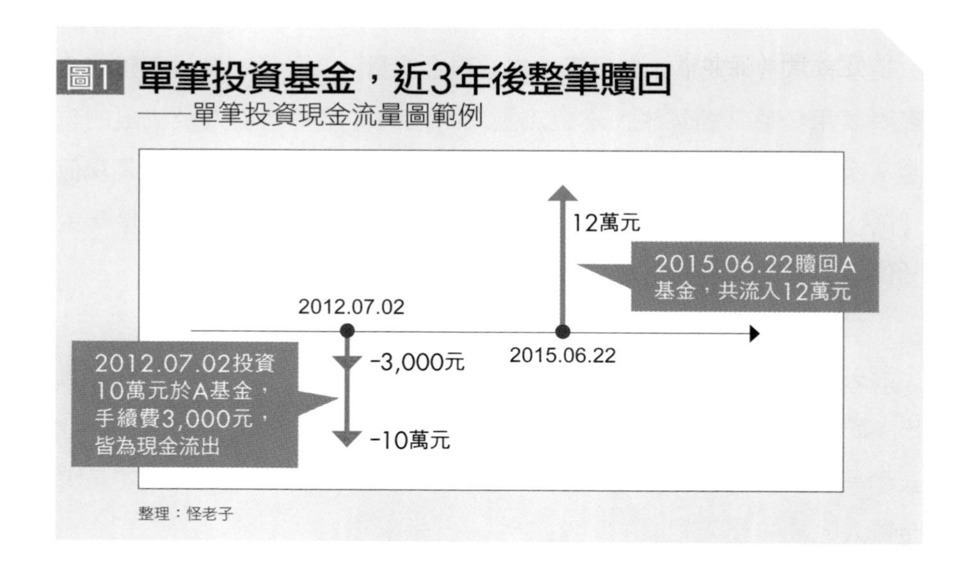

及「-3000」表示；拿回 12 萬投資款是現金流入，所以以正值的「120000」表示。

完整的現金流量必須包含發生的時間點，所以用現金流量圖來描述最方便，圖 1 就是 James 投資的現金流量圖。對於現金流量的時間點，投資者並非關心實際發生的日期，而是現金流量之間的期間有多長。例如上述 James 的例子，投資日期及贖回日期並非重點，而是總投資期間將近 3 年，實際天數為 1,085 天（2.97 年）。

現金流量的型態大致可以分為固定期間及任意期間兩種，在 Excel 的財務函數當中也是這樣，一類函數僅適用固定期間，另一類函數則是用在任意期間（詳見 3-1 表 1）。

固定期間（定期投資）以期數為單位，不管是 1 年為 1 期或 1 月為 1 期，財務函數都以期數為單位描述現金流量；而任意期間（不定期投資）沒有期數觀念，因此會以日期描述現金流量，介紹如下：

定期投資》現金流量以期數為單位

許多的投資應用，都有週期性的現金流量，並且都發生在固定一個期間。例如零存整付的銀行定存、貸款分期付款、每月定期定額投資，以及多年期保險費，都是屬於這類型的應用。因為現金流量都固定 1 個月、1 年或 1 季，所以描述現金流量時均以期數為單位，而不是用日期來描述。

例如，Peter 在 2015 年 3 月 20 日單筆投資 5 萬元，並且自當天起，固定在每月的 20 日，定期定額投資 1 萬元於 B 基金。假設 B 基金的平均年報酬率為 8%，6 個月後（2015 年 9 月 20 日），Peter 所擁有的 B 基金淨值預估金額為多少？在描述這項投資的現金流量時，如圖 2 所示。

投資者只需要關心相對的時間，所以起始以及結束的日期不需要標示，只需用期數來標示即可。這項投資頭尾總共有 6 期，每一期為 1

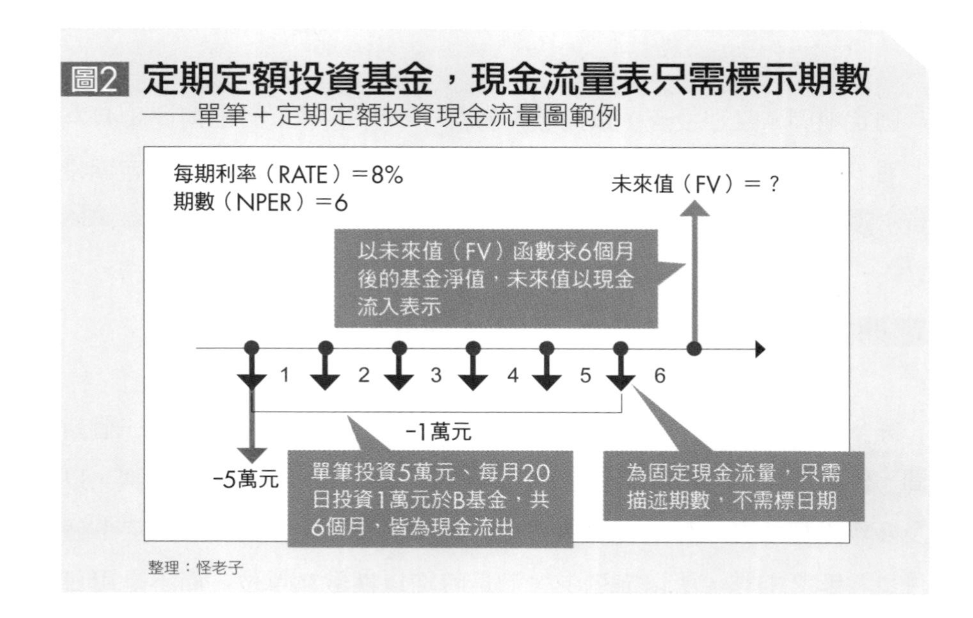

圖2 定期定額投資基金，現金流量表只需標示期數
——單筆＋定期定額投資現金流量圖範例

整理：怪老子

個月，因此只要用 FV 函數，就可以預估期末的基金淨值了。

不定期投資》現金流量以日期為準

並不是每一種投資應用的現金流量，都是在固定期間發生，例如股票投資、債券基金投資。這類型的投資應用，現金流量發生的時間都不固定，所以無法使用期數描述，必須將現金流量的數值及發生日期一起描述才行。

例如2012年3月12日以每股91元買進中華電(2412)股票2張，2012年7月17日每股配息5.46元；2013年4月2日以93.1元再買進中華電1張，2013年7月17日每股配息5.35元、2014年7月17日每股配息4.53元、2015年7月16日每股配息4.86元，直到2015年7月24日全部股數以95.5元賣出。

這樣的現金流量沒有一定的週期規則，若想知道這項投資案的年化投資報酬率為多少，就必須將現金流量用日期描述（詳見圖 3），再使用任意現金流量的投資報酬率函數 XIRR 計算（詳見 3-8）。

單筆投資》只有期初與期末兩筆現金流

單筆投資的現金流量只有兩筆(期初、期末)，沒有週期性的現金流，要視為固定期間或任意期間類別都可以。

圖3 不固定期間投資，現金流量圖須標註日期

不固定期間投資的Excel描述方式

日期	股數	每股金額	現金流量	備註
2012/3/12	2000	−91.0	**−182000**	買入中華電2張
2012/7/17	2000	5.46	**10920**	配息
2013/4/2	1000	−93.1	**−93100**	買入中華電1張
2013/7/17	3000	5.35	**16050**	配息
2014/7/17	3000	4.53	**13590**	配息
2015/7/16	3000	4.86	**14580**	配息
2015/7/24	3000	95.5	**286500**	全部賣出

以現金流量圖表示

現金流量圖

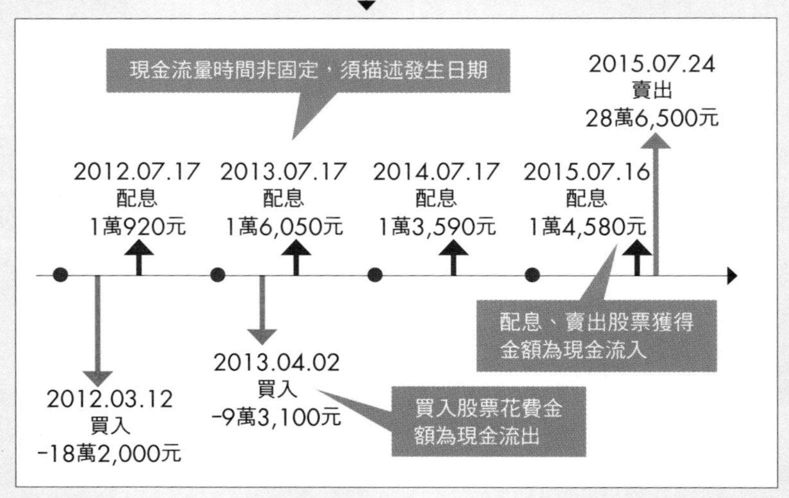

整理：怪老子

圖4 單筆投資基金，週期性現金流量設為0
——單筆投資現金流量圖範例

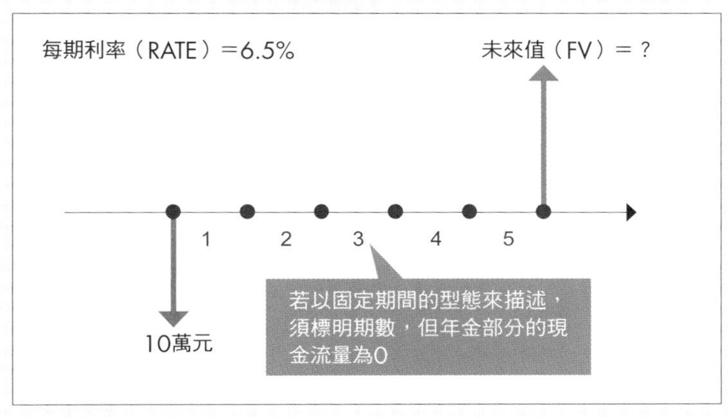

整理：怪老子

例如 Michelle 單筆投資 10 萬元於 C 基金，若該基金平均報酬率為 6.5%，5 年後預估基金淨值為多少？

因為投資期間剛好是 5 年，若要以固定期間的方式看待，期數總共為 5 期，且每 1 期為 1 年。因為沒有週期性的現金流量，所以只要將現金流量設為 0 即可（詳見圖 4）。

3-3

分清期初與期末
計算重要金流不出錯

許多人面對 Excel 財務函數的應用，有年金的狀況時，往往不知道 TYPE 變數該填 0（期末）還是 1（期初），為解決使用者這方面的困擾，本文針對 TYPE 變數做了更詳細的說明。

從生效日判斷年金屬於期初或期末

舉一個典型的應用範例，期初投入 10 萬元（PV），且每隔 1 個月再投入 1 萬元（PMT）於年平均報酬率 5%（RATE）的基金，經過 5 年（NPER）後，期末淨值（FV）會是多少？這例子中 PV、PMT、NPER、RATE 都是已知，所以用 FV 函數求解。

圖 1 為上述範例的現金流量圖，Excel 這 5 個函數都是以 1 期為計算單位，至於 1 期多久，可以自行依需求制定，例如 1 年、半年或 1 個月。因為本例的現金流量最小期間是 1 個月，所以必須以 1 個月為 1 期，而期間為 5 年，所以總期數（NPER）為 60。

至於每個月再投入的 1 萬元，並沒有明白地敘述投入時間點，是每

圖1 期初或期末年金差了一期，計算結果不同

——期初年金與期末年金現金流量圖範例

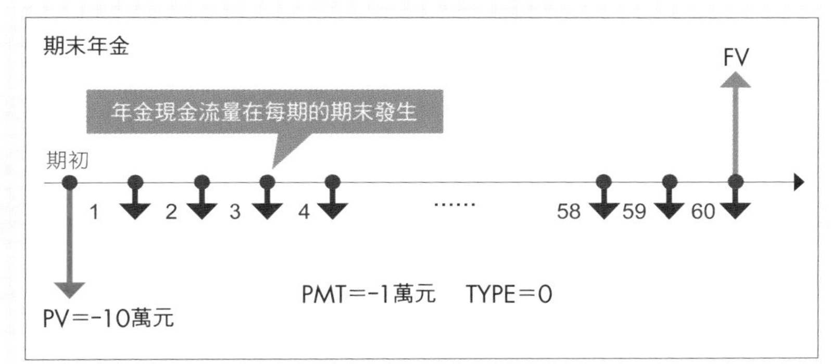

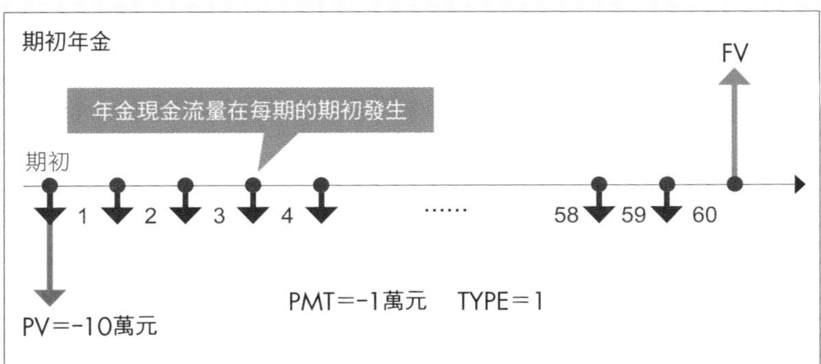

期初/期末	Excel公式 =FV（RATE,NPER,PMT,[PV],[TYPE]）	FV 運算結果
TYPE=0 期末	=FV（5%/12,60,-10000,-100000,0） 或 =FV（5%/12,60,-10000,-100000）	80萬8,396.70
TYPE=1 期初	=FV（5%/12,60,-10000,-100000,1）	81萬1,230.28

整理：怪老子

一期的期初或是期末，而這兩種型態 PMT 的每一筆現金流量，剛好都差了 1 期，所以必須精準描述，否則算出來的結果是不正確的。

年金（PMT）有多少筆金額，跟期數（NPER）息息相關，PMT 為 -1 萬元（負值，代表現金流出）、NPER 為 60 個月，代表著每 1 個月都會支付 1 萬元，總共有 60 萬元。但這樣描述還不夠，必須加入 TYPE 變數才完整，這 60 萬投入的時間點，是每一期的期初還是期末呢？TYPE 為 0，代表期末（參數預設值），1 代表期初。

要特別注意，期初不是月初，期末也不是月底。期初代表一期的起始點，也就是以專案生效日起算。一期的結束點則為期末，而每一期的期末就是下一期的期初。例如，第 1 期末等於第 2 期初，第 10 期初也等於第 9 期末。實務上像是銀行的貸款，或是保險，就會以契約生效日為第 1 期的期初。

範例1》期末年金，例如銀行貸款

用範例來解說更清楚。有一個銀行貸款專案，貸款金額 100 萬元，年利率 5%，分 36 個月本息平均攤還，每月繳款金額為多少？

本金及利息是撥款之後起算，每 1 個月後繳交 1 次，而銀行撥款日就是第 1 期的期初。若撥款日為 2 月 10 日，那麼第 1 期末就是 3 月 10 日，第 2 期末為 4 月 10 日，依此類推（詳見圖 2）。

圖2 每期期末還款，屬於期末年金
——期末年金現金流量圖範例

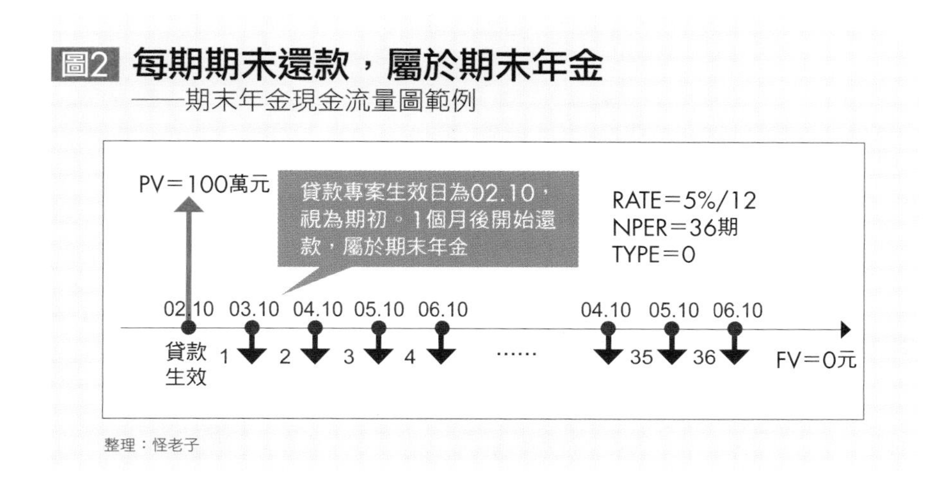

整理：怪老子

因為求解的是每月繳款金額，也就是年金，所以用 PMT 函數來計算，公式如下：

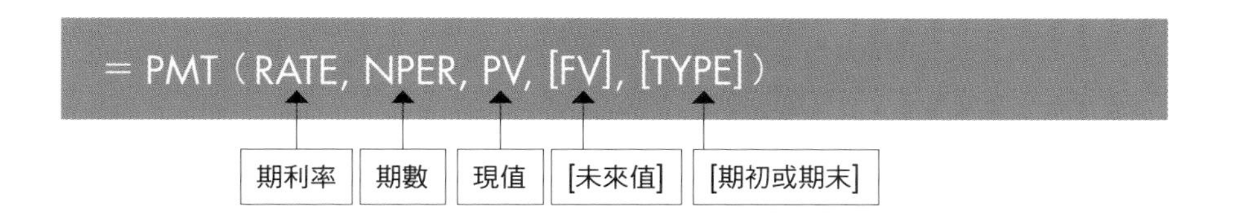

年利率 5%，那麼每一期利率就要除以 12，RATE 填入「5%/12」。借款 60 期，NPER 填入「60」。銀行貸款 100 萬元，PV 為現金流入「1000000」。要計算的狀況是貸款還清，所以 FV 為 0。此專案最小間距為 1 個月，每月為 1 期，撥款日開始生效，所以每月本息的繳款時間點都落在期末，TYPE 必須設定為 0。FV 及 TYPE 都是預設值 0，所以可以省略，PMT 函數的 Excel 寫法如下：

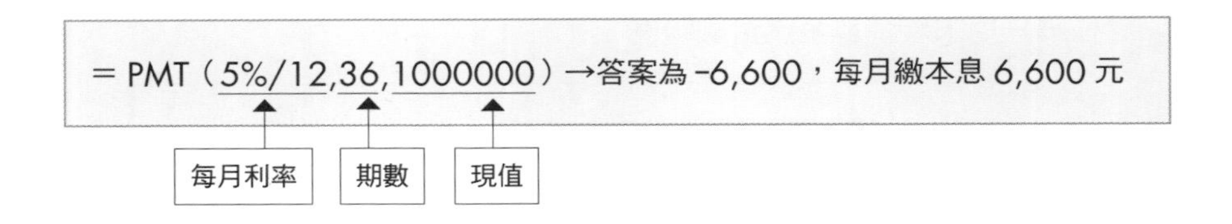

範例2》期初年金，例如6年期儲蓄險

另一個應用是 100 萬元 6 年期儲蓄險，年繳保費 15 萬 4,876 元，這保險相當於銀行多少的年利率？儲蓄險的現金流量如圖 3 所示。

因為求解的是利率（RATE），必須使用 Excel 的 RATE 函數，其他 4 個變數 FV、 PV、PMT、NPER 必須已知才行，RATE 函數格式如下：

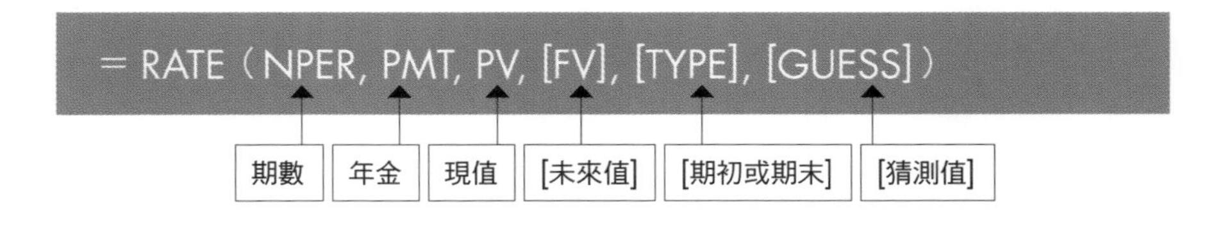

契約開始生效時就是第 1 期的期初，第 1 期保費於投保時就得交付，所以屬於期初年金，TYPE 必須設為 1。現金流量的最短間距為 1 年，每 1 年為 1 期，期數（NPER）等於 6。

年繳 15 萬 4,876 元，為現金流出，年金（PMT）填入「-154876」。

圖3 期初時繳錢、期末整筆領，屬於期初年金

——期初年金現金流量圖範例

FV＝100萬元

PV＝0元

契約生效

NPER＝6期

TYPE＝1

1 2 3 4 5 6

PMT＝-15萬4,876元

契約生效日為期初，需於每期的期初繳錢，屬於期初年金

整理：怪老子

6 年後拿回 100 萬元，為現金流入，未來值填入「1000000」，猜測值省略。RATE 函數的寫法如下：

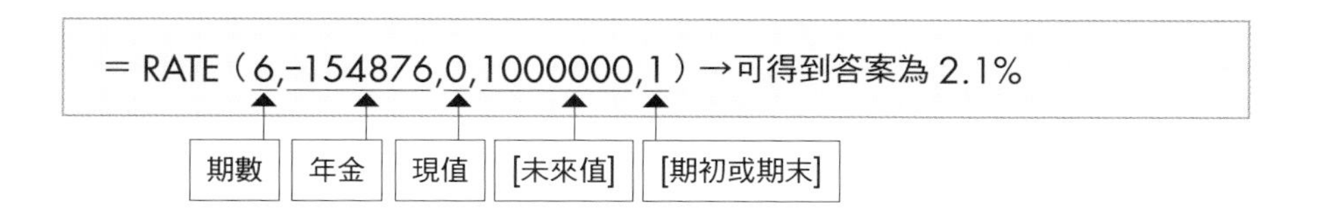

透過範例的解說，相信讀者對 Excel 財務函數的應用，會有更深一層的了解。

期初、期末的現值、未來值換算

年金是每一期都有一筆現金流量，現金流量出現在期末稱為「期末年金」，又稱為「普通年金」；若現金流量在期初發生，就稱為「期初年金」。

因為兩個現金流量的金額都一樣，唯一差別就是期初及期末，也就是兩組現金流量剛好相差一期。兩組現金流量的未來值及現值之關係如下：

期初年金的未來值＝期末年金未來值 ×（1 ＋投資報酬率）
期初年金的現值＝期末年金現值 ×（1 ＋投資報酬率）

若已經知道期末年金現金流量的現值或未來值，只要乘上（1 ＋投資報酬率）就可以換算出來期初年金的現值或未來值。相反地，已經知道期初年金的現值或未來值，除以（1 ＋投資報酬率）就是期末年金現金流量的現值或未來值。

◎使用 NPV 函數時，需多加一期的投資報酬率
常常有些計算工具只允許計算普通年金（期末年金），例如淨現值函數 NPV（詳見 3-6），計算出來的結果為期末年金的現值，若要計算期初年金的現值時，也可以使用 NPV 函數，只是結果必須乘上（1 ＋投資報酬率）才正確。

以下圖的現金流量為例，每期的現金流量金額不一致，假設投資報酬率為 5%，這組現金流量的現值為：

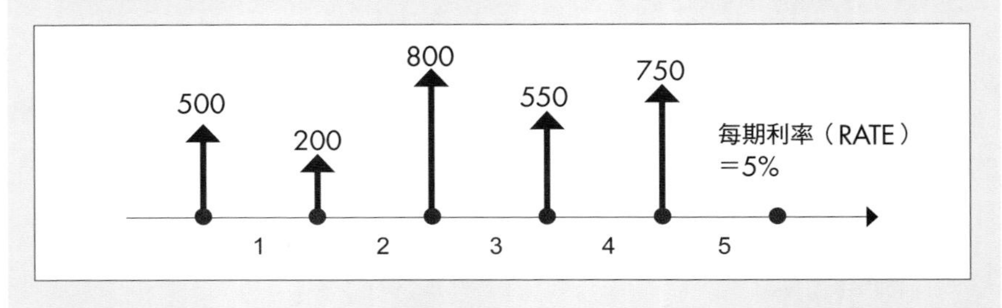

＝500＋200/（1＋5%）^1＋800/（1＋5%）^2＋550/（1＋5%）^3＋750/（1＋5%）^4
＝2,508.2

也可以使用淨現值函數NPV計算，只是結果必須乘上（1＋5%）
＝（1＋5%）*NPV（5%,500,200,800,550,750）
＝2,508.2

我們常常會計算退休後經通膨調整後的生活費現值，這時候用期末年金或期初年金的方式都不是最恰當，折衷方式是使用期中年金，就是將期末年金的現值乘上（1＋投資報酬率）$^{0.5}$，Excel的公式為「（1＋投資報酬率）^0.5」。

3-4

6種常見財務問題 輸入參數就能快速解答

對於財務函數、現金流量、期初期末有了清楚觀念之後，多加練習，未來面對各種財務狀況就能夠運用自如了。財務函數其實很簡單，主要是將一個財務應用的現金流量畫出來，然後使用參數將現金流量描述至財務函數，就可以得到所要的答案。

以下是 6 種我們在投資理財時，最常遇到的問題，每一個應用都有相對的現金流量圖，實際練習看看，該怎麼運用財務函數輕鬆求得解答：

範例1》單筆投資基金的期末本利和

James 目前單筆投入 10 萬元於 MSCI 新興市場 ETF（指數股票型基金），預估平均年報酬率為 10%，6 年後 James 持有的期末淨值預估為多少？

因為這是單筆投入，所以這應用的現金流量只有兩筆，一筆是從 James 拿出去的 10 萬元，另一筆就是 6 年後拿回的期末金額，現金流量圖如圖 1。

圖1 單筆投資基金求未來本利和，用FV函數運算
——單筆投資基金現金流量圖範例

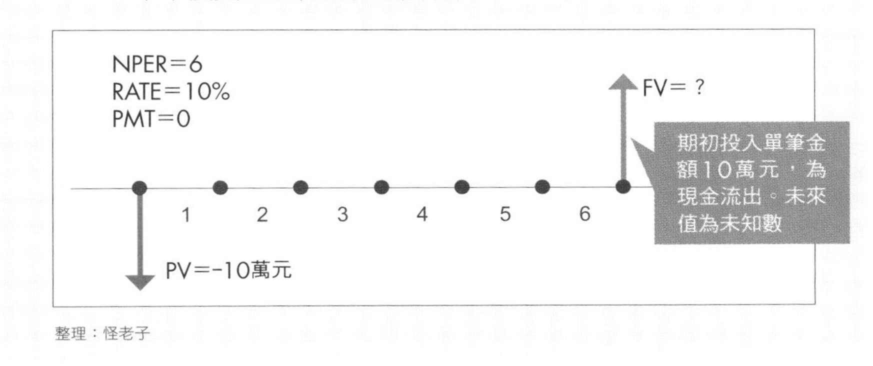

整理：怪老子

因為要預估 6 年後的期末值（FV）為多少，所以使用 FV 函數求解。期初拿出 10 萬元，所以是現金流出，用負值表示，現值（PV）填入「-100000」。共有 6 期、每期 1 年，期數（NPER）填入「6」。因為沒有每期固定的年金，PMT 的金額為「0」，TYPE 也可以省略。函數寫法如下：

＝FV（RATE,NPER,PMT,[PV],[TYPE]）
＝FV（10%,6,0,-100000）→可得到答案為 17 萬 7,156 元

範例2》定期定額投資基金的期末本利和

Peter 單筆投入 10 萬元，1 個月後每月固定投入 1 萬元於全球

ETF，預估年化報酬率為 8.5%，5 年後 Peter 持有的期末淨值預估為多少？

這項應用的現金流量圖如圖 2，想要知道現金流量圖中的 FV 值，就使用 FV 函數求解。現金流量出現最短期間為 1 個月，所以每 1 期為 1 個月，總共有 60 期，期數（NPER）填入 60。

年化報酬率為 8.5%，但 1 個月為 1 期，每期的利率（RATE）必須除以 12，也就是月利率。期初單筆投入 10 萬元，現值（PV）填入「-100000」。1 個月後每月投入 1 萬元，年金（PMT）填入「-10000」；因為是在單筆投入後的每期期末投入年金，為期末年金，TYPE 填入「0」或省略。

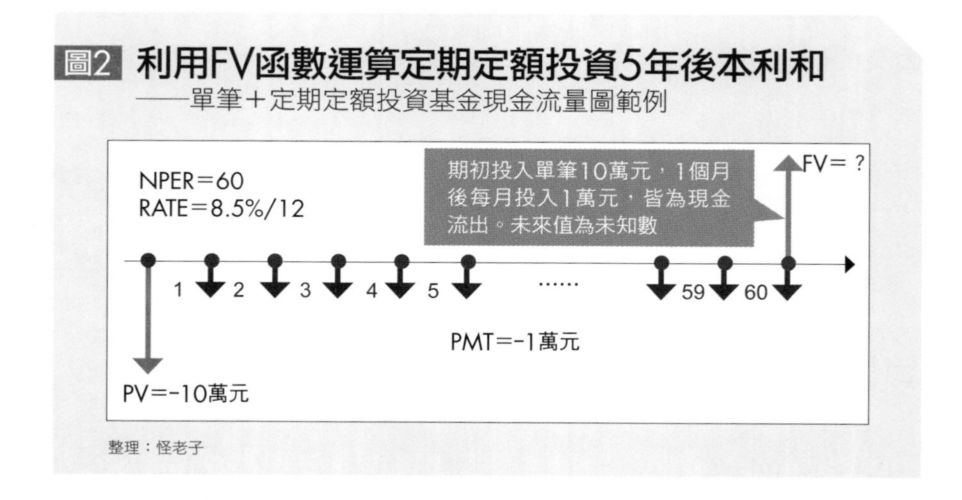

函數寫法如下：

＝ FV（RATE,NPER,PMT, [PV],[TYPE]）
＝ FV（8.5%/12, 60, -10000,-100000）→可得到答案為 89 萬 7,154 元

範例3》估算單筆退休金

Charles 預計 60 歲退休，預估退休後每年需要 60 萬元（不考慮通膨），以平均餘命 82 歲預估，若退休金的投資報酬率為 4%，退休準備金要準備多少才足夠？

退休後還得準備 22 年的生活費，現金流量如圖 3 所示，清楚呈現退

圖3 想知道必須準備多少退休金，用PV函數計算
——退休金準備現金流量圖範例

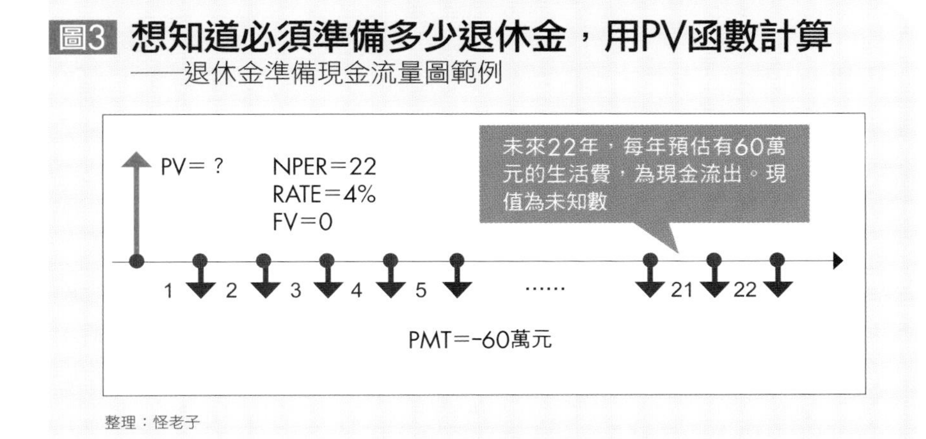

整理：怪老子

休時必須流入多少金額，才能支付未來 22 年、每年 60 萬的生活費現金流出。因為未知的變數為現值（PV），亦即退休時該準備的錢，所以使用 PV 函數，將這現金流量圖描述給 PV 函數即可。

退休金的投資報酬率 4%，年利率（RATE）填入「4%」。1 年為 1 期，共 22 年，期數（NPER）填入「22」。將來會有每年 60 萬元的現金流出，年金（PMT）填入「-600000」；因屬於期末發生，TYPE 為「0」或省略。未來值預設為「0」，亦可省略（未來值為 0，代表這筆錢在 22 年後會花完）。

= PV（RATE,NPER,PMT,[FV],[TYPE]）
= PV（4%,22,-600000）→可得到答案為 867 萬 669 元

範例4》定期定額籌措退休準備金

Christine 現年 35 歲，預計 60 歲退休，退休準備金預估需要 1,500 萬元，假若投資年化報酬率可以達到 8%，那麼每月需要定期定額投入多少金額？

這現金流量跟定期定額投資幾乎一樣，只是沒有期初投資的金額，因為不知道每月要投入多少，從圖 4 的現金流量圖，可看到年金（PMT）為未知，所以就用 PMT 函數。1 個月為 1 期，25 年共有 300 期，期數（NPER）填入「25*12」或是直接填「300」。

圖4 籌備退休金須每月投資多少錢，用PMT函數
——定期定額籌措退休準備金現金流量圖範例

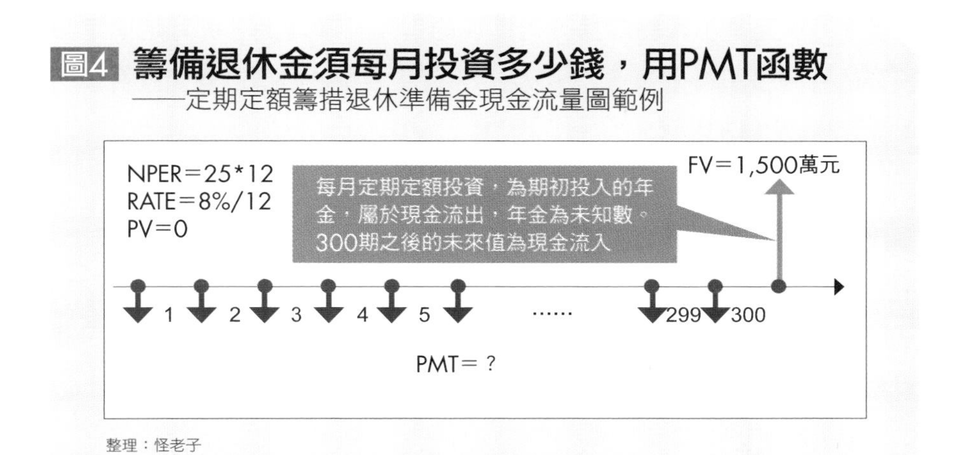

整理：怪老子

每期的投資報酬率（RATE）填入「8%/12」。期初沒有單筆投資，現值（PV）填「0」。因為是每月為期初投入年金，TYPE必須填入「1」。預估未來要累積到1,500萬元，為正值的現金流入，未來值（FV）填入「15000000」。函數寫法如下：

＝PMT（RATE,NPER,PV,[FV],[TYPE]）
＝PMT（8%/12, 25*12, 0,15000000,1）→可得到答案為-1萬5,668元

也可再用FV函數驗算，若每月投資1萬5,668元，25年後是否可以獲得1,500萬元？

＝FV（8%/12,25*12,-15668,0,1）→可得到答案為1,500萬19元

多了 19 元是小數點四捨五入造成的誤差，事實上，每月定期定額投資的精確金額為 1 萬 5,667.9797 元，若用此數值計算，就會算出 1,500 萬元的未來值。

範例5》汽車貸款本息攤還金

Edward 跟銀行汽車貸款 50 萬元，約定年利率 6.5%，本息平均攤還期限為 3 年，那麼每月得繳本息多少元？

只要將 Edward 的現金流量圖畫出來（詳見圖 5），就很容易得到答案了。要算出本息平均攤還金額，是每月固定的支出，因此可用 PMT 函數。開始時拿到 50 萬元，為現金流入，現值（PV）填入「500000」。

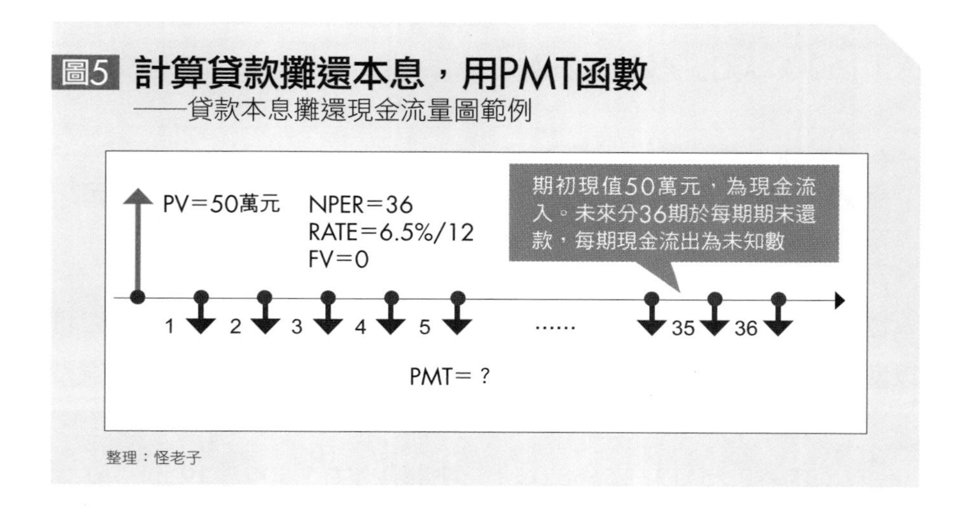

期末貸款餘額必須為「0」，代表不欠銀行了，未來值（FV）填入 0 或省略。1 個月為 1 期，3 年的期數（NPER）是 36，每期利率（RATE）為 6.5%/12。而貸款屬於期末年金，TYPE 可填 0 或省略。函數寫法如下：

＝PMT（RATE,NPER,PV,[FV],[TYPE]）
＝PMT（6.5%/12,36,500000）→可得到答案為 -1 萬 5,325 元

負數的意義代表現金流出，也就是期初拿入 50 萬元，之後每個月必須拿出 1 萬 5,325 元，這筆帳才會平衡。3 年的時間裡，一共還給銀行 55 萬 1,700 元，扣掉實際借的本金 50 萬元，可以知道銀行一共收了 5 萬 1,700 元的利息（每月 1 萬 5,325 元 ×36 期－本金 50 萬元）。

範例6》算出儲蓄險的投資報酬率

6 年期的儲蓄險，年繳保費 10萬元，期末可以拿回 64 萬 8,000 元，投資者若想知道這樣有多少的投資報酬率，只要使用 RATE 函數就可以輕易計算出來。

這儲蓄險的現金流量圖如圖 6，1 年為 1 期，期數（NPER）是 6。每一期繳納金額固定，期初就要繳納，為期初年金且為現金流出，年金（PMT）填入「-100,000」，TYPE 必須填入「1」。因為期初沒有單

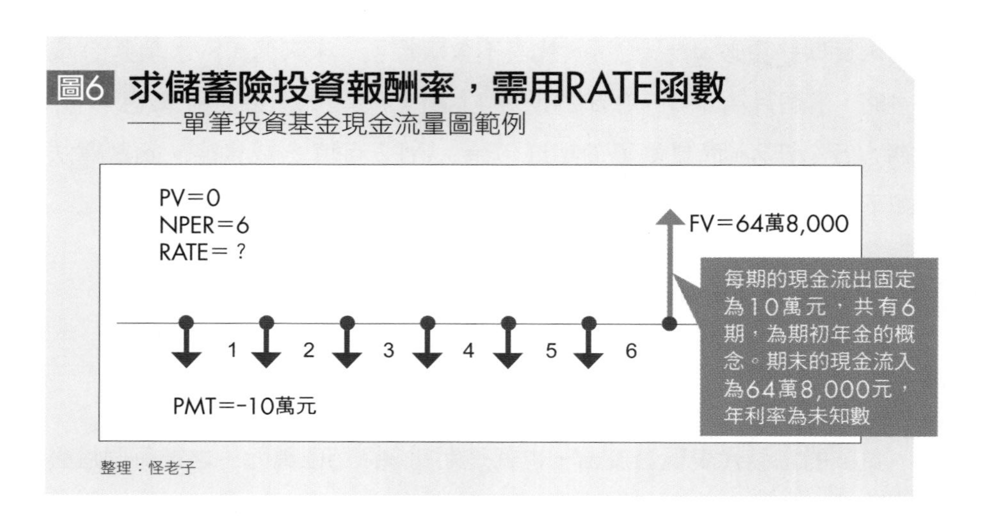

筆支出，現值（PV）為 0。期末可拿回金額是現金流入，未來值（FV）填入「648,000」。函數寫法如下：

＝RATE（NPER,PMT,PV,[FV],[TYPE],[GUESS]）
＝RATE（6,-100000,0,648000,1）→可以得到答案為 2.2%

不過在實務上，儲蓄險第 1 年的保費可能有優惠，跟其他年度所繳的保費不一樣。既然年金的金額沒有固定，就不能使用 RATE 函數來計算，必須改用 IRR 函數才能算出最準確的答案（詳見 3-8）。

3-5

現金流量逐期成長 須採用「有效報酬率」計算

Excel 的未來值（FV）及現值（PV）財務函數，是以輸入之參數描述現金流量，每個參數都只有一個值。其中，PV 和 FV 本來就是單筆金額，但是 PMT 參數因為屬於年金，每一期都有現金流量，所以每一期的 PMT 都必須一樣。同時，PMT 參數和 NPER（期數）及 TYPE 參數必須互相搭配，才能完整描述現金流量。例如某個投資方案總共有 5 期，每一期的期末都有 1 萬元收入，現金流量的參數為：PMT ＝ 10000、NPER ＝ 5、TYPE ＝ 0。

雖然 PV 及 FV 的每一期 PMT 必須一樣，但是當 PMT 的現金流量以等比例（G）往上成長或往下衰退時也可以使用，只是報酬率（RATE，以下簡寫「R」）必須使用「有效報酬率」：

有效報酬率＝（R − G）/（1 + G）

除了報酬率必須更換之外，對於不同型態的 PMT 年金（期初或期末），參數也要做些調整，完整的用法詳見表 1。以下是兩個相關的應用範例：「考慮通膨的退休金計算」及「投資金額每年成長的定期不定額投資」：

範例1》考慮通膨的退休金計算

Peter 預計 60 歲退休，退休生活費預估每年 60 萬元，假設退休後報酬率每年 6%，通膨率 2%，要準備多少退休金才足以使用至 100 歲？

1 年為 1 期，現金流量總共有 40 筆（61 ～ 100 歲），生活費不會每年固定 60 萬元，而是每年以 2.0% 的通貨膨脹率成長。那麼退休

表1 當年金等比例增減，須改用成長年金設定參數
——年金成長型態的PV及FV公式應用

PMT：年金　RATE（R）：報酬率　G：成長率　NPER：期數

函數		期末年金（TYPE=0）	期初年金（TYPE=1）	備註
現值PV	年金	=PV（RATE,NPER,PMT）	=PV（RATE,NPER,PMT,0,1）	FV=0
	成長年金	=PV（（R−G）/（1+G）,NPER,PMT）/（1+G）	=PV（（R−G）/（1+G）,NPER,PMT,0,1）	FV=0
未來值FV	年金	=FV（RATE,NPER,PMT）	=FV（RATE, NPER, PMT,0,1）	PV=0
	成長年金	=FV（（R−G）/（1+G）,NPER,PMT）*（1+G）^（NPER−1）	=FV（（R−G）/（1+G）,NPER,PMT,0,1）*（1+G）^NPER	PV=0

整理：怪老子

準備金所需金額，就是未來所有現金流量的現值，可使用 PV 函數計算，但必須使用有效報酬率（6% − 2%）/（1 + 2%）。且因為屬於期末年金，所以 PV 函數的數值還必須除以（1 + G），所以得準備 1,177 萬 9,943 元才足夠，公式如下：

◎退休年齡至期末年數：NPER = 40　　◎期末值：FV = 0
◎每年生活費：PMT = 600000　　◎生活費的通貨膨脹率：G = 2%
◎報酬率：R = 6%；有效報酬率：（6% − 2%）/（1 + 2%）

= PV（（R − G）/（1 + G）,NPER,PMT）/（1 + G）
= PV（（6% − 2%）/（1 + 2%）,40, 600000）/（1 + 2%）
→可得到答案為 -1,177 萬 9,943 元（負值代表現金流出）

圖1 考慮通膨的退休金計算，必須使用有效報酬率
——加計通膨的退休金成長現金流量圖

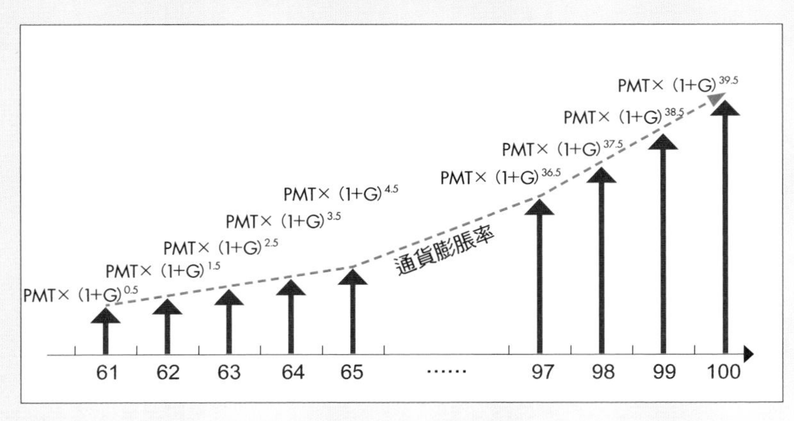

整理：怪老子

更精確一點，年初及年末的生活費應該不一樣，因為前後剛好差了一年的通膨，所以最好的方式就是用年中的金額，也就是多了半期的通貨膨脹率才更精準，因此起始值為 60 萬元乘上「（1 + 2%）^0.5」，算出的答案是 1,189 萬 7,160 元。

=PV（（6% − 2%）/（1 + 2%）,40,600000*（1 + 2%）^0.5）/（1 + 2%）
→可得到答案為 -1,189 萬 7,160 元（負值代表現金流出）

範例2》投資金額每年成長的定期不定額投資

投資全球已開發市場股票型基金，第 1 年底投入金額 12 萬元，且金額每年以 3% 成長，若平均投資報酬率為 10%，10 年後的基金淨值應該是多少？ 1 年為 1 期，期初沒有單筆投資，每年底投入年金，為期末年金，以下使用未來值的期末年金公式計算，可算出答案為 214 萬 2,559 元。

◎期初至期末年數：NPER ＝ 10 年　　◎期初單筆投入：PV ＝ 0
◎每年投資金額：PMT ＝ -120000　　◎投資金額年成長率：G ＝ 3%
◎報酬率：10%；有效報酬率：（10% − 3%）/（1 + 3%）

= FV（（R − G）/（1 + G）,NPER,PMT）*（1 + G）^（NPER − 1）
= FV（（10% − 3%）/（1 + 3%）,10,-120000）*（1 + 3%）^9
→可得到答案為 214 萬 2,559 元

3-6

現金流不定期或不定額 用2函數求得現值

現在手中有 1 萬元，6 年後這筆錢的價值還會是 1 萬元嗎？答案是否定的。因為貨幣有時間價值，如果今天把這筆錢放到年利率 1.5% 的銀行定存，每年都會有 150 元的現金流入；這 1 萬元本金以及每年 150 元的利息，經過 6 年的複利成長，價值會成長到 1 萬 934 元。換句話說，6 年後的 1 萬 934 元，以年利率 1.5% 的複利折現回來，價值就是今天的 1 萬元。

計算現金流的現值有什麼好處？如果我們平常習慣把錢存在銀行定存，今天的 1 萬元，每年報酬率 1.5%；此時有另一個投資方案，同樣投資 6 年，但是所帶進來的所有現金流，以年化報酬率 1.5% 折現回來卻比本金的 1 萬元更低，那就代表這個投資方案不如定存。

如果現金流像定存那樣，每期固定且金額相同，要計算現值時，只要用 5 大財務函數中的現值（PV）函數就能算出來。例如 PMT 參數輸入 150，就是計算每期 150 元現金流入的現值，每一期的現金流量都必須一樣。若計算期間固定、但每一期的現金流量金額都不同，或是期間不固定的現金流，就必須派出 NPV、XNPV 函數上場了。

NPV函數》計算固定期間的現金流量加總

NPV 可求出固定期間、金額不同的現金流量現值加總，例如圖 1 是某筆投資的現金流量圖，C1 到 C5 各代表一期現金流量淨值；只要將期報酬率（RATE，在圖 1 當中簡寫為「R」）以及各期現金流量提供給 NPV 函數，就能得知這幾期現金流量，折算回投資起始日的現值，加起來一共是多少。

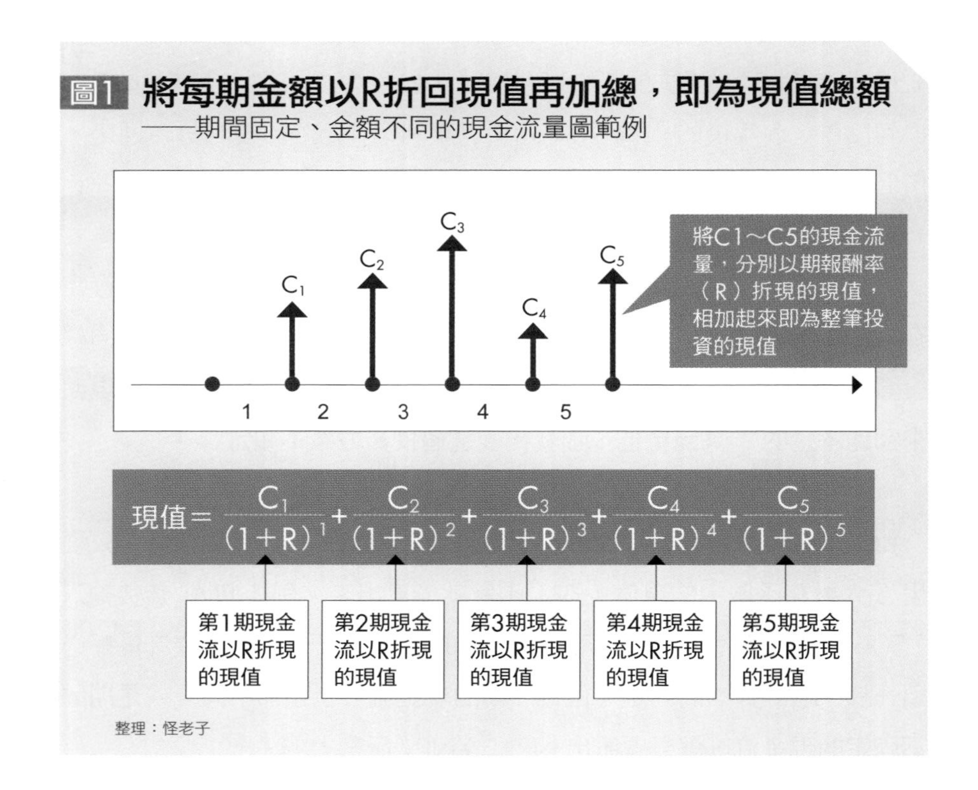

圖1 將每期金額以R折回現值再加總，即為現值總額
——期間固定、金額不同的現金流量圖範例

整理：怪老子

NPV 的函數格式如下：

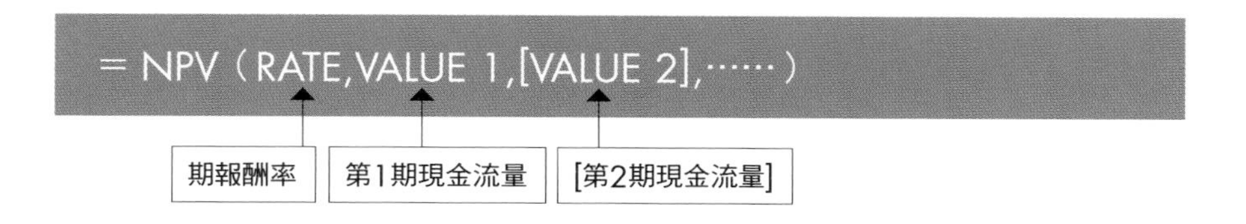

第 1 個參數 RATE，就是要折現的報酬率；第 2 個參數是第 1 期的現金流量，第 3 個參數是第 2 期的現金流量……依此類推。

現金流量可用多種方式描述：

1. 陣列：陣列是一組連續數字的組合，使用時，前後須以大括弧包起來，如：

2. 參數：一個一個輸入數字，以逗號分隔，如：

3. 儲存格：輸入儲存格範圍（各期現金流量必須依序輸入於相鄰儲存格）如：「A1：A3」（A1 ＝ 10000、A2 ＝ 30000、A3 ＝ 25000）。

範例1》每期現金流量相同，以計算債券價格為例

先來看固定期間、每期現金流量相同的範例。假設投資一檔 5 年期的債券，面額 100 元，票面利率 5%，每年付息 1 次，1 年為 1 期。若投資者要求報酬率為 3.5%（亦即殖利率），那麼這檔債券的價格是多少？

債券的價格就是將每一筆現金流量，以投資者要求的報酬率 3.5% 計算現值。從現金流量圖可看到（詳見圖 2），債券持有人每年可從發行機構手中拿到利息 5 元，最後一年除了利息，還可拿到本金 100 元。

上述的例子可用 NPV 函數算出結果，預期報酬率輸入「3.5%」。現金流量的部分，因為第 1 到第 4 期只能領到利息，所以分別輸入「5」，

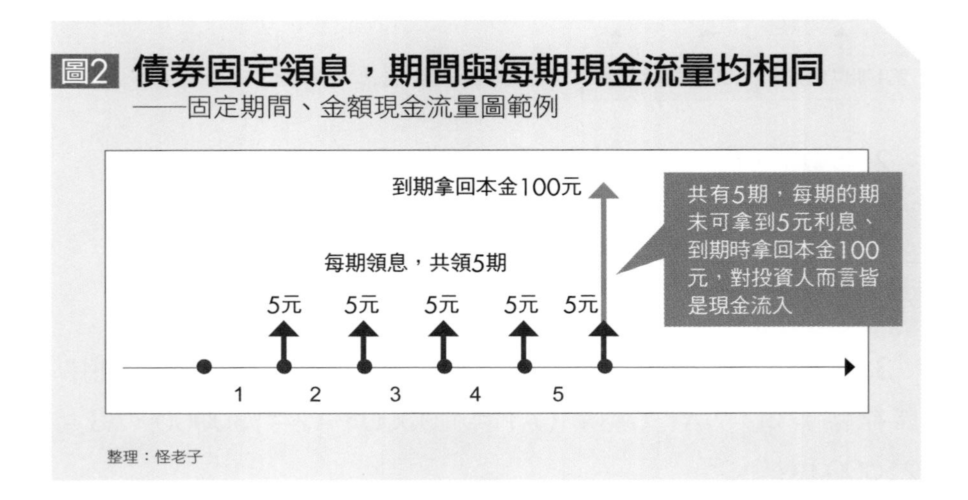

但是第 5 期有 5 元利息以及 100 元的本金，所以第 5 期就該輸入 105 元。描述現金流量時，有 3 種方式可使用，計算結果都是一樣的：

1. 陣列描述現金流量：

＝NPV（3.5%, {5,5,5,5,105}）→ 106.77

2. 參數描述現金流量：

＝NPV（3.5%,5,5,5,5,105）→ 106.77

3. 儲存格範圍描述現金流量（詳見圖 3）：

＝NPV（3.5%,A3：A7）→ 106.77

圖3 將現金流填入相鄰儲存格，以NPV函數回推現值

——利用Excel的NPV函數描述現金流量範例

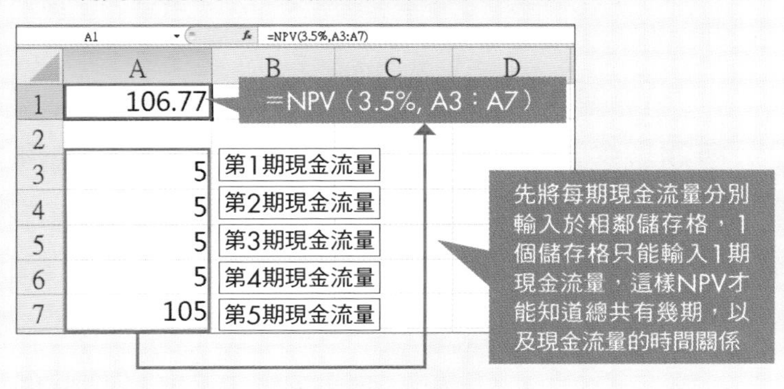

整理：怪老子

可以知道，當投資者要求 3.5% 的年化投資報酬率，這檔債券的價格是 106.77 元。

NPV只算期末年金現值，且無正負之分

要注意，現金流量的時間基準點是期末，所以 NPV 計算出來的是期末年金（普通年金）的現值。如果要計算期初年金現值，就必須將 NPV 算出的結果再乘上（1 + R）。

上述的現金流量因為是固定的，也適用 PV 函數的年金概念；每期現金流量（PMT）都是 5 元，期末未來值（FV）就是 100，用 PV 函數表示如下：

＝PV（3.5%,5,5,100）→-106.77

PV 傳回的數值有正負之分，正值代表現金流入，負值代表現金流出。但是 NPV 則沒有正負之分，僅是直接將現金流量以利率折成現值而已。

範例2》每期現金流量不同，以球員挑選薪資合約為例

再看一個固定期間、現金流量不同的例子。假設有兩個球隊正在爭取一位球員簽約，A 球隊提出的 5 年薪資合約條件為：前 2 年每年 180 萬元、後 3 年每年 120 萬元，總金額 720 萬元。B 球隊的薪資合約也是 5 年，前 3 年只有 120 萬元，但是後兩年每年 200 萬元，合約總金額 760 萬元（詳見表 1）。這位球員該選擇 A 球隊比較有利，還

是 B 球隊？

這時也可以利用 NPV 函數，將未來每年能拿到的每筆現金流量，以期報酬率（R）折成現值，比比看 A 球隊和 B 球隊能提供的現值總計哪個比較高？

因為 1 年為 1 期，用來折現的報酬率就是年報酬率，這個數字對現值的計算影響甚大，該使用多少才對呢？如果該球員只會投資定存，那

表1 若投資年化報酬率高，選擇A球隊較有利
——以NPV函數計算球隊薪資報酬範例

年度	A球隊	B球隊
第1年	180萬	120萬
第2年	180萬	120萬
第3年	120萬	120萬
第4年	120萬	200萬
第5年	120萬	200萬

年化報酬率	A球隊	B球隊
1.5%	=NPV（1.5%,{180,180,120,120,120}）=691	=NPV（1.5%,{120,120,120,200,200}）=724 勝
12%	=NPV（12%,{180,180,120,120,120}）=534 勝	=NPV（12%,{120,120,120,200,200}）=529

整理：怪老子

麼就應該用 1.5%；反之若是這球員很會投資，拿到的錢可以獲得 12% 年化報酬率，就可以用 12% 折現。

透過 NPV 函數可以算出，在年化報酬率 1.5% 狀況下，A 球隊未來 5 年的薪資，現值是 691 萬元，B 球隊為 724 萬元，選擇 B 球隊比較划算。但在年化報酬率 12% 狀況下，A 球隊未來 5 年薪資的現值是 534 萬元，B 球隊是 529 萬元，那麼選 A 球隊比較有利。只是 5 年內要達到 12% 年化報酬率，是非常困難的一件事。

現金流量現值加總，減去投資本金即為「淨現值」

應用在投資方面，NPV 求出的現金流量現值加總，再減去投資本金，所得到的金額即為財務管理的「淨現值」。例如金小姐平常會以 A 投資方案處理資金，1 年為 1 期，可獲得穩定的 10% 年化報酬率。若期初拿出 1 萬元本金，未來每年的現金流量為：第 1、2 年拿回利息各 1,000 元，第 3 年可拿回利息 1,000 元加上本金 1 萬元，這些現金流量折回現值，加起來就是 1 萬元，減去投資本金後，淨現值是 0 元。

如果這時候有另一個 B 投資方案，第 1、2 年可拿回利息各 500 元，第 3 年可拿回利息 2,100 元加上本金 1 萬元，雖然第 1、2 年利息比較少，但是 3 年利息加起來共有 3,100 元，比 A 投資方案利息共 3,000 元還要多，選這個方案是否更好呢？

這時金小姐就能以年化投資報酬率 10%，透過 NPV 函數計算。可算出 B 投資方案的現金流，折回現值的總和是 9,959 元，減去投資本金 1 萬元是負值，可見，若選擇 B 投資方案，所提供的現金流量，反而無法達到 10% 年化報酬率的標準，那還不如維持當初 A 投資方案還比較有利。

A 投資方案：
＝NPV（10%,1000,1000,11000）＝1 萬元
淨現值＝現金流量現值加總 1 萬元－本金 1 萬元＝0 元

B 投資方案：
＝NPV（10%,500,500,12100）＝9,959 元
淨現值＝現金流量現值加總 9,959 元－本金 1 萬元＝-41 元

XNPV函數》計算不固定期間的現金流量淨現值

PV、NPV 都是以期數為單位，現金流量發生在一定的固定期間才可使用；但是現實生活中，現金流量經常不是出現在固定時間點，例如每年配發的股息，就不是固定期間的現金流入。這時就可以利用 XNPV 函數，且參數所使用的報酬率就要使用年報酬率，格式如下：

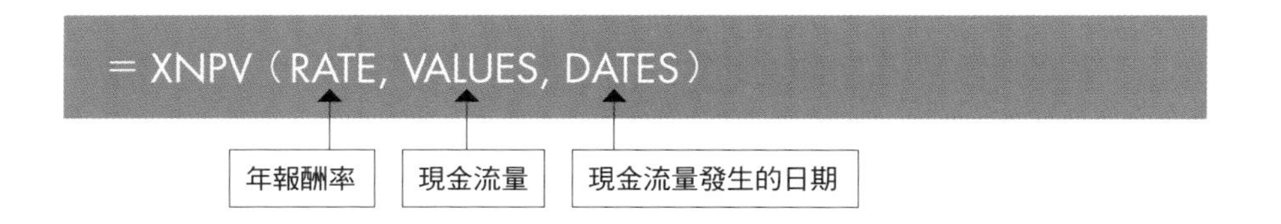

因為現金流量發生的時間點沒有在固定的時間，所以不能只輸入現金流量的數值，也得將現金流量發生的日期一併提供給 XNPV 函數，才有辦法計算；而且數值及日期的筆數必須一致，否則會回覆錯誤訊息「#NUM!」。

現金流量的數值及日期輸入方式，可以使用陣列或儲存格範圍的方式。用儲存格範圍輸入較清楚簡單，輸入的方式如下表（A1：B3）：

	A	B
1	第1筆現金流量	期初日期
2	第2筆現金流量	現金流量發生日期
3	第3筆現金流量	現金流量發生日期

如果期初的第 1 筆現金流量，是輸入投資本金，那麼 XNPV 算出的結果就是淨現值。若只想計算不含投資本金的所有現金流量現值，那麼只要將期初的第 1 筆現金流量輸入 0 就可以了。

直接看應用範例。王老闆收到一個投資提案，在 2015 年 11 月 5 日投資 1,000 萬元，到了 2015 年 12 月 30 日可以領回 200 萬元、2016 年 7 月 2 日領回 300 萬元、2017 年 12 月 30 日領回 800 萬元（詳見圖 4）。他評估投資風險後，認為每年需要 15% 的投資報酬率，那麼這專案是否值得投資？

此時可以利用 XNPV 函數分析這個投資提案。先依序列出每一筆現金流量（A5：A8）與相對應的日期（B5：B8），儲存格 B1 輸入欲計算的投資報酬率，B2 輸入 XNPV 函數（詳見圖 5）：

＝XNPV（B1,A5：A8,B5：B8）

圖4 現金流不固定的投資提案，採用XNPV函數計算

——不固定期間、金額現金流量圖範例

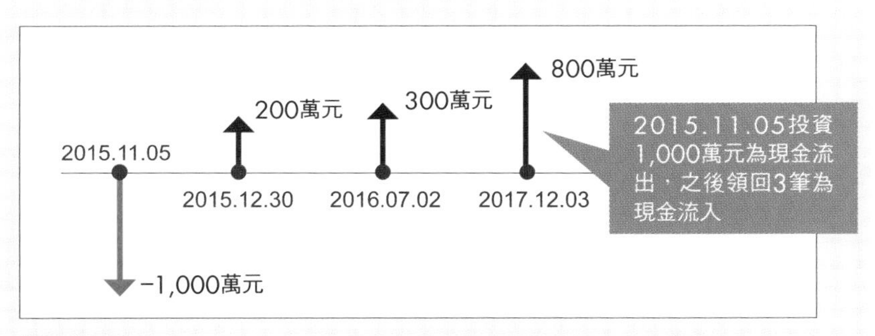

整理：怪老子

圖5 XNPV函數運算，除了金額還須計入發生日期

——利用Excel的XNPV函數描述現金流量範例

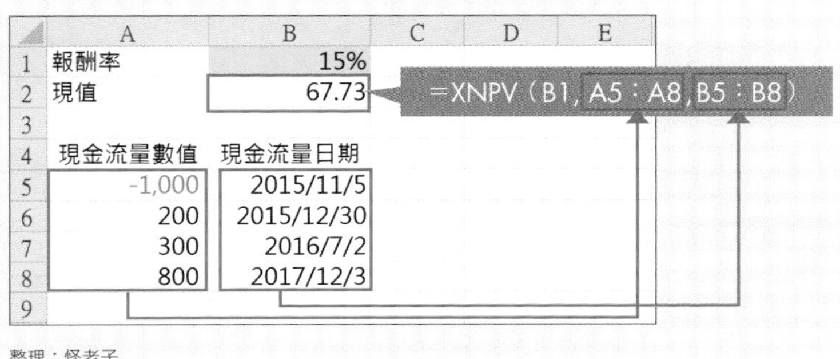

	A	B	C	D	E
1	報酬率	15%			
2	現值	67.73			
3					
4	現金流量數值	現金流量日期			
5	-1,000	2015/11/5			
6	200	2015/12/30			
7	300	2016/7/2			
8	800	2017/12/3			
9					

整理：怪老子

因為期初的第 1 筆現金流量是投資本金的現金流出，之後 3 筆是投資帶來的現金流入，XNPV 函數所算出的結果，就是這筆投資以報酬率（B1）折現的淨現值。例如報酬率（B1）為 15%，可求得答案為 67.73 萬元。意思是，期初投入 1,000 萬元，未來可以領回 200 萬、300 萬、800 萬，總共 1,300 萬元，這 1,300 萬元在年報酬率 15% 條件下的現值，扣除期初投入 1,000 萬元，淨現值為 67.73 萬元。

如果只想計算未來這 1,300 萬元現金流量的現值，只要將期初金額（A5）改為 0 就可以了，計算結果是 1,067.73 萬元。

以陣列描述現金流量，需將日期轉換為數值

現金流量的數值與日期，描述方式可以用陣列或儲存格範圍，但

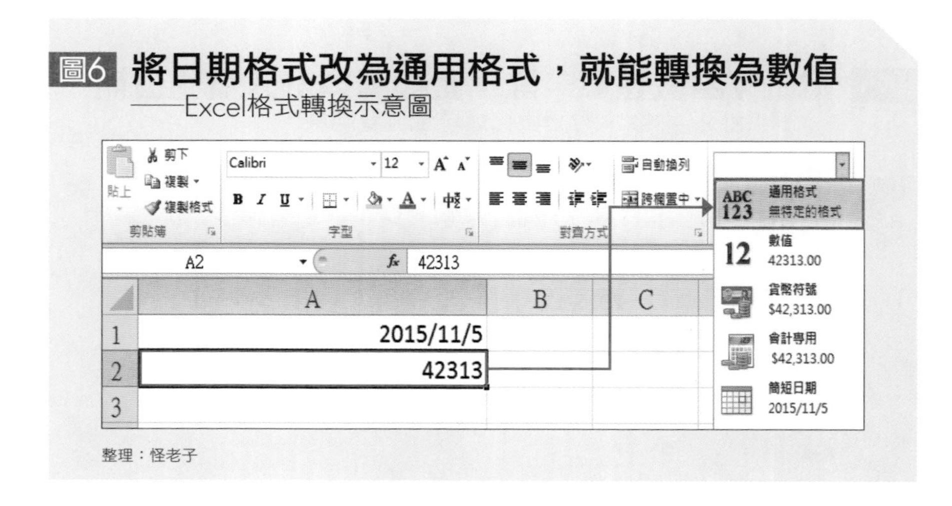

圖6 將日期格式改為通用格式，就能轉換為數值
——Excel格式轉換示意圖

整理：怪老子

要注意的是，若要以陣列方式輸入「日期」，日期的格式不能是「"2015/11/5"」這樣的字串，必須先轉換成以數值表示的時間，否則會回傳錯誤訊息「#VALUE! 」。

錯誤：{ "2015/11/5","2015/12/30","2016/7/2","2017/12/3"}

正確：{42313,42368,42553,43072}

因為 Excel 在運算每筆現金流的年數時，會用現金流發生日減去期初的天數，再除以 365 天。因此以陣列描述日期時，必須先將日期轉換成數值（詳見圖 6），例如 2015 年 11 月 5 日以數值表示就是 42313，也就是從 1900 年起算的第 4 萬 2,313 日，所以應該這樣描述：「{42313, 42368, 42553, 43072}」。

日期的數值格式用以計算相距期間

XNPV 內部的計算公式說明如下：C_0、C_1、C_2、C_3……C_n 是現金流量的數值，D_0、D_1、D_2、D_3……D_n 是現金流量發生的日期，每一筆現金流量的現值公式為 $C_n/(1+R)^y$，公式中的 y 就是年數。D_0 代表期初，所以（$D_n - D_0$）/365 就是年數。Excel 的日期相減得到兩日期相距多少日，再除以 365 就是年數。

$$淨現值 = C_0 + \frac{C_1}{(1+R)^{\frac{D_1-D_0}{365}}} + \frac{C_2}{(1+R)^{\frac{D_2-D_0}{365}}} + \frac{C_3}{(1+R)^{\frac{D_3-D_0}{365}}} + \cdots\cdots + \frac{C_n}{(1+R)^{\frac{D_n-D_0}{365}}}$$

本文提到的王老闆投資提案範例，每筆現金流的年數換算如下圖，且以方程式計算如下：

$$-1000 + \frac{200}{(1+15\%)^{0.15068}} + \frac{300}{(1+15\%)^{0.65753}} + \frac{800}{(1+15\%)^{2.07945}}$$

$$= 67.73$$

	A	B	C	D	E
1	報酬率	15%			
2	現值	67.73			
3					
4	金流量數	現金流量日期	日期轉換為數值	年數(y)	現值
5	-1,000	2015/11/5		0	-1,000.00
6	200	2015/12/30	42368	0.15068493	195.83
7	300	2016/7/2	42553	0.65753425	273.66
8	800	2017/12/3	43072	2.07945205	598.23

3-7

認識內部報酬與外部報酬 拉高投資績效

要了解一項投資能否帶來好的回報，用「投資報酬率」來評估，是最直接的方式。投資報酬率主要分為累積報酬率和年化報酬率兩種概念，累積報酬率是指投資期間所能獲得的整體報酬率（獲利／本金），年化報酬率是以複利成長的 1 年平均報酬率；當年化報酬率愈高，複利效果也愈強大。

在比較不同投資方案時，因為投資期間不同，只用累積報酬率難以比較，例如 A 方案：單筆投資 3 年的累積報酬率 35%；B 方案：單筆投資 2 年的累積報酬率 25%，很難比較哪個方案好。不過，統一換算成年化報酬率，就能知道 A 方案以複利成長的年化報酬率為 10.52%，B 方案是 11.8%，立刻分出高下。

單筆投資》用期末本利和計算內部報酬

如果只是單筆投資，只有期初拿出一筆金額，到了期末拿回一筆金額，期中沒有其他的現金流入或流出，投資報酬率的計算就很單純，投資者的投資報酬率及投資標的提供的報酬率是相同的。單筆投資的年化報酬率（期報酬率）公式如下：

$$期報酬率=\left(\frac{期末}{期初}\right)^{\frac{1}{期數}}-1$$

Excel 的計算公式寫法如下：

＝（期末／期初）^（1/期數）－1

若 1 年為 1 期，計算結果就是 1 年的年報酬率。若 1 月為 1 期，須將計算結果再乘以 12，換算為年化報酬率。

直接以範例來說明。例如投資一檔基金，本金 10 萬元，3 年後拿回 13 萬 262 元，獲利 3 萬 262 元（現金流量如圖 1）。

累積報酬率：
算法 1：=（130262 － 100000）/100000 = 30.26%
算法 2：=（130262/100000）－ 1 = 30.26%

年化報酬率（1 年為 1 期）：
=（130262/100000）^（1/3）－ 1 = 9.2%

用RRI函數可速算單筆投資的期報酬率

單筆投資的期報酬率，也可以採用 Excel 的「RRI」函數，只要輸入期數、期初金額、期末金額這 3 個參數就能算出來。參數都必須使用正值，沒有現金流入或流出之分。計算結果為每一期的報酬率，如果 1

圖1 單筆投資基金，3年後整筆贖回

——單筆投資現金流量圖範例

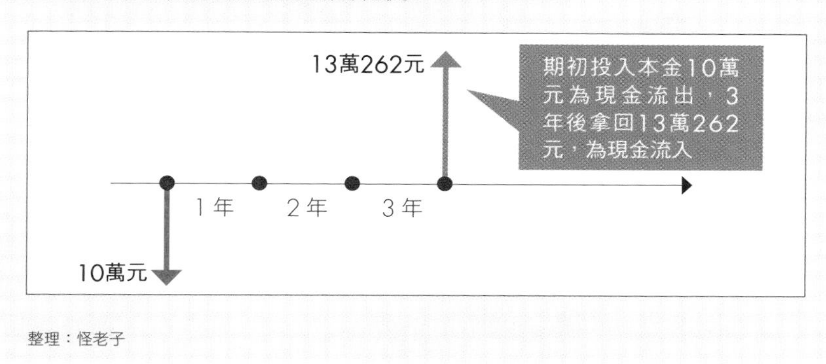

整理：怪老子

期為 1 個月，就是月報酬率。格式如下（詳見註 1）：

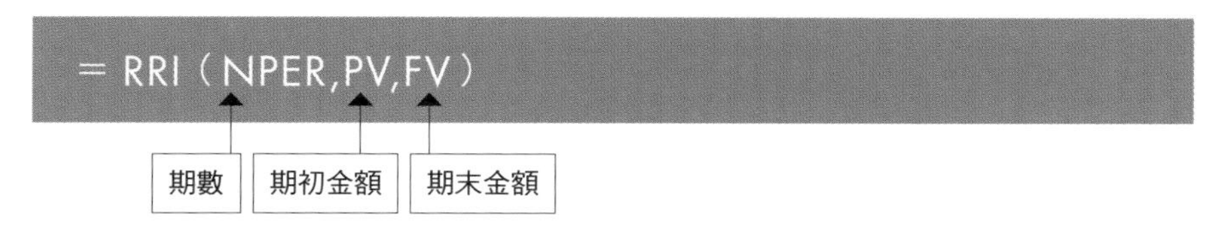

以上述的基金投資例子來說，因為 1 期為 1 年，所以計算出的期報酬率就是年報酬率：

＝RRI（3,100000,130262）＝9.2%

註 1：RRI 函數適用版本：Excel Online、2013 及 2016、Mac 版 2011 及 2016。

有多筆現金流》化成一進一出的單筆型態再計算

當投資期間有額外的現金流入及流出，實際的報酬率就複雜了。包括有領取股利的股票投資、債券型基金、當包租公收取租金等，都是具有多筆現金流量的投資項目。

以圖2A為例，這筆投資一共有4期，投資者於期初投入一筆金額（現金流出C_0），第2期期末時又另外投入一筆本金（現金流出C_2），第1、3、4期期末各拿回一筆金額（現金流入C_1、C_3、C_4）。要計算這筆投資的報酬率，最簡單的方法，就是將多筆現金流量先化成一出一進的單筆投資型態：

1. 期初拿出了一筆金額C_{pv}：將所有現金流出換算為投資起始的現值，加總即為「單筆現值」。

2. 期末可以回收的金額C_{fv}：將所有現金流入換算為期末的未來值，加總即為「單筆未來值」。

這樣就能用上述「期報酬率」的公式，算出投資報酬率（詳見圖2B）。

$$報酬率=\left(\frac{期末單筆未來值}{期初單筆現值}\right)^{\frac{1}{期數}}-1=\left(\frac{C_{fv}}{C_{pv}}\right)^{\frac{1}{4}}-1$$

現金流入的再投資方式，決定報酬率高低

要計算這期中現金流入的未來值時，必須知道這幾筆現金流入的再投資報酬率是多少。投資者把現金流入用於投資其他標的，所獲得的投

圖2 多筆金流，先換算為現值及未來值再算報酬率
——多筆進出的現金流量圖範例

A. 多筆現金流的投資

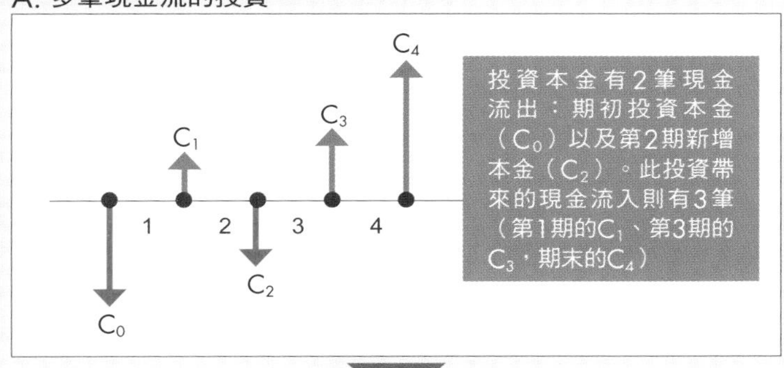

B. 現金流換算為現值與未來值

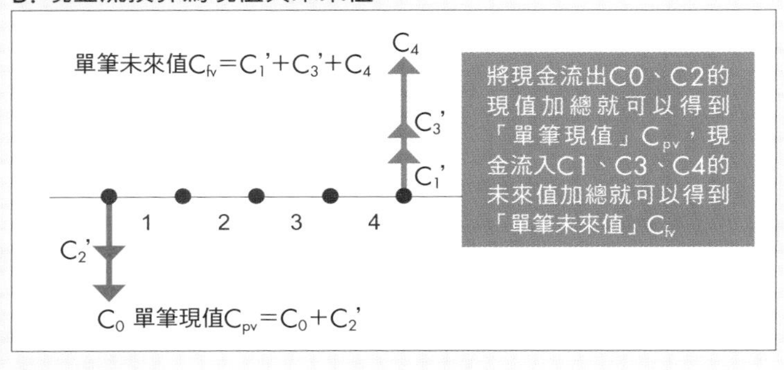

整理：怪老子

資報酬率就稱為「再投資報酬率（Reinvest Rate）」，以代號「R_{re}」表示。再投資報酬率高低取決於投資標的，若是放銀行定存，則 R_{re} 約只有 1.5%，若是投資股票型基金，R_{re} 應該有 8% ～ 12%。

同樣地，計算期中流出的投資本金現值時，也要知道從期初到實際發生現金流出的期間，這筆投資本金是放在什麼地方、期間獲得的報酬率是多少，才能用此投資報酬率換算成期初的現值；這段期間的報酬率則稱為「籌資報酬率（Finance Rate）」，以代號「R_{fi}」表示。例如資金是先存放在銀行，R_{fi} 約為 1.5%。

簡單說，投資過程中的現金流入，都以「再投資報酬率（R_{re}）」複利成長的方式，計算該筆現金流入到期末的價值。投資過程中的現金流出，也以「籌資報酬率（R_{fi}）」複利成長方式，反向回推為期初的現值。最後套入報酬率公式，就能知道這整筆投資的現金流量，所能帶來的期報酬率。

也因此，當「再投資報酬率」愈高，就能讓期中獲得的現金流，創造愈高的複利效果，進而提升整筆投資的報酬率。

期中收益轉投資其他商品，即產生外部報酬

本文開頭有提到，若是單筆投資，投資者獲得的投資報酬率及投資標的提供的報酬率是相同的。不過若是期中產生了多筆現金流量，例如每

年領取不同配息的債券型基金，那麼投資者可獲得的報酬率及基金提供的報酬率是不同的喔！為什麼呢？

正是因為，投資者期中會拿到配息收入，配息運用方式的不同，決定了不同的再投資報酬率。配息是領出來放進抽屜，或領出來放到定存，或是拿去投資其他高報酬的標的，最後帶給投資者的投資報酬率當然也不一樣了。所以計算整體的期報酬率時，就得將「再投資報酬率」及「籌資報酬率」考慮進來，稱為「外部報酬率（External Rate of Return）」（若有興趣了解公式推導，詳見第 152 頁）。

可是對債券型基金來說，每年度配息完成之後，投資者要對配息做怎樣的運用，跟基金本身績效無關。但這些配息對基金而言，還是有再投資價值，因此基金本身提供的投資報酬率，就會假設配息再投入本金，這樣的報酬率稱為「內部報酬率（Internal Rate of Return）」（若有興趣了解公式推導，詳見第 152 頁）。

懂了觀念之後，接下來要運用 Excel 各種報酬率的函數就容易多了。實際在計算外部報酬率時，只要打開 Excel，派出「MIRR」函數，輸入現金流量、籌資報酬率、再投資報酬率，很簡單就可以得到答案。而要計算內部報酬率時，則要叫出「IRR」函數，依序輸入現金流量就可以了。不過 MIRR 和 IRR 函數的現金流量都是以期數為單位；若現金流量是以日期為單位，內部報酬率要改用「XIRR」函數，外部報酬率則要另以公式計算，相關實例計算詳見下一章（3-8）。

外部、內部報酬率公式推導

◎外部報酬率》收益高低取決於再投資報酬率

C_1、C_3、C_4 到了期末總共可拿回的金額（單筆未來值 C_{fv}），及 C_0、C_2 在期初總共需要準備的金額（單筆現值 C_{pv}）如下：

單筆未來值 $C_{fv} = C_1 \times (1 + R_{re})^3 + C_3 \times (1 + R_{re})^1 + C_4$

單筆現值 $C_{pv} = C_0 + C_2 / (1 + R_{fi})^2$

算出 C_{pv} 和 C_{fv}，就能套入單筆投資的方式計算報酬率（R），公式如下所示。當再投資報酬率（R_{re}）愈高，就能創造愈高的單筆未來值，整體的期報酬率自然也會愈高，可看出投資報酬率（R）與再投資報酬率（R_{re}）息息相關：

$$R = \left(\frac{C_{fv}}{C_{pv}}\right)^{\frac{1}{4}} - 1 = \left(\frac{C_1 \times (1 + R_{re})^3 + C_3 \times (1 + R_{re})^1 + C_4}{C_0 + C_2 / (1 + R_{fi})^2}\right)^{\frac{1}{4}} - 1$$

◎內部報酬率》再投資報酬率等於期報酬率

內部報酬率假設配息再投入本金中，再投資報酬率就等於該筆投資的期報酬率。假設投資一檔基金，投資 3 年，1 年為 1 期；期初投入一筆金額（單筆現值 C_{pv}），第 1 年拿回配息現金流入 C_1，第 2 年拿回配息現金流入 C_2，第 3 年拿回配息現金流入 C_3 以及贖回金額 C_4，方程式如下：

單筆未來值 $C_{fv} = C_1 * (1 + R) \hat{} 2 + C_2 * (1 + R) + C_3 + C_4$

$$R = \left(\frac{C_{fv}}{C_{pv}}\right)^{\frac{1}{3}} - 1 = \left(\frac{C_1 \times (1+R)^2 + C_2 \times (1+R) + C_3 + C_4}{C_{pv}}\right)^{\frac{1}{3}} - 1$$

符合上述方程式的 R 就是基金的年化報酬率，也是基金提供之內部報酬率。上述方程式經過整理也可以改寫成下列式子，等式右邊是以報酬率 R 折現的淨現值，所以內部報酬率 IRR 也可說是淨現值為 0 的投資報酬率。從公式的推導也可以看出，內部報酬率是假設期中所流入的現金以內部報酬率 R 再投入的結果，簡單說就是假設領回現金再投回本金。

$$0 = -C_{pv} + \frac{C_1}{(1+R)^1} + \frac{C_2}{(1+R)^2} + \frac{C_3 + C_4}{(1+R)^3}$$

3-8

依據不同資金進出狀況 正確計算報酬率

投資者自行將配息再投入其他標的，所獲得的投資報酬率，稱為「外部報酬率」。直接來試算，假設以 10 萬元投資一檔每年配息的債券型基金，每年配息金額為 4,500 元、3,200 元、6,400 元，到了第 3 年贖回該基金，贖回金額為 11 萬 5,000 元（詳見圖 1）。這筆投資共有 3 期，1 年為 1 期，在不同配息再投入的狀況下，投資者能獲得

圖1 多筆現金流投資的現金流量圖
——投資配息型基金現金流量圖範例

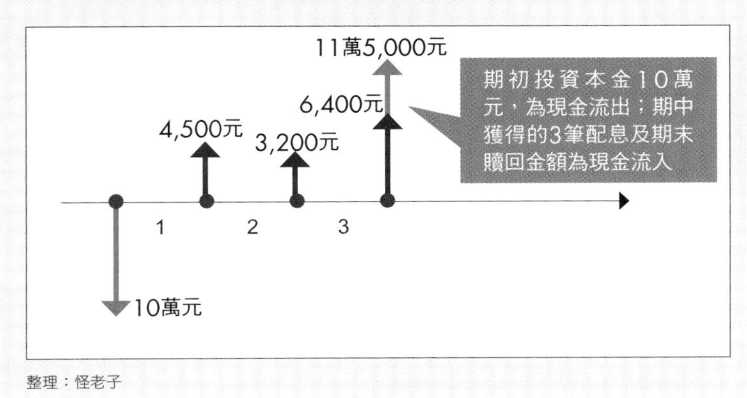

整理：怪老子

的年化報酬率是多少？

計算外部報酬率，交給「MIRR」函數

MIRR 為修正後內部報酬率，用於計算一組現金流量之外部報酬率，並且能將配息再投入的狀況考慮進來。MIRR 函數格式如下：

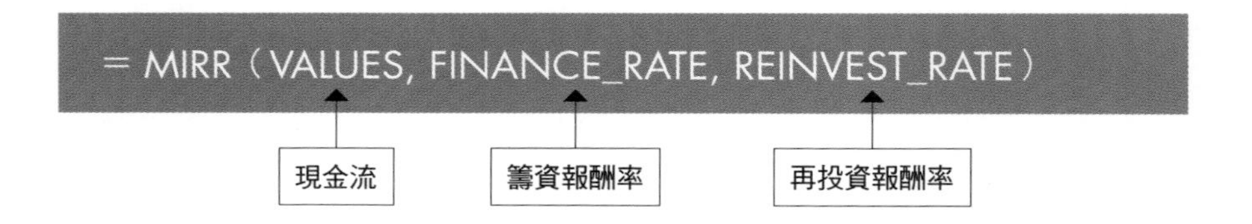

狀況1》配息不再投資

投資者期中拿到的配息 4,500 元及 3,200 元，如果只放在抽屜裡，就不會有任何投資收益，也就是再投資報酬率為 0；到了期末手中的總金額（單筆未來值 C_{fv}），即為所有配息及基金贖回的金額，總共 12 萬 9,100 元（4,500 元＋ 3,200 元＋ 6,400 元＋ 11 萬 5,000 元）。

由於投資者只有期初一筆投資本金的現金流出，因此籌資報酬率也是 0。整體的投資績效，就相當於期初拿出 10 萬元，3 年後拿回 12 萬 9,100 元的單筆投資，年化報酬率為 8.89%：

公式計算：
＝（期末 / 期初）^（1/ 期數）－ 1
＝（129100/100000）^（1/3）－ 1 ＝ 8.89%

MIRR 函數計算：
＝MIRR（{-100000,4500,3200,121400},0,0）
＝8.89%

狀況2》配息再投資其他標的，再投資報酬率10%

如果配息不是放在抽屜中，而是投資年利率 10% 的股票型基金，也就是每筆配息的再投資報酬率是 10%。那麼到了期末時，投資者手上實際拿到的金額（期末的單筆未來值 C_{fv}）等於 13 萬 365 元。期初因為只有一筆投資本金的現金流出，就直接以期初本金計算，籌資報酬率也是 0。

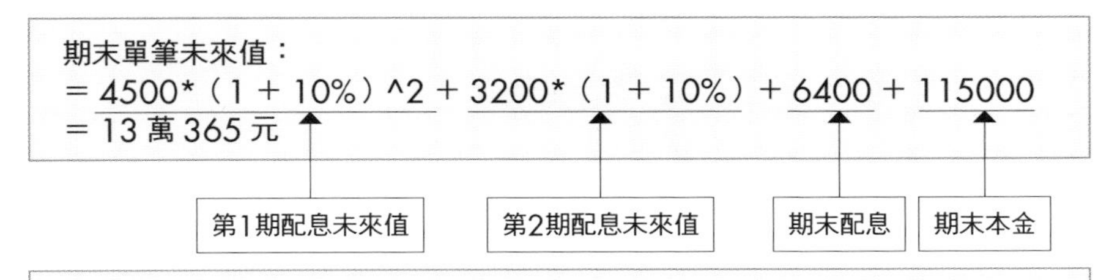

報酬率公式計算：
＝（期末單筆未來值／期初單筆現值）^（1/3）－1
＝（130365/100000）^（1/3）－1＝9.24%

MIRR 函數計算：
＝MIRR（{-100000,4500,3200,121400},0,10%）
＝9.24%

再投資報酬率是 10%，讓投資者實際拿到手的年化報酬率達到 9.24%，比起配息不再投入的 8.89% 更高。所以投資者實際拿到的報酬，跟配息的再投入報酬率具有關聯。再投入的報酬率愈高，投資者實際獲得的報酬率也愈高，相反地，再投入報酬率愈低，整體報酬率也會愈低。

利用 MIRR 函數時，有兩種描述現金流量的方式：

1. 陣列描述現金流量：「{C_0,C_1,C_2,……C_n}」，C_0 ～ C_n 為現金流量，以逗點分隔。上述例子即為：「{-100000,4500,3200,121400}」。

2. 儲存格範圍描述現金流量：如圖 2，將現金流量按期數依序輸入

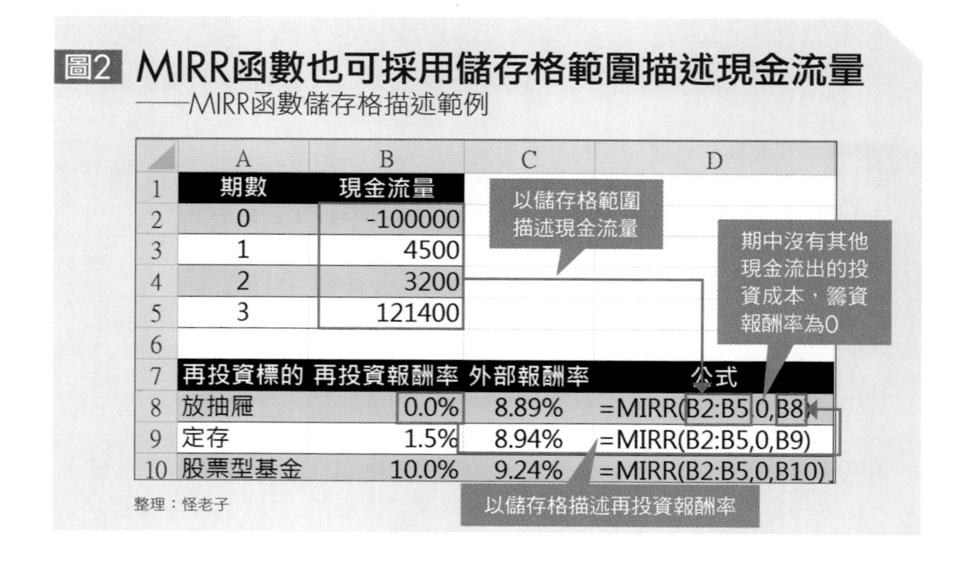
圖2 MIRR函數也可採用儲存格範圍描述現金流量
——MIRR函數儲存格描述範例

	A	B	C	D
1	期數	現金流量		
2	0	-100000		
3	1	4500		
4	2	3200		
5	3	121400		
6				
7	再投資標的	再投資報酬率	外部報酬率	公式
8	放抽屜	0.0%	8.89%	=MIRR(B2:B5,0,B8)
9	定存	1.5%	8.94%	=MIRR(B2:B5,0,B9)
10	股票型基金	10.0%	9.24%	=MIRR(B2:B5,0,B10)

整理：怪老子

儲存格（B2：B5），1 格代表 1 期。圖中列出不同再投資方式所得到的外部報酬率（C8：C10），以及相對的公式（D8：D10）。

某些銀行或基金公司會提供一種「母子基金」投資方式，客戶可以定期定額購買債券型基金，每月的配息自動投入指定的股票型基金。因為債券型基金風險較小，報酬也比較少，運用配息金額轉投入高報酬的股票型基金，就可以適度提升投資者的整體報酬率，其道理是用於提升外部投資報酬率。

計算內部報酬率，交給「IRR」函數

同樣是上述的例子，再看看這檔債券型基金所提供的內部報酬率是多少呢？因為基金每年將配息都給了投資者，所以沒有再投資的問題。內部報酬率就假設配息再投入本金中，這樣再投資報酬率（R_{re}）就等於基金的期報酬率（R）。使用者只要依序描述現金流量給 Excel 的 IRR 函數即可。

IRR 函數特別適合計算多筆現金流量的內部報酬率，尤其對每一期的現金流量都不一樣的投資案。只是每一筆現金流量的間隔必須是固定期間才行，例如 1 個月、1 年或是雙週。

現金流量的方向必須正確描述，正值為現金流入，負值代表現金流出，而且不能每期全部均正值或負值，至少有一期的現金流量方向得相

反。函數格式如下：

1. 陣列描述現金流量：

= IRR（{-100000,4500,3200,121400}）= 9.21%

2. 儲存格範圍描述現金流量：如圖 3，每一儲存格填入一期的淨現金流量，圖中儲存格 B1 的公式為：

= IRR（B4：B7）= 9.21%

圖3 將現金流量填入儲存格，即可依選取範圍速算IRR

——IRR函數儲存格描述範例

	A	B	C	D
1	內部報酬率	9.21%	=IRR（B4：B7）	
2				
3	年度	現金流量		
4	0	-100,000		
5	1	4,500		
6	2	3,200		
7	3	121,400		

整理：怪老子

當IRR出現錯誤訊息，可填入「GUESS」參數幫助運算

IRR 函數並不是每次都有解，原因是內部報酬率的方程式可以清楚列出來，但卻沒有求解的公式，所以 Excel 只能用類似目標搜尋，使用逼近法找出答案。既然是目標搜尋，就要有個起始點，而 IRR 的預設值為 10%。

在一般的情況下，IRR 函數只要輸入每期現金流即可，函數格式當中第 2 個參數的「GUESS」可以忽略；但是因為使用者輸入的現金流量可以是任意數值，而期數也可能非常多，如果答案離預設值太遠，IRR 函數無法在一定步驟下找到答案，就會回傳「#NUM!」錯誤值。若遇到這情況，在使用 IRR 函數時，就要在「GUESS」參數填入一個猜測值，縮短搜尋時程。這是讓使用者預測一個距離答案較近的數字，讓 IRR 可以快速找到答案。遇到這樣的狀況，通常我二話不說就填入 GUESS 參數「1%」，有 90% 的機會就會找到答案了。

IRR 的預設值是 10%，應該是考慮年報酬率大致落在 10% 不遠，若是計算月報酬率應該就要除以 12 才合理。所以當我們用 IRR 計算月報酬率時，在不輸入 GUESS 參數的狀況下，發生錯誤的機會就較大，所以 1% 應該是月報酬率合理的起始搜尋值。

計算非週期性現金流的年報酬率，交給「XIRR」函數

在現實狀況中，許多投資期間的現金流入並不是按照固定的期數，而

是非固定的日期（例如股票配息），此時就可以派出「XIRR」函數幫我們處理。

XIRR 跟 IRR 都是計算內部報酬率，唯一不同的是 IRR 是以每期數為單位，算出來的是一期的報酬率，而 XIRR 是以日期為單位，沒有期數的觀念，適用於非週期性的現金流量，傳回的內部報酬率就是年報酬率。格式如下：

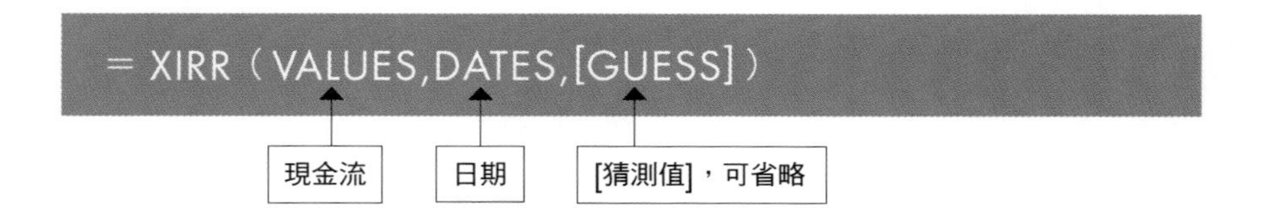

現金流量的參數 VALUE 輸入跟 IRR 一樣，可以使用陣列及儲存格；而日期參數 DATES 也可以使用陣列及儲存格輸入，若以陣列方式輸入日期，不用先將日期轉換為數值格式，但是最便利的方式，還是用儲存格描述。

例如James於2012年5月9日以每股83.9元買入台積電（2330）股票1張（1,000股），支出金額8萬3,900元。而且分別在2012年7月4日每股配息3元、2013年7月3日每股配息3元、2014年7月14日每股配息3元、2015年6月29日每股配息4.5元，然後於2015年11月16日每股以135元賣出，這樣內部報酬率是多少？

圖4 輸入日期與現金流，XIRR即可算出年報酬率
——XIRR函數儲存格描述範例

	A	B	C
1	台積電(2330)		
2	投資報酬率	18.69%	=XIRR（B5：B10,A5：A10）
3			
4	日期	現金流量	備註
5	2012/5/9	-83,900	每股83.9元買入1,000股
6	2012/7/4	3,000	每股配息3元
7	2013/7/3	3,000	每股配息3元
8	2014/7/14	3,000	每股配息3元
9	2015/6/29	4,500	每股配息4.5元
10	2015/11/16	135,000	每股135元賣出1,000股

整理：怪老子

如圖 4，只要按日期將相對應的現金流量用儲存格描述出來（B5：B10 為現金流量、A5：A10 為日期），其他就交由 XIRR 函數處理，圖中 B2 的 XIRR 公式為：

＝XIRR（B5：B10, A5：A10）

＝18.69%

自製「XMIRR」公式，計算以日期單位的外部報酬率

上述以 XIRR 函數計算的台積電股票投資，現金流量及日期全不一樣，所算出的是內部報酬率。可是若要計算從投資者角度來看的外部報酬率，就得考慮配息的再投資問題。

但是，Excel 的報酬率函數中，並沒有專門用來計算以日期為單位的外部報酬率函數，怎麼辦呢？很簡單，自己製作一個公式就行了，按照 Excel 財務函數的命名邏輯，姑且將它稱為「XMIRR」；方式是將所有現金流入轉換為期末單筆未來值，所有現金流出折現為期初單筆現值，再套入單筆未來值與單筆現值的公式。

XMIRR 的製作方式如圖 5 所示，以儲存格 B2 當作「再投資報酬率」，

圖5 自製XMIRR公式，將外部報酬率也納入計算

——XMIRR公式儲存格描述範例

	A	B	C	D	E
1	台積電(2330)				
2	再投資報酬率	1.50%			
3	外部報酬率	17.67%			
4					
5	日期	現金流量	至期末年數	期末值	備註
6	2012/5/9	-83,900	3.5233		每股83.9元買入1,000股
7	2012/7/4	3,000	3.3699	3,154	每股配息3元
8	2013/7/3	3,000	2.3726	3,108	每股配息3元
9	2014/7/14	3,000	1.3425	3,061	每股配息3元
10	2015/6/29	4,500	0.3836	4,526	每股配息4.5元
11	2015/11/16	135,000	0.0000	135,000	每股135元賣出1,000股

↓顯示為公式

	A	B	C	D	E
1	台積電(2330)				
2	再投資報酬率	0.015			
3	外部報酬率	=(SUM(D7:D11)/-B6)^(1/C6)-1			
4					
5	日期	現金流量	至期末年數	期末值	備註
6	41038	=-83.9*1000	=($A$11-A6)/365		每股83.9元買入1,000股
7	41094	=1000*3	=($A$11-A7)/365	=B7*(1+$B$2)^C7	每股配息3元
8	41458	=1000*3	=($A$11-A8)/365	=B8*(1+$B$2)^C8	每股配息3元
9	41834	=1000*3	=($A$11-A9)/365	=B9*(1+$B$2)^C9	每股配息3元
10	42184	=1000*4.5	=($A$11-A10)/365	=B10*(1+$B$2)^C10	每股配息4.5元
11	42324	=1000*135	=($A$11-A11)/365	=B11*(1+$B$2)^C11	每股135元賣出1,000股

整理：怪老子

圖中的再投資報酬率設定為 1.5%，也就是假設將領到的配息存入銀行定存，一直持有至期末。此外，圖 5 的現金流量表比 XIRR 多了兩個欄位：

1. 至期末年數：這是指每一筆現金流量的發生日期，至期末（2015 年 11 月 16 日）的年數，例如 C6 就是 2015 年 5 月 9 日至 2015 年 11 月 16 日的年數，總共 3.5233 年。

年數＝（期末日期－期初日期）／ 365

2. 期末值：每一筆正現金流量，以再投資報酬率複利成長至期末的值。例如儲存格 D7 顯示 3,154，就是 2012 年 7 月 4 日配息領到的 3,000 元，以 1.5% 的再投資報酬率成長至 2015 年 11 月 16 日的期末值，依此類推。

現金流量的期末值＝現金流量 *（1 ＋再投資報酬率）^（至期末年數）

欄位都設定好了，就可以自製「XMIRR」公式：

＝（期末／期初）^（1/ 期數）－ 1

表1 Excel報酬率函數分類表

	期數為單位	日期為單位
內部報酬率	RRI、IRR、RATE	XIRR
外部報酬率	RRI、MIRR	XMIRR（自製）

整理：怪老子

=（SUM（D7：D11）/-B6）^（1/C6）－ 1

期末金額是所有正現金流量期末值的加總 SUM（D7：D11），期初金額只有一筆 8 萬 3,900 元（B6），這個例子以再投資報酬率為 1.5% 條件下，算出的外部報酬率為 17.67%。

註 1：股息入帳日不會是配息日當天，若要精確計算現金流入日期，可採用配息日的日期。

3-9

注意3眉角 降低IRR函數出錯機率

IRR 函數雖然好用，只要輸入現金流量就能快速算出內部報酬率，但是現金流量若描述不對，容易計算出錯誤的結果，以下有 3 點要特別注意：

眉角1》每一儲存格只能代表一期淨現金流量

用儲存格描述投資案的現金流量時，每一個儲存格代表一期的淨現金流量，若同一期出現多筆現金流量，就必須先行合計，不可以分開描述。舉例說明：假設每個月底定期定額 1 萬元投資某檔基金，6 個月後該基金淨值 6 萬 3,200 元，該投資案的年化報酬率為多少？

現金流量圖如圖 1 所示，1 個月為 1 期，每期投入的 1 萬元屬於現金流出，用負數表示。第 6 個月的期末淨值 6 萬 3,200 元，雖然尚未贖回，但是計算時仍可假設該筆基金以當時淨值贖回，以正值代表現金流入。

投資期數共有 6 期，只能用 6 個儲存格來描述現金流量。除了第 6

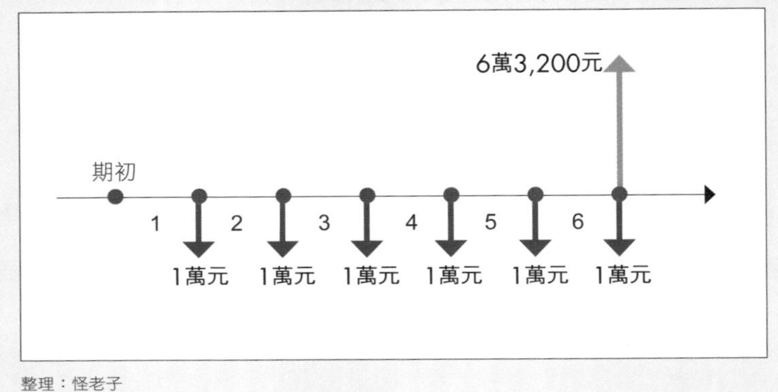

期外，每一期都僅有一筆現金流量，所以1～5期直接輸入「-10000」元即可。第6期有兩筆現金流量，一筆是投入的「-10000」元，另外一筆是「63200」元，所以第6期的淨現金流量必須先行合計，合計後為「53200」（6萬3,200元－1萬元）。

現金流量的輸入Excel的方式如圖2，在B6～B11這6個儲存格，分別描述6期的淨現金流量，B1是IRR公式「＝IRR（B6：B11）」，可得到內部報酬率為每月2.08%。

年化報酬率則要將每月的內部報酬率再乘以12，因此儲存格「B2」輸入「＝B1*12」，得到的答案是24.90%。

圖2 計算IRR前，第6期的2筆現金流量須先行合計
——IRR函數儲存格描述範例

	A	B	C	D	E
1	內部報酬率(月)	2.08%	=IRR（B6：B11）		
2	名目年報酬率	24.90%	=B1*12		
3					
4					
5	年度	現金流量			
6	1	-10,000			
7	2	-10,000			
8	3	-10,000			
9	4	-10,000			
10	5	-10,000			
11	6	53,200	=63200－10000		

整理：怪老子

眉角2》每期現金流量，須統一為期初或期末

在一期當中，期初與期末剛好相差一期，而一個儲存格只能代表一期的淨現金流量，所以如果一期當中，同時有期初及期末兩種現金流量，不可以直接用算術相加，必須拆開成兩期；將期初的現金流量併入上一期的期末，或者是將期末的現金流量併入下一期的期初。

儲存格所描述的現金流量，只能在期初或期末之中選擇一個，而且所有的儲存格必須一致。若是選用期初，那麼每個儲存格都必須統一為期初的淨現金流量；若選用期末，當然所有儲存格都必須使用期末的淨現金流量。

用個例子來說明就更清楚：假設期初單筆投入 10 萬元申購某檔基金，而且每個月底再定期定額投入 1 萬元，到了第 6 個月底淨值為 17 萬 8,342 元，這樣年化報酬率為多少？

圖3 首期2筆現金流分屬期初、期末，不可直接相加

——單筆＋定期定額投資基金現金流量圖範例

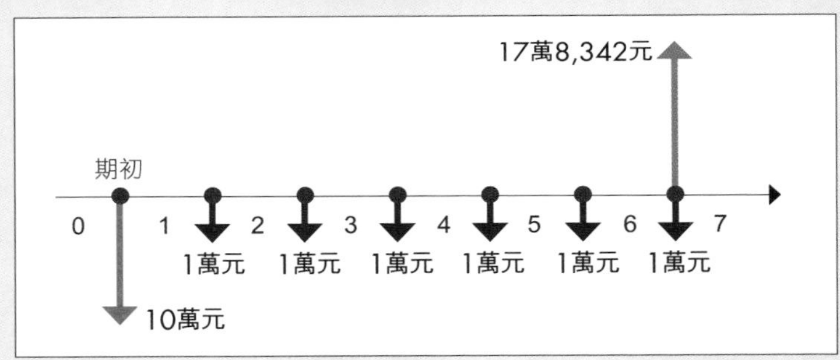

整理：怪老子

圖4 將第1期的期初視為第0期的期末

——IRR函數儲存格描述範例

	A	B	C	D	E	F
1	內部報酬率(月)	2.32%				
2	名目年報酬率	27.84%				
3						
4						
5	期數(期末)	期數(期初)	現金流量			
6	0	1	-100,000			
7	1	2	-10,000			
8	2	3	-10,000			
9	3	4	-10,000			
10	4	5	-10,000			
11	5	6	-10,000			
12	6	7	168,342			

＝IRR（C6：C12）

＝B1*12

＝178342－10000

整理：怪老子

現金流量圖如圖 3 所示，現金流量也是 6 期，第 1 期總共有兩筆現金流量：期初的 -10 萬元以及期末的 -1 萬元，無法直接相加。而第 2 期之後的現金流量都屬於期末，所以描述時，可以全部統一為期末，較不易混亂。

先將第 1 期前面新增 1 期，視為「第 0 期」；因為第 1 期的期初等於第 0 期的期末，所以原本第 1 期的期初 -10 萬元，就變成第 0 期的期末 -10 萬元。

在 Excel 輸入現金流量的方式如圖 4，第 0 期到第 6 期的現金流量以 C6 至 C12 儲存格來描述，所以月報酬率「B1」的公式要輸入「＝ IRR（C6：C12）」，內部報酬率為每月 2.32%。年化報酬率則須再乘以 12，因此儲存格「B2」輸入「＝ B1*12」，得到的答案是 27.84%。

現金流量統一為期末，期數是 0 至 6 期；若是想統一為期初，就是 1 至 7 期，計算結果是一樣的。因為對 IRR 函數而言，只是用儲存格相對位置判斷期數而已，要統一為期初或期末都沒有差別。但是對使用者而言，心中必須有期初及期末之分，描述現金流量才不會出錯。

眉角3》計算終身壽險 IRR，須分清期初與期末

再來看一個常見的錯誤，就是壽險的報酬率計算。為了敘述方便，保

險公司所提供的壽險建議書中常把期初及期末混合一起，當計算報酬率時不可以直接使用這些數據，必須將期初及期末區分出來，才會得到正確結果。

圖 5 節錄自一張終身壽險保單的建議書，繳費是在 34 歲年初，但解約金的計算時間點是年尾。例如第 1 列是 34 歲，年初繳費 101 萬 5,852 元，要是 34 歲年底解約，只能拿回 95 萬 1,456 元，整整差了 1 期。所以使用 IRR 計算內部報酬率時，也必須將現金流量統一為期初或期末。

若每一期都以期末為準，34 歲的期初就是 33 歲的期末（詳見圖 6），所以描述現金流量時，必須將繳款金額往上挪一個儲存格才正確（詳見圖 7）。

圖5 壽險建議書常把期初與期末混在同一期

——壽險建議書摘要

年齡	繳費	解約金
34	1,015,852	951,456
35		965,668
36		1,000,518
37		1,025,882
38		1,041,216

34歲的繳費時間應為期初，拿回解約金時間應為期末，兩者相差一期

整理：怪老子

這張保單在 34 歲期初（33 歲期末）一次繳 101 萬 5,852 元，38 歲期末時解約可拿回 104 萬 1,216 元，利用 IRR 可算出內部報酬率為 0.494%。

圖6 繳費時間是34歲期初，等於33歲期末

——5年期壽險現金流量圖範例

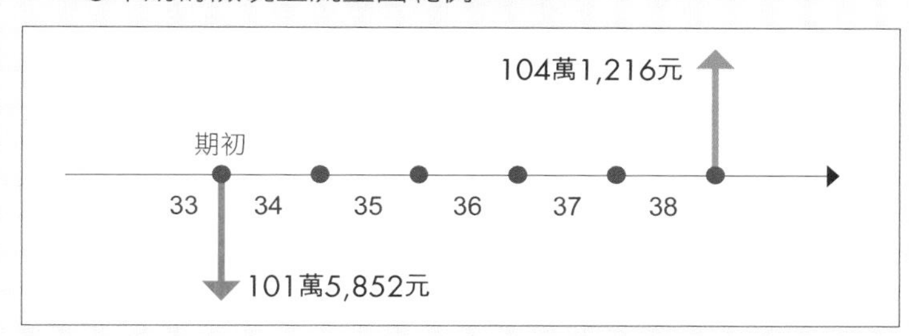

整理：怪老子

圖7 繳費的現金流須填在33歲儲存格才正確

——IRR函數儲存格描述範例

	A	B	C	D
1	內部報酬率(年)	0.494%	=IRR（D5：D10）	
2				
3				
4	年齡	繳費	解約金	現金流量
5	33			-1,015,852
6	34	1,015,852	951,456	0
7	35		965,668	0
8	36		1,000,518	0
9	37		1,025,882	0
10	38		1,041,216	1,041,216

整理：怪老子

3-10

利用「運算列表」一次算出數值變化的多種結果

在使用試算表的公式時，我習慣先將變數找出來；只要調整變數的數值，就能呈現不同的運算結果。想知道變數在不同狀況下的運算結果，土法煉鋼的方式是逐次輸入，一一查看。然而，只是這樣做，就未免太小看 Excel 了！有一個「運算列表」功能，可以一次列出公式當中指定變數的多種變化，以及該變數對於公式的影響結果。

範例1》房貸利率受指標利率變化的運算列表

先看個簡單的例子，某銀行的房貸利率公式為「指標利率＋ 0.345 個百分點」，我們可製作一張如下圖的試算表（A1：B2），先輸入指標利率的數值（B1，圖中黃色儲存格），房貸利率的公式則為「＝ B1 ＋ 0.345」，而公式的變數就是「指標利率」。若想知道指標利率往上升高時，房貸利率會如何變化，就可使用「運算列表」功能。以下透過實作練習說明步驟。

	A	B	C	D	E
1	指標利率	1.165		指標利率	房貸利率
2	房貸利率	1.510			1.510
3				1.165	1.510
4				1.235	1.580
5				1.305	1.650
6				1.375	1.720
7				1.445	1.790

實作練習①

STEP 1

先建立好要製作運算列表的範圍，第 1 欄（D 欄）是變數欄，即指標利率的各種變化，在儲存格「D3：D10」依序輸入數值；第 2 欄（E 欄）是結果欄，呈現房貸利率的運算結果。

運算列表結果欄的第 1 列「E2」，就是要運算的公式，❶輸入「＝B1＋0.345」。接著❷選取要製作的範圍「D2：E10」，點選❸「資料」索引頁標籤→❹「模擬分析」→❺「運算列表」。

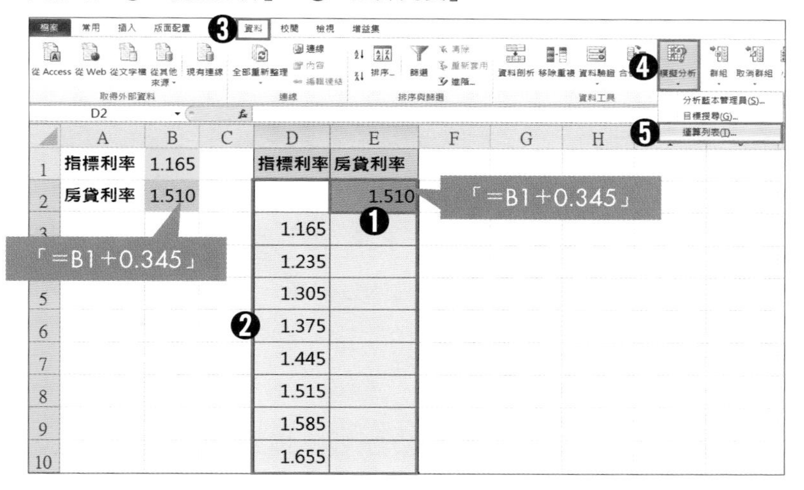

STEP 2

此時會出現「運算列表」小視窗。因為變數（D3：D10）排列方式是由上而下排列，因此要❶在「運算列表小視窗」的「欄變數儲存格」，輸入原始變數所在的儲存格「$B$1」，按下❷「確定」鈕，就完成了。

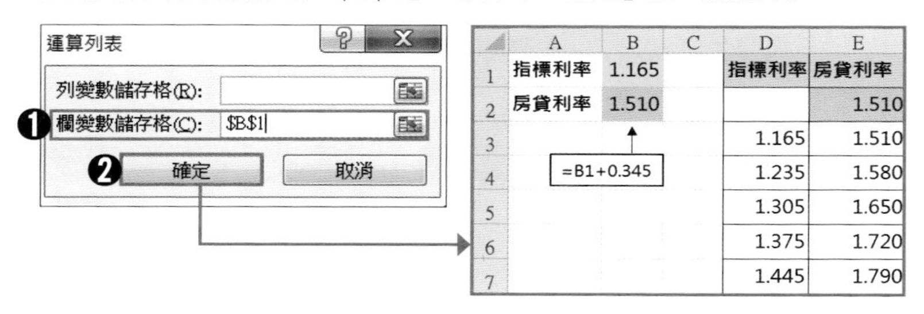

範例2》利用運算列表功能製作退休金需求表

再以下圖的退休金需求金額試算表為例，輸入每月生活費、投資報酬率、通貨膨脹率這 3 項變數（圖中黃色儲存格），在不同的條件之下，會算出大小金額不等的退休金需求（B4）。退休金需求的算法是，先將每月生活費乘以 12，並且按照通貨膨脹率逐年成長，算出每年的生活費。再將每年生活費以投資報酬率折現回到退休當年，所得到的金額，就是退休金需求。

例如，每月生活費 3 萬 5,000 元、通貨膨脹率 2%、投資報酬率 5% 的情況下，所得到的退休金需求為 681 萬 2,496 元。當我們想知道通貨膨脹率提高到 2.4% 時的退休金需求，只要修改通貨膨脹率數值，就可以獲得答案為 707 萬 9,380 元。

若希望一次知道在不同通貨膨脹率情況下，例如 1.0%、1.2%、1.4%、1.6%、1.8%、2.0%、2.2%、2.4% 時，退休金需求是要多少？就可以利用運算列表功能，一次得到多種答案。

	A	B
1	每月生活費	35,000
2	投資報酬率	5.00%
3	通貨膨脹率	2.00%
4	退休金需求	6,812,496

	A	B
1	每月生活費	35,000
2	投資報酬率	5.00%
3	通貨膨脹率	2.40%
4	退休金需求	7,079,380

實作練習②

STEP 1

先建立「退休金需求表」的基本欄位，在「A1：A4」依序輸入「每月生活費」、「投資報酬率」、「通貨膨脹率」、「退休金需求」，「B1：B4」則以「A1：A4」的文字命名（連續選取「A1：B4」，點選「公式」索引標籤→從選取範圍建立）。其中，「每月生活費」（B1）、「投資報酬率」（B2）、「通貨膨脹率」（B3）是變數，「退休金需求」（B4）是公式計算結果。

	A	B
1	每月生活費	35,000
2	投資報酬率	5.00%
3	通貨膨脹率	2.00%
4	退休金需求	

STEP 2

列出從 60 歲起每年所需的生活費，且每年按通貨膨脹率（B3）成長。需有兩個欄位：年齡、年生活費。❶年齡欄「A8：A30」填入數字 60 ～ 82，每一列相差 1 歲。並將「A7：B30」定義成表格，並以「生活費表」命名。

❷「年生活費」欄第 1 列的 60 歲年生活費欄位「B8」，鍵入公式「**＝每月生活費 *12**」。到了下一年，生活費會按通貨膨脹率成長，因此❸第 2 列的 61 歲年生活費欄位「B9」，鍵入「**＝B8*（1 ＋通貨膨脹率）**」，並將公式❹往下複製到 82 歲「B10：B30」。

6	生活費表	
7	年齡	年生活費
8	60	
9	61	
10	62	
11	63	
12	64	
13	65	
14	66	
15	67	
27	79	
28	80	
29	81	
30	82	

STEP 3

❶點選「退休金需求」儲存格「B4」，鍵入公式「**＝ NPV（投資報酬率 , 生活費表［年生活費］）**」，意思是將「生活費表」60 歲至 82 歲的生活費現金流（「年生活費」欄的資料範圍，即儲存格範圍「B8：B30」，以投資報酬率（B3）折現回來，就能算出 60 歲時，應準備多少錢才足以應付直到 82 歲的生活費所需。

	A	B
1	每月生活費	35,000
2	投資報酬率	5.00%
3	通貨膨脹率	2.00%
4	退休金需求	

＝NPV（投資報酬率,生活費表[年生活費]）

接著建立「運算列表」範圍。按下圖所示，建立一張運算列表（D 欄～ F 欄），以呈現不同通貨膨脹率狀況下的退休金需求及最後一年（82 歲）的年生活費。

❶第 1 欄（D 欄）是變數欄，標題為「通貨膨脹率」。由上而下輸入想要計算的數值，以本圖為例，填入 1.00% ～ 2.40%，每列相差 0.2%（可運用數列填滿功能，詳見 1-2）。❷第 2 欄（E 欄）是結果欄，標題「退休金需求」，第 1 列「E2」可鍵入公式「**＝退休金需求**」。❸第 3 欄（F 欄）也是結果欄，標題「年生活費（82 歲）」，第 1 列「F2」鍵入公式「＝B30」。

如果運算列表只有一個變數，可以在其他欄位放置多種結果，像是本例就有兩個結果欄。每個結果欄之公式，由該欄最上一列的儲存格定義。所以「E2」定義「退休金需求」，「F2」定義「年生活費（82 歲）」。共有多少結果欄，就由運算列表選取的範圍決定。

	A	B	C	D	E	F
1	每月生活費	35,000		通貨膨脹率	退休金需求	年生活費(82歲)
2	投資報酬率	5.00%			6,812,496	649,311
3	通貨膨脹率	2.00%		1.00%		
4	退休金需求	6,812,496		1.20%		
5				1.40%		
6	生活費表			1.60%		
7	年齡	年生活費		1.80%		
8	60	420,000		2.00%		
9	61	428,400		2.20%		
10	62	436,968		❶ 2.40%	❷	❸
11	63	445,707				
27	79	611,861				
28	80	624,098				
29	81	636,580				
30	82	649,311				

❶選取要建立運算列表的範圍「D2：F10」，點選「資料」索引頁標籤→「模擬分析」→「運算列表」按鈕，叫出「運算列表」小視窗，❷在「欄變數儲存格」輸入變數通貨膨脹率的儲存格位址「$B$3」（也可用滑鼠直接選取儲存格），最後按❸「確定」鈕，就完成了。「E3：F10」會顯示在不同通貨膨脹率情況下，退休金需求及 82 歲時所需要的年生活費。

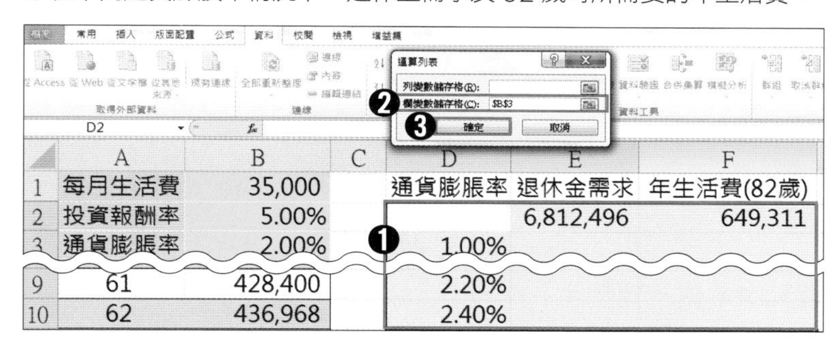

	A	B	C	D	E	F
1	每月生活費	35,000		通貨膨脹率	退休金需求	年生活費(82歲)
2	投資報酬率	5.00%			6,812,496	649,311
3	通貨膨脹率	2.00%		1.00%		
9	61	428,400		2.20%		
10	62	436,968		2.40%		

Excel 的做法是自動將變數欄位的每一個值，代入儲存格「B3」，然後將計算結果複製到相對應的結果欄。首先將第 1 列變數 1%，代入儲存格「B3」，計算後將退休金需求「B4」的值填入「E3」、以及「B30」的值填入「F3」。接著第 2 列變數 1.2% 代入儲存格「B3」，計算後將退休金需求的值填入「E4」，以及「B30」的值填入「F4」。依此類推，直到完成最後一列變數 2.4% 的計算結果為止。

點選運算列表的任一儲存格，可看到編輯列上顯示「{＝TABLE(,B3)}」，大括弧表示這是陣列，TABLE 代表運算列表，小括弧內是代入的變數儲存格，第 1 個參數為列，第 2 個參數為欄。因為此例只有代入欄的變數儲存格，因此列變數空白，欄變數則顯示「B3」。

E8 {=TABLE(,B3)} → {=TABLE(,B3)}

	A	B	C	D	E	F
1	每月生活費	35,000		通貨膨脹率	退休金需求	年生活費(82歲)
2	投資報酬率	5.00%			6,812,496	649,311
3	通貨膨脹率	2.00%		1.00%	6,202,390	522,781
4	退休金需求	6,812,496		1.20%	6,318,246	546,035
5				1.40%	6,437,098	570,275
6	生活費表			1.60%	6,559,031	595,540
7	年齡	年生活費		1.80%	6,684,133	621,871
8	60	420,000		2.00%	6,812,496	649,311
9	61	428,400		2.20%	6,944,213	677,905
10	62	436,968		2.40%	7,079,380	707,699

同時採用雙變數， 僅能呈現一個結果區域

運算列表也可以同時代入 2 個變數，但是只會呈現一個結果區域。同樣用以上的例子，若希望一次看出通貨膨脹率及投資報酬率的變動，對退休金需求的影響，就可以使用 2 個變數；任選一個當成欄變數，另一個就當成列變數。

一張運算列表最多兩個變數，至於要取哪兩個變數就看使用者的需求。以這個範例來說，變數總共有 3 個，所以使用運算列表時，只能取其中兩個當變數。

實作練習③

先建立「運算列表」範圍。延續上述範例，要製作運算列表的範圍是「D13：I21」。❶儲存格「D14：D21」（欄變數：通貨膨脹率）分別填入 1.0% ～ 2.4% 數值。❷儲存格「E13：I13」（列變數：投資報酬率）填入 2.0% ～ 6.0%。

整張運算列表要代入的公式，由左上角儲存格定義。❸將左上角儲存格「D13」鍵入公式「**＝退休金需求**」，那麼儲存格範圍「E14：I21」將會呈現欄變數及列變數所對應的退休金需求計算結果。例如儲存格「E14」，相對應的欄變數（通貨膨脹率）為 1.0%，列變數（投資報酬率）為 2.0%。

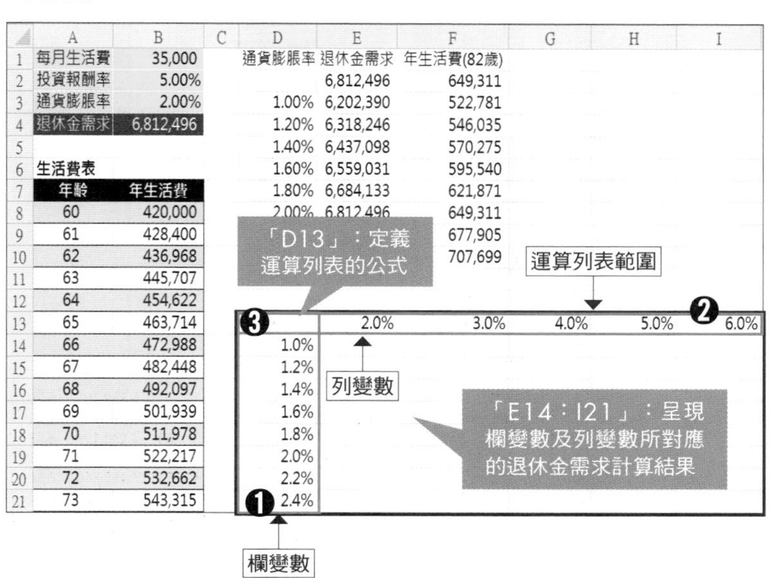

	A	B	C	D	E	F	G	H	I
1	每月生活費	35,000		通貨膨脹率	退休金需求	年生活費(82歲)			
2	投資報酬率	5.00%			6,812,496	649,311			
3	通貨膨脹率	2.00%		1.00%	6,202,390	522,781			
4	退休金需求	6,812,496		1.20%	6,318,246	546,035			
5				1.40%	6,437,098	570,275			
6	生活費表			1.60%	6,559,031	595,540			
7	年齡	年生活費		1.80%	6,684,133	621,871			
8	60	420,000		2.00%	6,812,496	649,311			
9	61	428,400				677,905			
10	62	436,968				707,699			
11	63	445,707							
12	64	454,622							
13	65	463,714		❸	2.0%	3.0%	4.0%	5.0%	6.0%
14	66	472,988		1.0%					
15	67	482,448		1.2%					
16	68	492,097		1.4%					
17	69	501,939		1.6%					
18	70	511,978		1.8%					
19	71	522,217		2.0%					
20	72	532,662		2.2%					
21	73	543,315		2.4%					

❶選取要製作運算列表的範圍「D13：I21」，點選「資料」索引頁標籤→「模擬分析」→「運算列表」按鈕。

出現「運算列表」小視窗，在❷「列變數儲存格」輸入變數投資報酬率的儲存格位址「$B$2」，並在❸「欄變數儲存格」輸入變數通貨膨脹率的儲存格位址「$B$3」，按❹「確定」鈕就完成了。可看到，運算列表中每一個儲存格，都是相對應的欄、列變數計算出來的退休金需求金額。

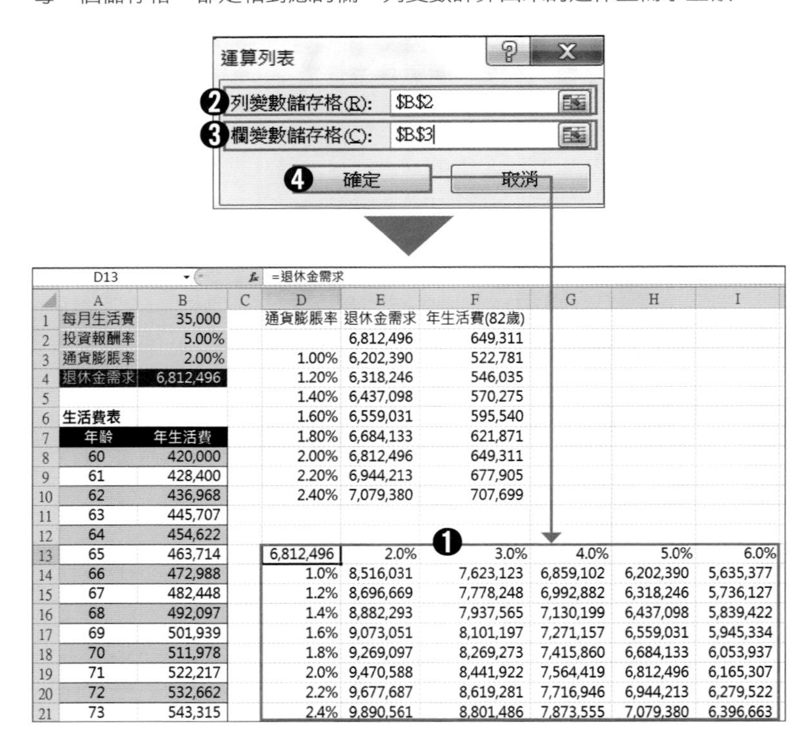

	A	B	C	D	E	F	G	H	I
1	每月生活費	35,000		通貨膨脹率	退休金需求	年生活費(82歲)			
2	投資報酬率	5.00%			6,812,496	649,311			
3	通貨膨脹率	2.00%		1.00%	6,202,390	522,781			
4	退休金需求	6,812,496		1.20%	6,318,246	546,035			
5				1.40%	6,437,098	570,275			
6	生活費表			1.60%	6,559,031	595,540			
7	年齡	年生活費		1.80%	6,684,133	621,871			
8	60	420,000		2.00%	6,812,496	649,311			
9	61	428,400		2.20%	6,944,213	677,905			
10	62	436,968		2.40%	7,079,380	707,699			
11	63	445,707							
12	64	454,622							
13	65	463,714		6,812,496	2.0%	3.0%	4.0%	5.0%	6.0%
14	66	472,988		1.0%	8,516,031	7,623,123	6,859,102	6,202,390	5,635,377
15	67	482,448		1.2%	8,696,669	7,778,248	6,992,882	6,318,246	5,736,127
16	68	492,097		1.4%	8,882,293	7,937,565	7,130,199	6,437,098	5,839,422
17	69	501,939		1.6%	9,073,051	8,101,197	7,271,157	6,559,031	5,945,334
18	70	511,978		1.8%	9,269,097	8,269,273	7,415,860	6,684,133	6,053,937
19	71	522,217		2.0%	9,470,588	8,441,922	7,564,419	6,812,496	6,165,307
20	72	532,662		2.2%	9,677,687	8,619,281	7,716,946	6,944,213	6,279,522
21	73	543,315		2.4%	9,890,561	8,801,486	7,873,555	7,079,380	6,396,663

3-11

從本利和逆向回推每期金額 就用「目標搜尋」

在使用公式時，更動變數可以獲知不同的結果。例如每月零存整付 1 萬元，年利率 2%，套入公式「＝FV（2%/12,24,10000,0,1）」可以知道，2 年後本利和共可累積 24 萬 5,064 元。若改成每月存 1 萬 5,000 元，本利和則變成 36 萬 7,597 元。

如果反過來，想知道 2 年後想累積到 40 萬元，每月該存多少錢？最沒效率的方式是將 1 萬 5,000 元的金額慢慢往上加，看看結果何時會算出 40 萬元。

其實不需要這麼累，可以將這個尋找的過程交給 Excel「目標搜尋」功能，我們只要輸入預設好的結果，就可以逆向找出滿足此結果的變數是多少。

範例1》2年後想累積到40萬元，每月該存多少錢？

將上述的例子做成如下頁圖的試算表，「2 年後本利和」（B2）是 FV 公式；「每月零存整付」（B1）是公式裡的變數。使用目標搜尋的方法如下：

Step1：點選❶「2 年後本利和」公式所在的儲存格「B2」→點選❷「資料」索引頁標籤的❸「模擬分析」→❹「目標搜尋」，會跳出「目標搜尋」小視窗。

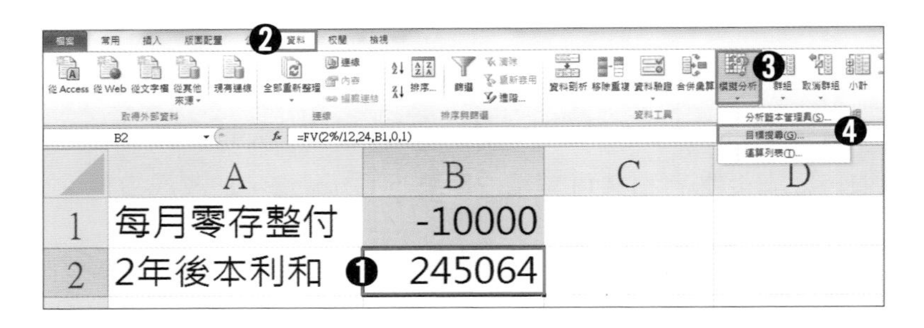

Step2：在小視窗中，❶確認「目標儲存格」是公式所在儲存格「B2」，並❷於「目標值」輸入「400000」，❸「變數儲存格」則是變數所在的儲存格位址「$B$1」，最後❹按下「確定」鈕。

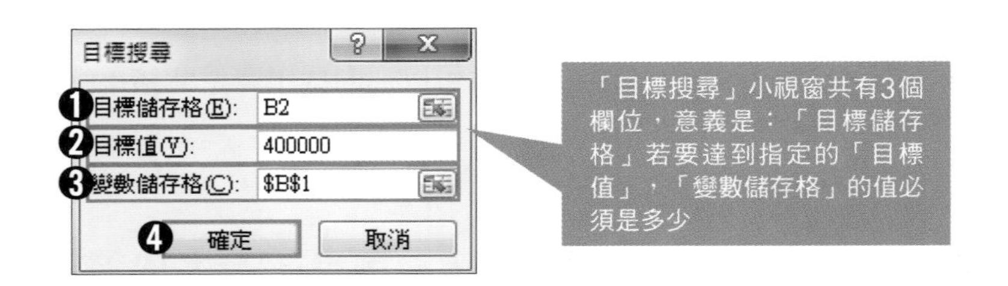

接著就會看到，試算表內容已經改變了，「2 年後本利和」（B2）顯示為「400000」，「每月零存整付」（B1）則為「-16322.2」，

代表每月需要存 1 萬 6,322 元，2 年後才能夠累積到 40 萬元。

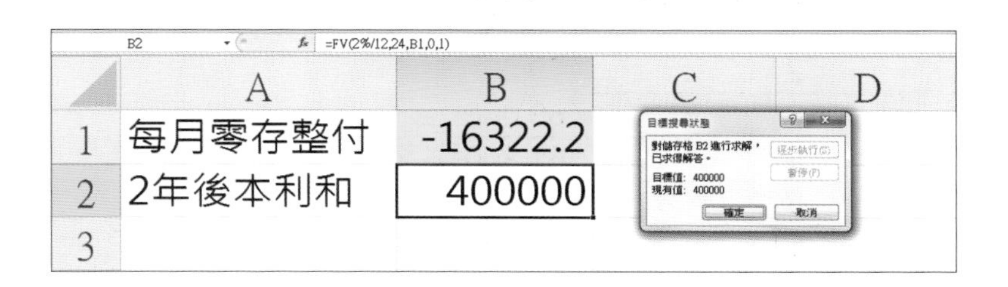

範例2》一次收取20年租金，房東應開價多少？

再看另一個例子，房東先生目前擁有一個停車位，每個月的租金淨收入是 5,000 元，預估 3 年之內不漲租金，之後每年漲租金 3%；房客提出承租 20 年並且一次付清，藉此希望房東算便宜一點，房東應當開價多少錢？

換句話說，未來 20 年可以拿到的租金，房東目前該用多少錢交換？要考慮的變數就是「投資報酬率」，因此必須將未來租金的現金流量列出，再用投資報酬率算出「現值」就好了。

先製作一張如下圖的每年租金收入表（此範例已將租金收入表定義為表格）。第 1 年到第 3 年，月租金 5,000 元，乘以 12 個月，年租金就是 6 萬元；第 4 年開始，租金每年調升 3%。若不一次拿，未來 20 年總共可以拿到 152 萬 4,866 元。

	A	B
4	年度	租金收入
5	1	60,000
6	2	60,000
7	3	60,000
8	4	61,800
9	5	63,654
10	6	65,564
20	16	88,112
21	17	90,755
22	18	93,478
23	19	96,282
24	20	99,171

「A4：B24」列出20年的租金收入表，並定義為表格

B8輸入公式「＝B7*（1＋3%）」，往下複製至B24儲存格即可列出20年的每年租金收入

前3年租金不變，第4年起每年調升3%，合計租金收益共152萬4,866元

有了每年租金現金流量的數值，就能用 NPV 函數計算一次承租價。下圖中的一次承租價公式（B2），就是採用 NPV 函數，將未來 20 年的每筆現金流，以指定的投資報酬率折現回來，並將每筆現值加總。

投資報酬率 =NPV(投資報酬率,租金收入表[租金收入])

	A	B
1	投資報酬率	1.50%
2	承租價	1,290,731

儲存格B1及B2分別定義名稱為「投資報酬率」、「承租價」。在「B2」輸入公式「＝NPV（投資報酬率,租金收入表[租金收入]）」
若沒有定義名稱及表格，則「B2」公式可輸入為「＝NPV（B1,B5：B24）」

當投資報酬率設定為 1.5% 時，一次承租價應該是 129 萬 731 元。這意義等同房東將 129 萬 731 元放在年利率 1.5% 的定存，第 1 到 3 年各可以領出 6 萬元，第 4 年起領回 6 萬 1,800 元……直到第 20 年，

領回最後一筆 9 萬 9,171 元，一共也可以領回 152 萬 4,866 元。

如果房客認為要算他租金 110 萬元，才願意訂 20 年租約的話，房東又該如何判斷是否值得呢？那就反過來看，若一次就拿到 110 萬元並拿去投資，得要具備什麼樣的投資報酬率，未來 20 年才可以拿回相同的現金流量 152 萬 4,866 元？

要回答這問題，只要用目標搜尋就可以辦到，打開「目標搜尋」功能，目標儲存格設定為一次承租價公式所在儲存格「B2」，「目標值」設定為金額「1100000」，「變數儲存格」設定為投資報酬率所在儲存格「B1」，就能得到答案為 3.03%。換句話說，房東如果有把握未來 20 年，每年的投資能力可以達到報酬率 3.03%，就可以答應。

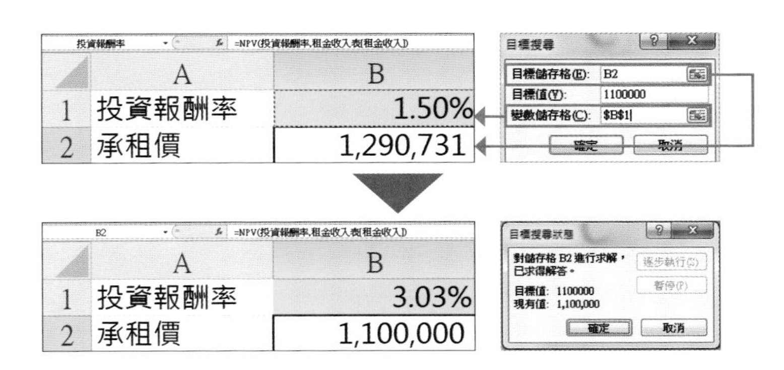

愈是複雜的試算，目標搜尋的威力愈大，像是內部報酬率（IRR）其實也是 Excel 根據每期現金流量用目標搜尋的方式找出答案的。

實用招式篇

抓住竅門 輕鬆網羅資訊

4

4-1

學會擷取網頁資料 資產報酬自動更新超便利

在了解 Excel 基本用法後，接下來要跟大家介紹跟投資相關的應用。首先要認識的是 Excel 的一項強大功能——透過網路自動擷取網頁資料，此後一旦被擷取的資料更新，所有參照到這些資料的儲存格，也會隨之更新。

例如，台股投資人如果想要利用 Excel 試算表，自製持股市值明細表，一定會有「即時股價」這個欄位。如果只是自己手動輸入，每次要計算資產的最新淨值及投資報酬率時，都得一一鍵入最新股價。

但是若能利用 Excel 的「取得外部資料」功能，連線到股市報價網站（如 Yahoo! 奇摩股市）下載即時股價，那麼參照到股價資料的最新市值及投資報酬率欄位，也會跟著自動更新，省時又省力。

範例》自製股票總資產表，擷取網頁資料更新股價

我們直接來練習下圖的範例，假設我們手中有台積電（2330）3,000 股、中華電（2412）2,000 股，成本價分別是 115 元、95.1 元，

就可以製作如下的 Excel 活頁簿，以追蹤最新市值報酬率。

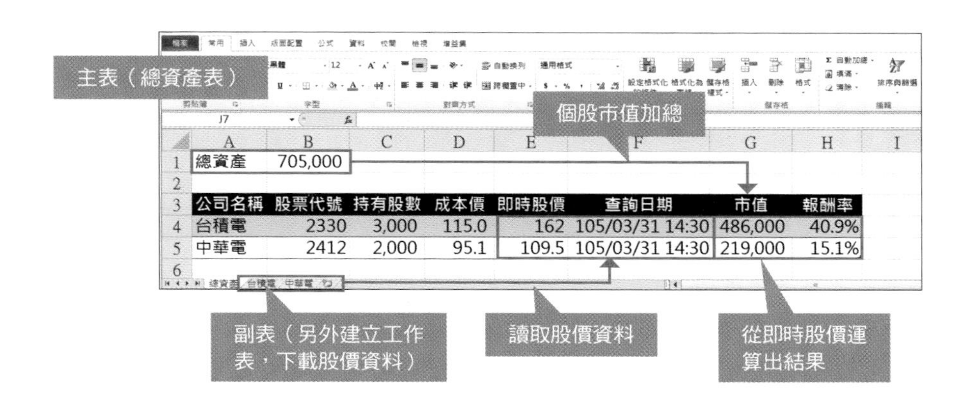

這個活頁簿檔案共有 3 張工作表，分別命名為「總資產」、「台積電」、「中華電」。我們要先在「台積電」與「中華電」工作表，利用「取得外部資料」功能，把網頁資料擷取下來（以 Yahoo! 奇摩股市網站為例）。

接著，於「總資產」工作表，列出股票的持有股數、成本價、即時股價、查詢日期、市值、報酬率欄位；其中，「即時股價」與「查詢日期」，就可讀取「台積電」與「中華電」工作表相對應的下載資料儲存格。

而有了即時股價，就能運用簡單的公式，運算股票的市值、報酬率及總資產市值。只要網頁下載資料一更新，這張表的顯示結果就會隨之更新。解說如下：

實作練習

匯入外部資料（副表）

先找到欲擷取的目標網頁。到 Yahoo! 奇摩股市首頁（tw.stock.yahoo.com），在❶「股票代號 / 名稱」輸入台積電的股票代號「2330」，❷點選查詢按鈕。查詢結果會出現台積電的買賣資訊，❸複製此網頁的網址。

股票代號	時間	成交	買進	賣出	漲跌	張數	昨收	開盤	最高	最低	個股資料
2330台積電 加到投資組合	14:30	**162.0**	161.0	162.0	△0.5	49,442	161.5	162.0	163.0	159.0	成交明細 技術 新聞 基本 籌碼 個股健診

STEP 2

打開一個空白活頁簿檔案，以滑鼠雙擊工作表名稱，即可重新命名。❶將 3 張工作表依序改為：「總資產」、「台積電」、「中華電」。

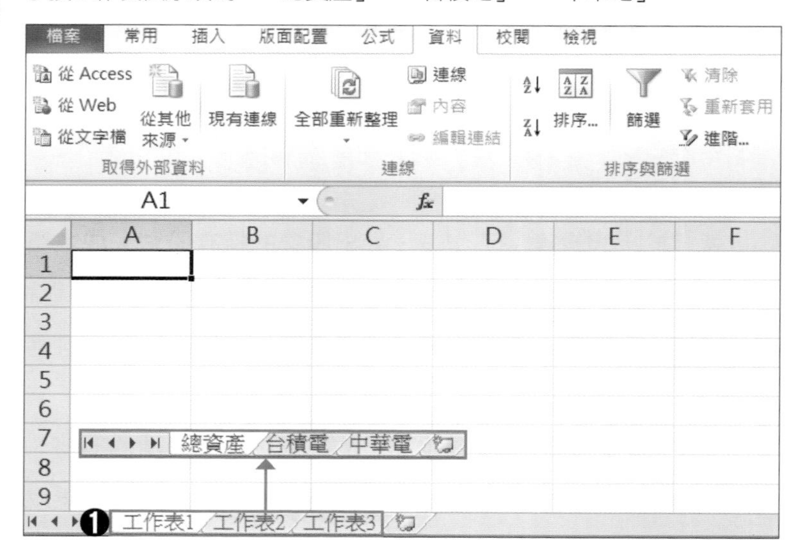

❶在台積電工作表內，點選想要匯入資料的儲存格「A1」→ 點選❷「資料」索引頁標籤→「取得外部資料」區塊的 ❸「從 Web」按鈕，就會出現「新增 Web 查詢」視窗。

❹將步驟 1 複製的網址，貼到小視窗的「地址」欄位內→ 按下❺「到」按鈕，此時視窗內會顯示方才所複製網址的台積電買賣資訊畫面，並且在畫面各區域出現箭頭小黃框，只要按下黃框，就可選取欲擷取的區域。我們要擷取的是資料日期以及買賣資訊，❻點選含有這兩項資料的箭頭小黃框後，就會變成綠色打勾標記， 確認無誤就點選❼「匯入」按鈕。

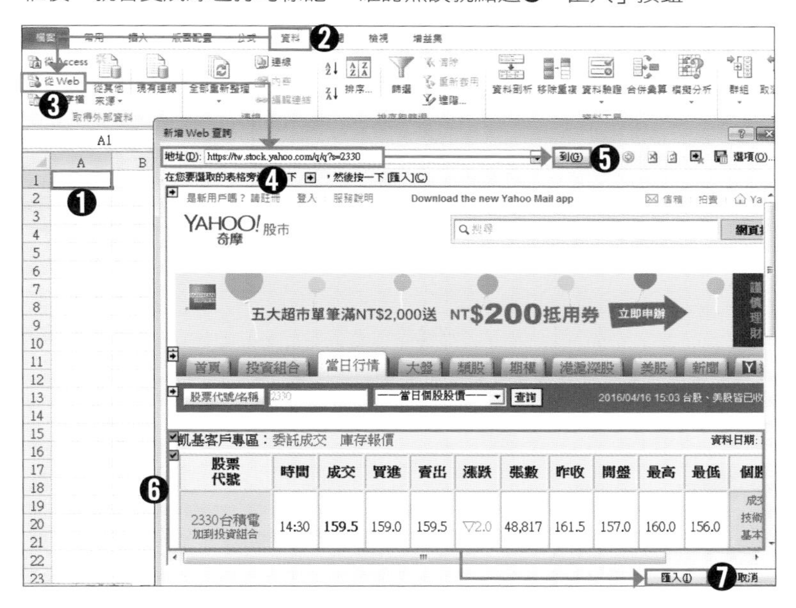

小提醒：因為 Yahoo! 奇摩股市為 Https 安全加密網頁，擷取過程中，若出現右圖的安全性警告小視窗，只要按下「是」按鈕即可。

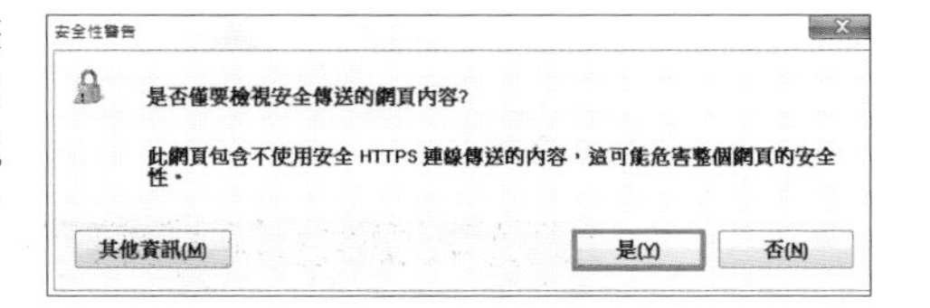

上個步驟點選匯入按鈕後，出現「匯入資料」視窗，這是要我們確認匯入資料的起始位置，確認無誤後，按下❶「確定」按鈕，就會在我們指定的儲存格「A1」， 下載我們指定的網頁資料。

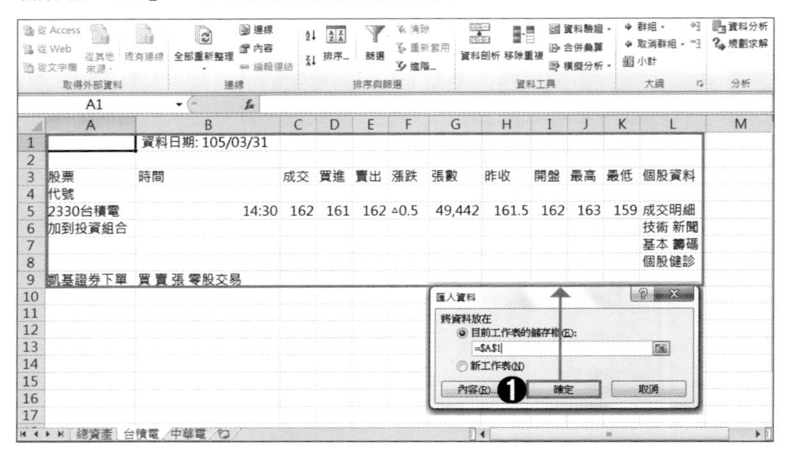

再用同樣的方法及步驟，建立「中華電」的工作表，唯一不同是，步驟 1 的股票代號，要改成中華電的代號「2412」，以下載中華電的股價。

製作總資產表（主表）

「台積電」及「中華電」工作表做好之後，就要建立「總資產」工作表，讀取剛剛下載的資料。❶在「總資產」工作表，按下圖所示填入。❷再選取儲存格「A3：H5」，定義成表格，同樣可命名為「總資產」（定義表格方式詳見 1-5）。

STEP 2

接著我們要在總資產表「即時股價」欄位，讀取最新股價。

在公式中，若要描述另一張工作表的儲存格，格式為：「工作表！儲存格位址或名稱」，因此，想要在台積電「即時股價」儲存格「E4」，讀取台積電工作表「C5」儲存格的股價。只要先❶點選「E4」，鍵入公式「＝**台積電！C5**」即可（也可以先在儲存格「E4」輸入等號，再切換到台積電股價資料表，點選欲讀取的「C5」儲存格，同樣可完成公式）。

中華電「即時股價」儲存格「E5」也如法炮製，讀取的工作表來源改為中華電。

總資產表

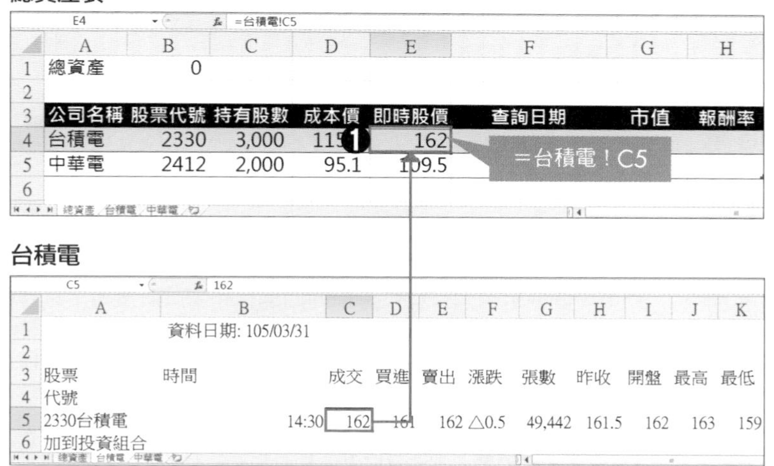

E4 =台積電!C5

	A	B	C	D	E	F	G	H
1	總資產	0						
2								
3	公司名稱	股票代號	持有股數	成本價	即時股價	查詢日期	市值	報酬率
4	台積電	2330	3,000	115	162			
5	中華電	2412	2,000	95.1	109.5			
6								

台積電

C5 162

	A	B	C	D	E	F	G	H	I	J	K
1		資料日期: 105/03/31									
2											
3	股票	時間	成交	買進	賣出	漲跌	張數	昨收	開盤	最高	最低
4	代號										
5	2330台積電	14:30	162	161	162	△0.5	49,442	161.5	162	163	159
6	加到投資組合										

總資產表的「查詢日期」欄位，也要讀取最新查詢的日期及時間，才能一眼看出目前呈現的是否為最新資料。

1. 陽春版：如果你習慣每天收盤後才更新資料，也不要求表格的美化，只要直接讀取日期就可以了，按照步驟2的做法，於❶儲存格「F4」輸入「＝**台積電！B1**」，❷「F5」輸入「＝**中華電！B1**」，讀取完成後顯示如下頁圖：

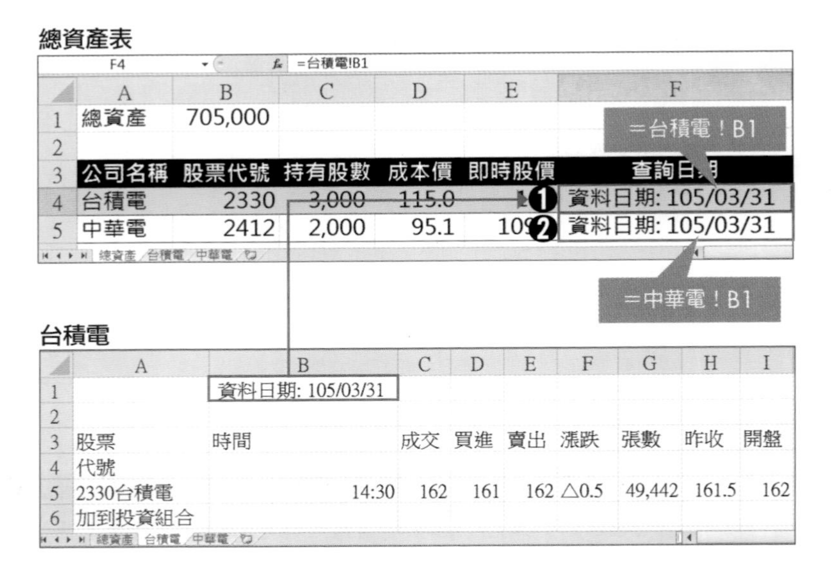
總資產表

F4 =台積電!B1

	A	B	C	D	E	F
1	總資產	705,000				
2						
3	公司名稱	股票代號	持有股數	成本價	即時股價	查詢日期
4	台積電	2330	3,000	115.0		資料日期: 105/03/31
5	中華電	2412	2,000	95.1	109	資料日期: 105/03/31

台積電

	A	B	C	D	E	F	G	H	I
1		資料日期: 105/03/31							
2									
3	股票	時間	成交	買進	賣出	漲跌	張數	昨收	開盤
4	代號								
5	2330台積電	14:30	162	161	162	△0.5	49,442	161.5	162
6	加到投資組合								

2. **精美版**：如果想要在總資產表的台積電「查詢日期」儲存格「F4」，同時讀取台積電工作表中的資料日期（台積電！B1）與時間（台積電！B5），偏偏這兩個資料位於不同的儲存格，該怎麼做？只要在公式中，用「&」符號，就能將兩儲存格的字連接起來。再加入「取代字串」及「指定顯示格式」的函數（詳見第 197 頁），就能呈現出精美且正確的日期與時間。❶在總資產工作表的台積電「查詢日期」儲存格「F4」，輸入以下公式：「**= SUBSTITUTE（台積電！B1," 資料日期："„1）&" "&TEXT（台積電！B5,"h：m"）**」。

F4 =SUBSTITUTE(台積電!B1,"資料日期: ",,1)&" "&TEXT(台積電!B5,"h:m")

	A	B	C	D	E	F	G	H
1	總資產	705,000						
2								
3	公司名稱	股票代號	持有股數	成本價	即時股價	查詢日期	市值	報酬率
4	台積電	2330	3,000	115.0	162	105/03/31 14:30	486,000	40.9%
5	中華電	2412	2,000	95.1	109.5	105/03/31 14:30	219,000	15.1%

=SUBSTITUTE（台積電！B1,"資料日期：",,1）&" "&TEXT（台積電！B5,"h：m"）

❶在總資產表的台積電「市值」儲存格「G4」輸入公式：「**＝[@ 持有股數]*[@ 即時股價]**」，並公式複製到「G5」。

❷在總資產表的台積電「報酬率」儲存格「H4」輸入公式：「**＝[@ 即時股價]/[@ 成本價] － 1**」，並將公式複製到「H5」。

❸在總資產表的「總資產」儲存格「B1」輸入加總的公式：「**＝SUM（總資產 [市值]）**」，即可算出所有股票的市值合計。依序輸入後，表格即完成。

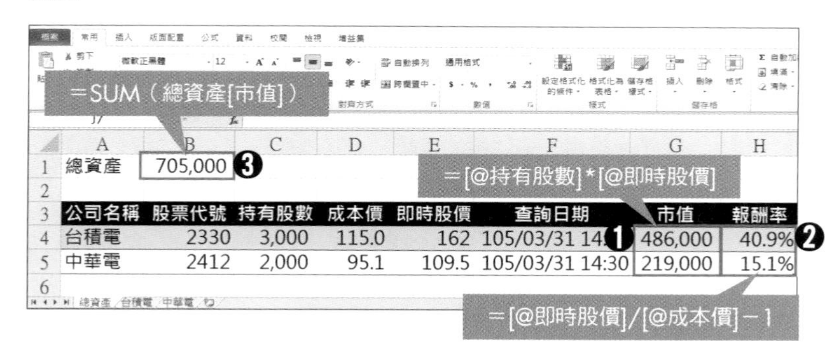

更新資料

以上步驟設定完成後，若想在盤中隨時更新資料，只要在任一個工作表，鍵入快捷鍵 CTRL ＋ ALT ＋ F5，或點選❶「資料」索引頁標籤→❷「全部重新整理」按鈕，就都會重新下載新資料，所有工作表也會一起更新。只要觀看總資產工作表上的❸「查詢日期」欄位，就可以知道是否為最新資料了。

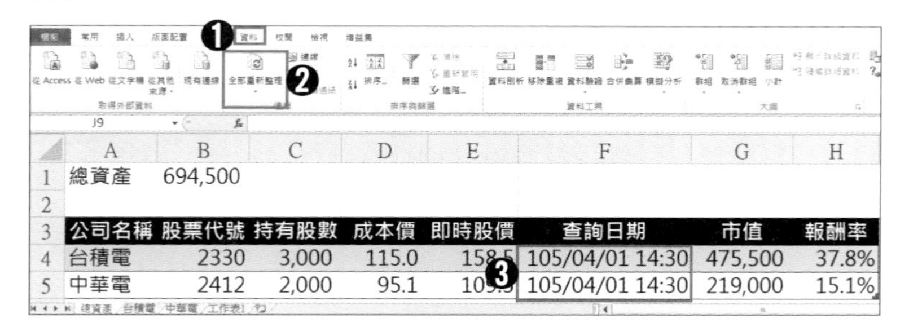

如果希望每次開啟檔案時就會自動更新，可以進入「連線內容」進一步設定。在任一工作表，點選❶「資料」索引頁標籤→❷「連線」按鈕，就會跳出「活頁簿連線」視窗。上面顯示目前的活頁簿共有兩個連線，名稱為預設的「連線」及「連線 1」，因為連線名稱相似，不容易辨認內容，我們就可以點選連線的名稱，並於❸「此活頁簿中使用連線的位置」窗格中，點擊「按一下這裡查看已使用選取連線的地方」，就會顯示該連線的詳細資訊，包括工作表、名稱、儲存格位置等。

接著，點選❹「連線」，再按下❺「內容」按鈕，叫出「連線內容」視窗，即可在此更改連線的設定。❻首先可以將「連線名稱」改為「中華電」、「描述」輸入為「至 Yahoo 奇摩抓取中華電股價」，讓未來的維護容易些。

接著勾選❼「檔案開啟時自動更新」的選項，❽最後按「確定」按鈕就改好了。再用上述同樣的步驟，設定「連線 1」的內容，待兩個連線都更新完畢，再點選「活頁簿連線」小視窗的❾「關閉」按鈕，就全部完成了。

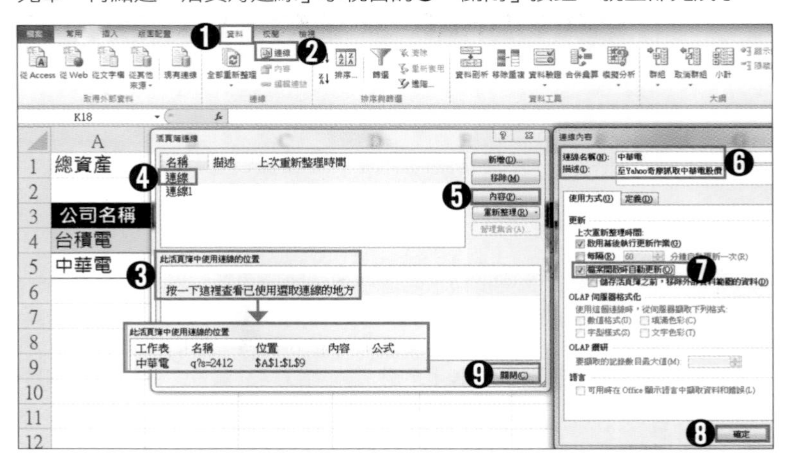

更新好之後，再點選一次「資料」索引標籤→「連線」按鈕，可看到「活頁簿連線」視窗，清楚顯示我們所設定的連線名稱，將來若要修改，就能一目了然。

連接不同儲存格字串

要用公式寫出如上述範例中「總資產表」的精美版儲存格，必須懂得以下 3 個小撇步：

撇步 1》用「&」連接不同儲存格與字串

例如下方左圖，當我們想在儲存格「A1」參照「C1」（123）、「C2」（456），將兩個儲存格內的資料連在一起，只要在 A1 輸入「＝C1&C2」，A1 就會變成「123456」。

另外，連接字串時，若要加入其他文字，也可以按順序填入，但所加入的文字前後要用「"」符號包起來。例如，「A1」輸入「＝C1&" 以及"&C2」，就會變成「123 以及 456」，如下方右圖。

A1 ｜ fx =C1&C2

	A	B	C
1	123456		123
2			456

A1 ｜ fx =C1&"以及"&C2

	A	B	C
1	123以及456		123
2			456

撇步 2》函數「SUBSTITUTE」可取代特定字串

參照另一個儲存格時，也可以刪除或取代其中的字。例如下圖，在儲存格「B1」參照「B2」（黃小明），但只想要讀取「小明」，就可以用「SUBSTITUTE」函數改變讀取內容。這個函數需要按順序輸入 4 個參數，參數之間以半形逗號「,」分隔：

1. 所參照的儲存格位址或名稱。
2. 要被取代的字（若是文字，前後要加上「"」符號）。
3. 要取代的字（若要刪字，此參數須為空白，代表以空白值取代參數 2 的字）。
4. 若所參照的儲存格內有兩組字串以上，可在此指定字串順序位置，若只有一組字串，輸入 1 即可。

因此只要在「B1」輸入公式「＝SUBSTITUTE（B2," 黃 ",,1）」，就能將「B2」儲存格的「黃」字以空白值取代，即能在「B1」顯示為「小明」。

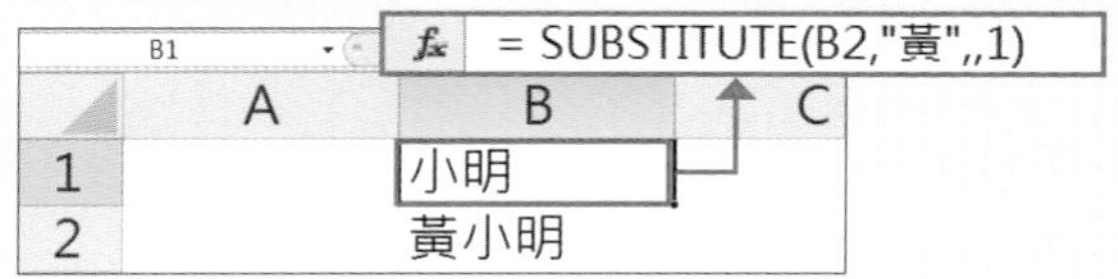

撇步 3》函數「TEXT」可指定顯示格式

參照另一個儲存格時，若是數字、貨幣或時間與日期，可利用「TEXT」函數，按照我們希望顯示的格式來呈現，我們需按順序輸入 2 個參數，參數之間同樣以半形逗號「,」分隔：

1. 所參照的儲存格位址或名稱。
2. 指定顯示格式。

顯示格式需要指定特定代碼，以時間來說，「h」為小時，「m」為分鐘，當我們希望顯示結果為「時：分」，即可輸入代碼「"h：m"」。特別是當字串相連時，所參照回來的時間會變成數值格式（詳見 1-1 表 1），必須做好格式設定，才能正確顯示。

了解以上 3 個小撇步，就可以了解前述範例中「總資產表」精美版儲存格公式的寫法了：

利用「&」將所參照的兩個儲存格相連接。同時，為了讓日期及時間有個分隔空間，中間再加入空白字串「" "」

＝SUBSTITUTE（台積電！B1,"資料日期：",,1）&" "&TEXT（台積電！B5,"h：m"）

→ **105/03/31　14：30**

所參照的「台積電！B1」儲存格，內容是「資料日期：105/03/31」，為了將「資料日期：」刪除，只顯示「105/03/31」，即可利用函數精簡內容

所參照的「台積電！B5」儲存格，內容雖是時間「14：30」，但是字串相連時會以數值顯示，必須格式化成"h：m"

4-2

製作動態查詢表 輸入股號就能抓取營收資料

上市櫃股票每月公布營收、每季公布財報，每當資料更新時，投資人通常得逐一上網查詢最新數據，相當費工。如果懂得進一步利用 Excel 取得外部資料的連線功能，自製「動態查詢表」，只要輸入股號，就能迅速擷取不同股票的網頁資料。

擷取網頁資料是透過建立連線完成的，像是 4-1 所介紹的擷取台積電股價，就得做一個「連線」，連到台積電的報價網址；要擷取中華電的股價，又得建立另一個「連線」。以 Yahoo! 奇摩股市網站為例，這兩檔股票的報價網址如下：

公司	YAHOO!奇摩股市個股報價網址
台積電（2330）	https://tw.stock.yahoo.com/q/q?s=2330
中華電（2412）	https://tw.stock.yahoo.com/q/q?s=2412

其實仔細看就可以發現，Yahoo! 奇摩股市網站當中，不同個股的報價網址，只有末端的股票代號不一樣而已，在台積電的報價網頁，將網址末端台積電的股票代號「2330」，改為中華電的股票代號「2412」，就能改連到中華電的報價網頁。

不只 Yahoo! 奇摩股市，其實多數的股市報價網站都有這樣的規律。而我們就是要利用這個規律，在 Excel 建立一個動態的連線；只要輸入參數（要查詢的股票代號），Excel 就會在執行更新作業時，自動下載該檔股票的資料。參數輸入有 2 種方式：

1. **更新作業時填入參數：**執行更新作業時，跳出小視窗，填入參數後即能擷取新資料。

2. **讀取儲存格內容當作參數：**先改變儲存格的數值，再執行更新作業時，連線的網址會從儲存格讀取數值，以擷取不同公司的資料。

相同股市報價網址輸入不同參數，可切換其他股票

不論是哪一種參數輸入，使用者最好都要對網址的結構再多了解一些，學習起來將會更得心應手。一般網頁的網址，除了網站地址加上路徑之外，問號「？」之後的字串就代表查詢字串。例如 Yahoo! 奇摩股市的台積電報價網頁，網址為：「https://tw.stock.yahoo.com/q/q?s=2330」。

開頭為「https://」，代表這是一個加密的網頁。「tw.stock.yahoo.com/q/q」是網址路徑，就像我們住家的地址一樣。「s=2330」則是網頁的查詢字串，其中只有一個等號，可以知道查詢參數只有一個，參數名稱為「s」，數值為「2330」。

相同的股市報價網頁路徑，只要查詢參數不同，就會抓到所對應的股票網址，所以只要將上述網址當中的「2330」改為其他股票代號，就會導引到其他股票的報價網頁。

查詢字串若有多個參數，以「&」分隔

查詢字串一次允許多個參數，參數之間以「&」符號分隔，格式如下：「參數名稱 1 ＝參數 1& 參數名稱 2 ＝參數 2& 參數名稱 3 ＝參數 3」……依此類推。

再看另一個例子，在公開資訊觀測站查看個股財報資料時，網址就含有多個查詢參數。如果不懂網址結構，會覺得那是一串亂碼，但是看懂網址結構後，就可以利用查詢參數，透過 Excel 直接一次抓取所要的資料，不需要每次都辛苦地一步步點進網頁。

以公開資訊觀測站的台積電 2014 年第 3 季合併財報網頁為例，網址：http://mops.twse.com.tw/server-java/t164sb01?step=1&CO_ID=2330&SYEAR=2014&SSEASON=4&REPORT_ID=C

網址路徑為：http://mops.twse.com.tw/server-java/t164sb01
參數字串為：step=1&CO_ID=2330&SYEAR=2014&SSEASON=3&REPORT_ID=C

參數字串共有 5 個，以 4 個 & 符號分隔，我們要認識的 4 個參數名稱，

如下表所示：

參數名稱	意義	值
CO_ID	股票代號	2330
SYEAR	年度	2014
SSEASON	季度	3
REPORT_ID	報告代碼	C

如果我們要查詢其他公司的合併財報，只要在瀏覽器的網址，改變「股票代號」、「年度」、「季度」，就能切換為所需的財報資料；而「step=1」是合併財報所在的網頁、「REPORT_ID=C」則是代表合併財報的代碼，都不需要更改。例如想要抓取中鋼（2002）的 2015 年第 4 季合併財報，只要將網址改成以下所示即可（詳見圖 1）：http://mops.twse.com.tw/server-java/t164sb01？step=1&CO_ID=2002&SYEAR=2015&SSEASON=4&REPORT_ID=C

範例》建立個股營收動態查詢檔案

回到正題，如果想在 Excel 建立一個動態營收查詢表、只要輸入股號就能擷取股票營收，方法就是在建立連線時，將任一檔個股營收網址，改成「不固定」的動態網址；也就是以「["xxx"]」（此為參數格式，xxx 是名稱，可任意命名）字串，取代網址當中的股號字串。當我們執行更新作業時，Excel 讀到這個網址，會問我們「["xxx"]」的參數值是什麼？然後將我們新輸入的股號（或指定儲存格的內容）填入網址，進

圖1 網址輸入不同參數即可快速查看各公司財報
——公開資訊觀測站網頁

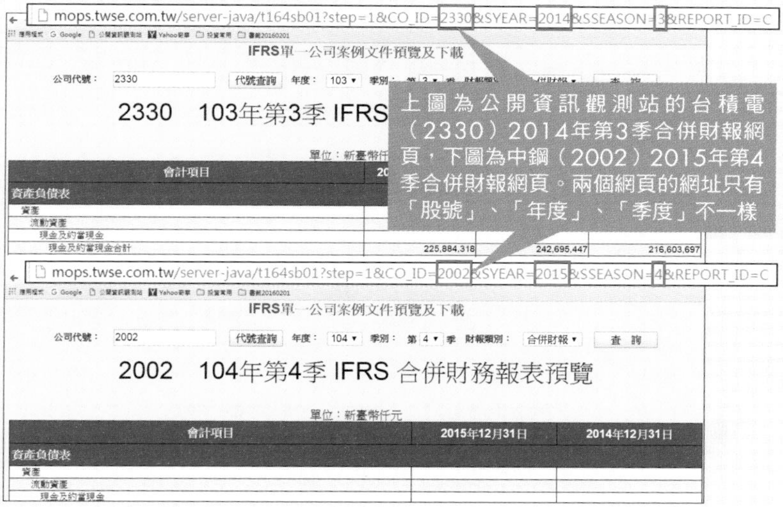

mops.twse.com.tw/server-java/t164sb01?step=1&CO_ID=2330&SYEAR=2014&SSEASON=3&REPORT_ID=C

IFRS單一公司案例文件預覽及下載

公司代號：2330 代號查詢 年度：103 季別：第3季

2330 103年第3季 IFRS

上圖為公開資訊觀測站的台積電（2330）2014年第3季合併財報網頁，下圖為中鋼（2002）2015年第4季合併財報網頁。兩個網頁的網址只有「股號」、「年度」、「季度」不一樣

mops.twse.com.tw/server-java/t164sb01?step=1&CO_ID=2002&SYEAR=2015&SSEASON=4&REPORT_ID=C

IFRS單一公司案例文件預覽及下載

公司代號：2002 代號查詢 年度：104 季別：第4季 財報類別：合併財報 查詢

2002 104年第4季 IFRS 合併財務報表預覽

單位：新臺幣仟元

會計項目	2015年12月31日	2014年12月31日
資產負債表		
資產		
流動資產		
現金及約當現金		

資料來源：公開資訊觀測站　　整理：怪老子

而下載該網頁資料。

我們實際用 Yahoo! 奇摩股市網站練習一次。先到 Yahoo! 奇摩股市網站，找到任一檔股票的月營收網址，例如台積電、大立光（3008）的月營收網址分別如下：

台積電：https://tw.stock.yahoo.com/d/s/earning_2330.html

大立光：https://tw.stock.yahoo.com/d/s/earning_3008.html

看起來，不同公司的營收，除了股票代號不一樣之外，網址其他部分都相同。此網址並非使用查詢參數分辨，而是使用不同的路徑來分辨，但同樣只要修改網址裡的股票代號，就能查看其他公司的營收了。以下的實作練習以台積電的營收網址為例，看看如何將網址路徑當中的股市代號以參數代入，製作動態連線檔案，進而建立我們想要的營收查詢表。

實作練習

首先，打開一個空白的 Excel 工作表，點選❶「資料」索引頁標籤→「取得外部資料」區塊的❷「從 Web」按鈕，就會跳出「新增 Web 查詢」視窗，❸在「地址」欄位，先填入台積電月營收網址（https://tw.stock.yahoo.com/d/s/earning_2330.html）→點選❹「到」按鈕，即會出現台積電月營收畫面，且各區域出現箭頭小黃框，❺此時點選含有每月營收的欄位，選取成功會變成綠色打勾標記，❻最後點選小視窗右上角的「儲存查詢」按鈕。

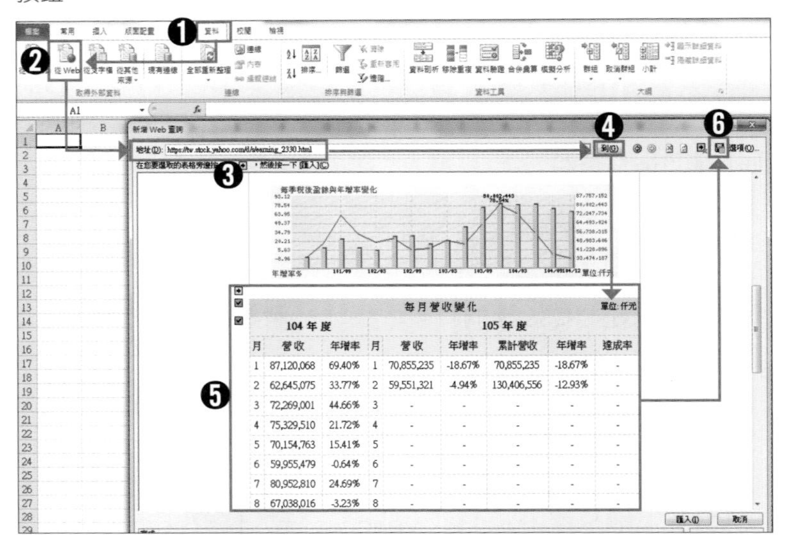

STEP 2

此時會出現「儲存查詢」視窗，讓我們將剛剛查詢的連線檔案儲存起來，❶儲存位置可以任選，像是下圖範例就是存在桌面。❷檔案名稱的預設值為「earning_2330.iqy」，例如我將檔案名稱改成「earning.iqy」，不含特定公司名稱，將來比較不會弄錯。其中，iqy是專屬的附檔名，不可修改。最後再點選❸「儲存」即可。

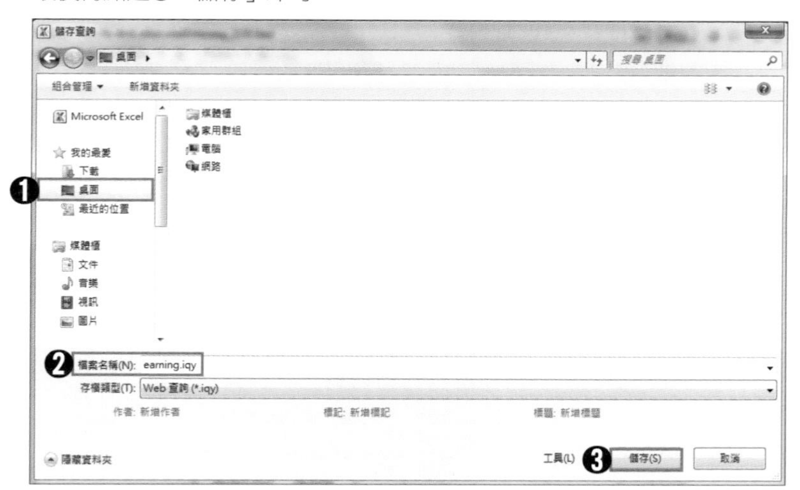

STEP 3

剛剛存在桌面的 earning.iqy 檔案，內容是台積電的連線網址內容，我們要將檔案當中的連線網址，改成動態網址。❶點選 earning.iqy 檔案，按滑鼠右鍵，❷點選「用記事本編輯」，出現記事本檔案，裡面記載著連線的設定資訊。❸將第 3 行網址中的「2330」文字刪除，改成 ["股票代號"]（除了中文之外，符號都要用半形字），Excel 就知道這是參數，修改完成後，點選❹「檔案」→「儲存檔案」即可。

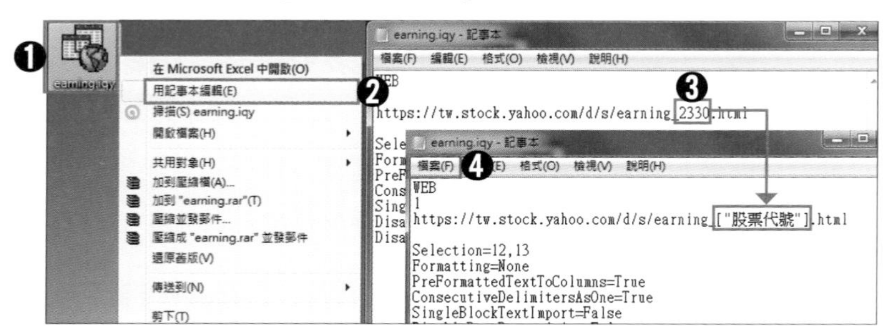

回到 Excel，將步驟 1 的「新增 Web 查詢」視窗關閉。❶在工作表任意點選一個儲存格（例如「A4」），作為等一下要下載資料時的起始儲存格→點選❷「資料」索引頁標籤→「取得外部資料」區塊的❸「現有連線」按鈕，就會跳出「現有連線」視窗，點選❹「瀏覽更多」按鈕，跳出另外一個「選取資料來源」視窗。❺在「選取資料來源」小視窗，點選剛剛存在桌面的 earning.iqy 檔案，按下❻「開啟」按鈕。

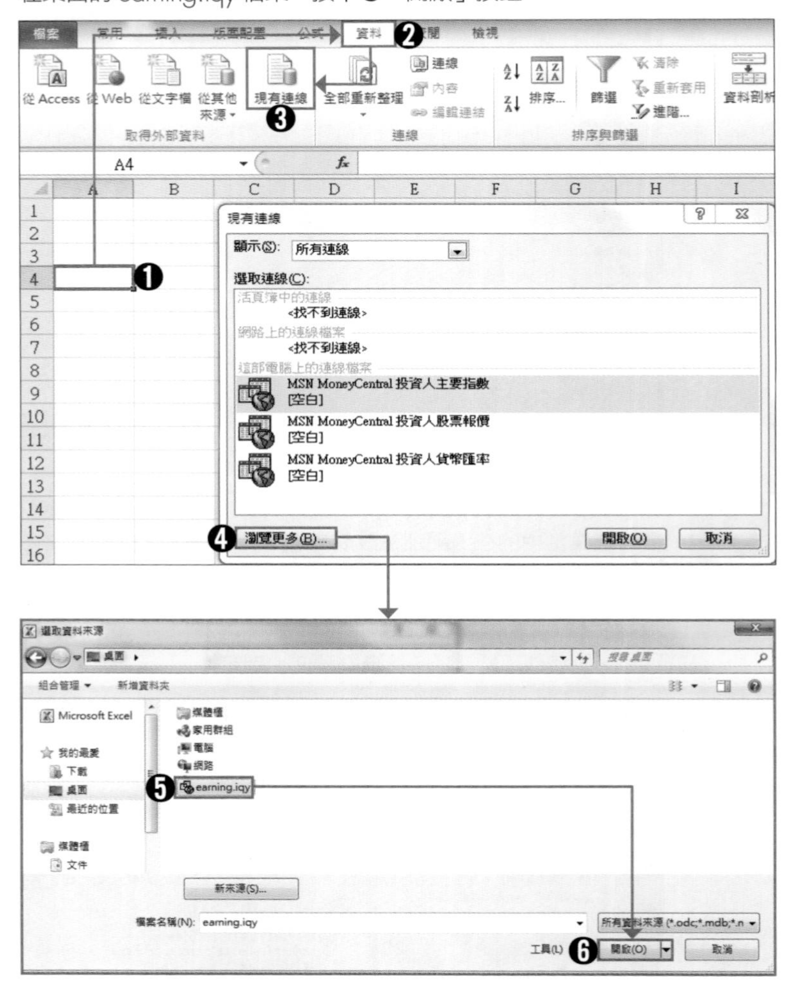

此時會跳出「匯入資料」視窗，❶確認下載資料的起始儲存格位置後，按❷「確定」按鈕，開始連線。

因為連線檔案當中，部分網址已經被我們改為 [" 股票代號 "] 的參數格式，Excel 就會在此時跳出「輸入參數值」小視窗，讓我們填入參數，當我們填入中華電信的股票代號❸「2412」，按❹「確定」按鈕，就會開始下載中華電的月營收資料。

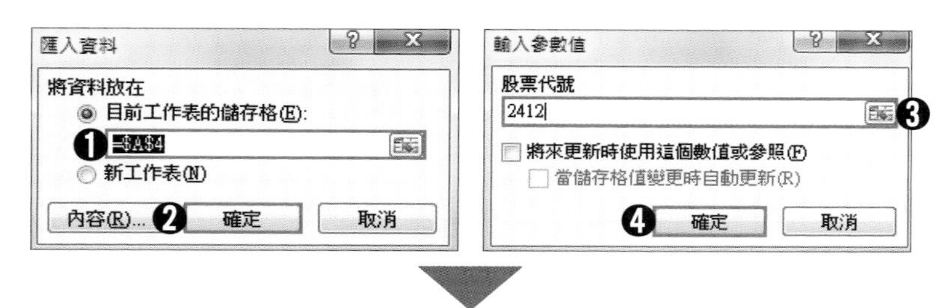

下載後的頁面如下：

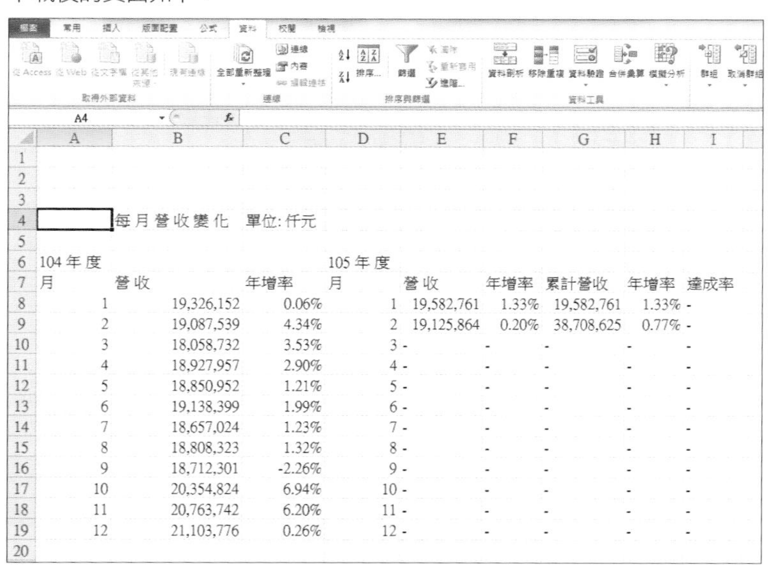

每月營收變化 單位: 仟元

104 年度			105 年度					
月	營收	年增率	月	營收	年增率	累計營收	年增率	達成率
1	19,326,152	0.06%	1	19,582,761	1.33%	19,582,761	1.33%	-
2	19,087,539	4.34%	2	19,125,864	0.20%	38,708,625	0.77%	-
3	18,058,732	3.53%	3	-	-	-	-	-
4	18,927,957	2.90%	4	-	-	-	-	-
5	18,850,952	1.21%	5	-	-	-	-	-
6	19,138,399	1.99%	6	-	-	-	-	-
7	18,657,024	1.23%	7	-	-	-	-	-
8	18,808,323	1.32%	8	-	-	-	-	-
9	18,712,301	-2.26%	9	-	-	-	-	-
10	20,354,824	6.94%	10	-	-	-	-	-
11	20,763,742	6.20%	11	-	-	-	-	-
12	21,103,776	0.26%	12	-	-	-	-	-

若要下載其他公司的月營收，只要在❶「資料」索引頁標籤，點選❷「全部重新整理」按鈕，就會再跳出「輸入參數值」的小視窗，❸鍵入股票代號後按❹「確定」鍵，就會開始新的下載。

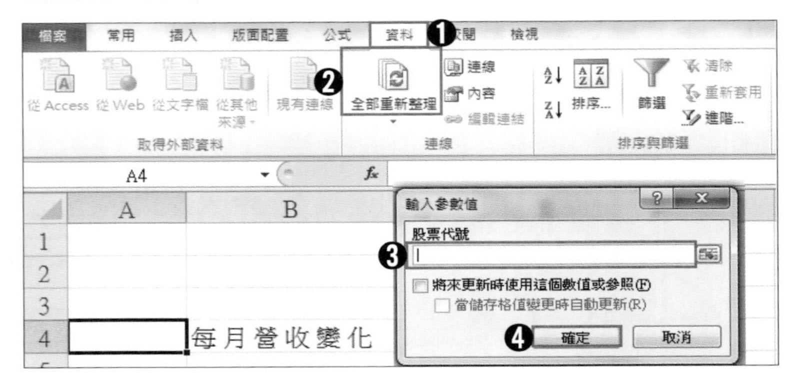

在儲存格輸入股票代號，自動下載新資料

上述連線的參數，每次下載時，Excel 會以「輸入參數值」的小視窗，要我們輸入股票代號。如果想要讓 Excel 直接讀取某個儲存格，當我們在儲存格輸入不同的股票代號，就會啟動更新連線，該怎麼做？只要去更改剛剛所建立的 earning 連線內容即可。

先選定儲存格，隨意輸入一檔股票。以中華電為例，❶於儲存格「A1」鍵入文字「股票代號」、「B1」鍵入「2412」。❷點選「資料」索引頁標籤→❸「連線」按鈕，即會跳出「活頁簿連線」視窗，點選名為❹「earning」的連線→❺「內容」按鈕。

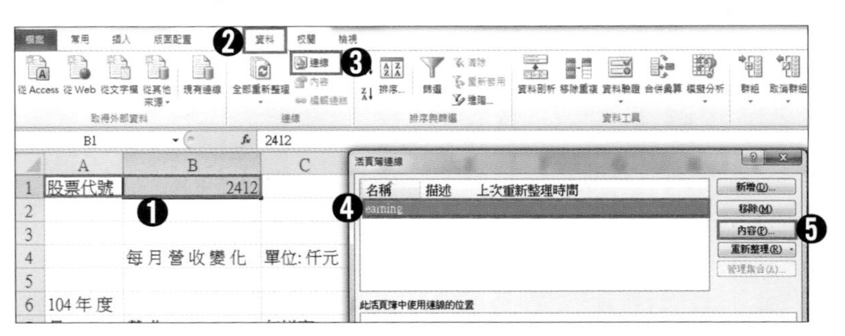

此時會跳出「連線內容」小視窗。在視窗中，點選❶「定義」→❷「參數」按鈕，就會出現「參數」小視窗。

在「參數」小視窗❸點選「以下列儲存格為參數值的來源」之選項，輸入我們所選定儲存格的位置（或按下選項右側的紅色按鈕，直接用滑鼠選取），並❹勾選「當儲存格值變更時自動更新」，按❺「確定」按鈕，關閉參數及連線內容小視窗；再回到活頁簿連線的小視窗，點選關閉按鈕，就完成了儲存格參數設定。

往後，只要改變儲存格「B1」的值，就會自動更新。例如輸入大立光的股票代號「3008」，就會下載大立光的資料，是不是相當方便呢！

4-3
自製股價還原圖 正確評估長期投資績效

當我們買進穩定獲利的公司，通常可以領到公司配發的股利。如果買的是配息式基金，也會定期領到基金的配息。

以股票而言，在配發股利當天，股價會「除息」或「除權」，除息是指前一交易日的收盤價減去每股配息金額，當作當天開盤的參考價；「除權」則是前一交易日收盤價，除以「1 ＋無償配股率」，當作當天開盤參考價。這樣對於除權息當天買進（不會領到股利），與前一交易日買進（會領到股利）的投資人才公平。

例如台積電（2330）在 2015 年每股配息 4.5 元，除息日 2015 年 6 月 29 日（星期一），前一交易日為 6 月 26 日，收盤價 146 元。所以在除息日當天的開盤參考價就是 146 元－ 4.5 元＝ 141.5 元。

鴻海（2317）在 2015 年配息又配股，每股配息 3.8 元、配股 0.5 元，除權息交易日為 9 月 3 日，前一交易日 9 月 2 日的收盤價為 90.6 元。其中，股利 0.5 元，每股面額 10 元，無償配股率即為 5%（每股股票股利 0.5 元／每股面額 10 元），因此，9 月 3 日的開盤參考價為（90.6 元－ 3.8 元）／（1 ＋ 5%）＝ 82.7 元（計算結果應為 82.666 元，但因台股 50 ～ 100 元股價的升降單位為 0.1 元，因此以 82.7 元計）。

評估績效，應計算含權息總報酬

投資績效是講求總報酬，投資期間所領到的股利，也要算進獲利金額當中。但是因為當前股價都是除權息後的股價，也就是不含配股配息的部分，如果只用當前股價來評估長期的投資績效，不太合理。

就以鴻海的例子來說，2015 年 9 月 2 日以收盤價 90.6 元買入 1 張股票，投資金額 9 萬 600 元（暫不考慮手續費），隔一日若以開盤參考價 82.7 元賣出，看起來好似虧損，投資報酬率為 -8.7%（賣出價 82.7 元／買進價 90.6 元－ 1）。

可是，因為有配股配息，投資者的口袋多了每股 3.8 元的配息（共 3,800 元），股數也增加了 5%（50 股），所以這張股票對於投資者的價值約為 9 萬 635 元，跟買進時的花費是一樣的。

◎除權息前一日買進 1 張股票：
股票價值＝買進價 90.6 元 ×1,000 股＝ 9 萬 600 元

◎除權息當日賣出 1 張股票：

股票價值＝賣出價 82.7 元 ×1,050 股＋（配息 3.8 元 ×1,000 股）＝9 萬 635 元

差了 35 元，那是因為股價升降單位為 0.1 元所造成的誤差，如果以精確一點的參考價 82.666 元計算，計算結果則更接近 9 萬 600 元。

另外，實務上配股配息的發放日並非與除權息日同一天，領到股票股利時，股價一定會有變化；但此例主要說明除權息前後，一張股票對於投資人的價值是相同的，因此暫不考慮實際股價變化的情況。

查看長期投資績效，需用還原股價計算

所以，計算長期持有股票的績效時，就不應該只看每天的收盤價，而是要看「還原股價」（亦即今天的開盤參考價），才有意義。例如，A 股價昨天收盤價 60 元，今天除息 4 元且收盤價仍為 60 元，若只比較這兩天的收盤價，今天的報酬率是 0；但若把配息還原回去，將昨天的收盤價調整為還原股價（今天的開盤參考價）56 元，那麼報酬率就變成 7%。還原股價的計算方法如下：

P_1 ＝除權息日當天的收盤價

P_0 ＝前一日收盤價

d ＝配息

k ＝ 1 ＋無償配股率＝ 1 ＋股票股利 /10

	只有除息	只有除權	除權又除息
除權息前一日收盤價的還原股價	前一日收盤價－配息	前一日收盤價 /（1＋股票股利/10）	前一日收盤價－配息 /（1＋股票股利/10）
以代號表示	$P_0 \times (1-d/P_0)$ $(1-d/P_0)$：除息乘數	$P_0 \times 1/k$ $1/k$：除權乘數	$(P_0-d)/k = P_0 \times (1-d/P_0) \times 1/k$ $(1-d/P_0) \times 1/k$：調整乘數

如果要用 Excel 一次計算出多年的股價與還原股價，可以用比較簡便的「調整乘數」：

調整乘數 X ＝ $(1-d/P_0) \times 1/k$

$(1-d/P_0)$：除息乘數　$1/k$：除權乘數

我們只要將前一日收盤價乘以「調整乘數」，就能算出前一日收盤價的還原股價：

前一日收盤價的還原股價＝前一日收盤價 $P_0 \times$ 調整乘數 X

用調整乘數的觀念來看鴻海的例子，2015 年 9 月 3 日收盤價為 83.9 元，2015 年 9 月 2 日收盤價為 90.6 元，除權息日為 2015 年 9 月 3 日，考慮配權息的影響，2015 年 9 月 2 日的還原股價，計算如下：

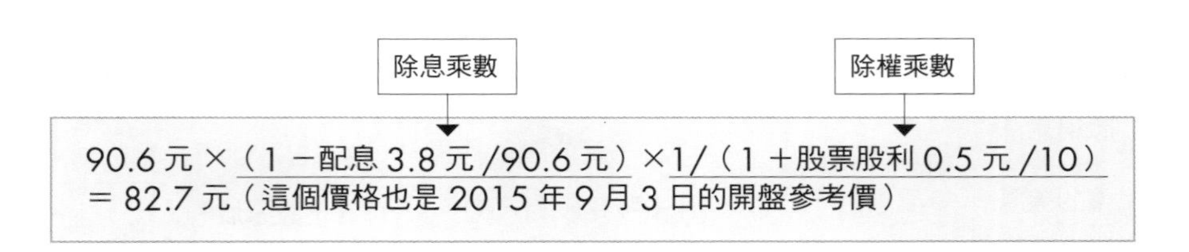

下一章會介紹如何到美國 Yahoo! 網站下載歷史股價（詳見 4-4），當中有一個「Adj Close」欄位，就是除權息調整後的收盤價，也是用同樣的方法計算出來的。

範例》自製還原股價圖表

以下就來練習，利用 Excel 試算表，算出股票或基金淨值還原權息後的表現。方法是先下載歷史收盤價或基金淨值的資料，以及這段期間的除權息紀錄。再利用公式算出還原股價或基金淨值，並以指數呈現還原價與股價，最後將指數製成曲線圖，就能清楚看出這檔股票或基金的總報酬表現，以鴻海 2010 年 10 月 14 日至 2015 年 11 月 13 日這 5 年的股價為例（如下圖）：

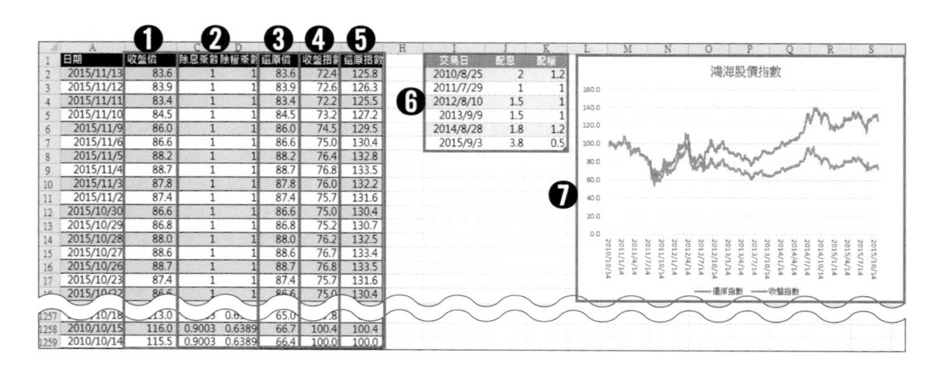

	日期	❶ 收盤價	❷ 除息乘數	除權乘數	❸ 還原價	❹ 收盤指數	❺ 還原指數
2	2015/11/13	83.6	1	1	83.6	72.4	125.8
3	2015/11/12	83.9	1	1	83.9	72.6	126.3
4	2015/11/11	83.4	1	1	83.4	72.2	125.5
5	2015/11/10	84.5	1	1	84.5	73.2	127.2
6	2015/11/9	86.0	1	1	86.0	74.5	129.5
7	2015/11/6	86.6	1	1	86.6	75.0	130.4
8	2015/11/5	88.2	1	1	88.2	76.4	132.8
9	2015/11/4	88.7	1	1	88.7	76.8	133.5
10	2015/11/3	87.8	1	1	87.8	76.0	132.2
11	2015/11/2	87.4	1	1	87.4	75.7	131.6
12	2015/10/30	86.6	1	1	86.6	75.0	130.4
13	2015/10/29	86.8	1	1	86.8	75.2	130.7
14	2015/10/28	88.0	1	1	88.0	76.2	132.5
15	2015/10/27	88.6	1	1	88.6	76.7	133.4
16	2015/10/26	88.7	1	1	88.7	76.8	133.5
17	2015/10/23	87.4	1	1	87.4	75.7	131.6
18	2015/10/22	86.6	1	1	86.6	75.0	130.4
1257	[illegible]/10/18	[illegible]	[illegible]	[illegible]	65.0	[illegible]	[illegible]
1258	2010/10/15	116.0	0.9003	0.6389	66.7	100.4	100.4
1259	2010/10/14	115.5	0.9003	0.6389	66.4	100.0	100.0

❻

交易日	配息	配權
2010/8/25	2	1.2
2011/7/29	1	1
2012/8/10	1.5	1
2013/9/9	1.5	1
2014/8/28	1.8	1.2
2015/9/3	3.8	0.5

❶收盤價：下載歷史股價表。

❷除息乘數與除權乘數：利用股利紀錄表算出除息乘數與除權乘數。

❸還原價：利用除息乘數與除權乘數，計算出還原股價。

❹收盤指數：以指數表示股價。

❺還原指數：以指數表示還原股價。

❻除權息表：找出期間內配發股利的除權息紀錄，以計算出除息乘數、除權乘數、還原股價。

❼收盤指數（橘線）與還原指數（藍線）走勢圖：還原指數若高於收盤指數，代表這檔股票含權息的總報酬，優於股價表現。

實作練習

首先下載歷史股價。❶到鉅亨網（鴻海歷史股價網頁：http://www.cnyes.com/twstock/ps_historyprice/2317.htm），下載鴻海 2010 年 10 月 14 日至 2015 年 11 月 13 日的收盤價資料（下載歷史股價方法詳見 4-4），整理如下表格，最近日期排最上面，以新到舊依序遞減。❷將最近一個日期的除息乘數「C2」與除權乘數「D2」，分別填入「1」。

	A	B	C	D	E	F	G
1	日期	收盤價	除息乘數	除權乘數	還原價	收盤指數	還原指數
2	2015/11/13	83.6	1	1			
3	2015/11/12	83.9					
4	2015/11/11	83.4					
5	2015/11/10	84.5					
6	2015/11/9	86.0					
7	2015/11/6	86.6					
8	2015/11/5	88.2					
9	2015/11/4	88.7					
10	2015/11/3	87.8					
11	2015/11/2	87.4					
12	2015/10/30	86.6					

STEP 2

接著，我們要建立除權息表。至鉅亨網查詢配息資訊（http://www.cnyes.com/twstock/dividend/2317.htm），在同一張工作表的儲存格「I1：K7」建立一張表格，命名為「鴻海除權息表」。

	I	J	K
1	交易日	配息	配權
2	2010/8/25	2	1.2
3	2011/7/29	1	1
4	2012/8/10	1.5	1
5	2013/9/9	1.5	1
6	2014/8/28	1.8	1.2
7	2015/9/3	3.8	0.5

STEP 3

在❶儲存格「C3」鍵入除息乘數公式（原理詳見第220頁公式說明1）：「=C2*（1－IFERROR（VLOOKUP（A2,**鴻海除權息表**,2,FALSE）,0）/[@**收盤價**]）」。

❷將儲存格「C3」公式複製至「C4：C1259」。

	A	B	C	D	E	F
1	日期	收盤價	除息乘數	除權乘數	還原價	收盤指數
2	2015/11/13	83.6	1	1		
3	2015/11/12	83.9	1 ❶			
4	2015/11/11	83.4	1			
5	2015/11/10	84.5	1			
6	2015/11/9	86.0	1 ❷			
7	2015/11/6	86.6	1			
8	2015/11/5	88.2	1			

在❶儲存格「D3」鍵入除權乘數公式（原理詳見第221頁公式說明2）：「=D2*（1/（1+IFERROR（VLOOKUP（A2,**鴻海除權息表**,3,FALSE），0）/10））」。

❷將儲存格「D3」公式複製至「D4：D1259」。

	A	B	C	D	E	F
1	日期	收盤價	除息乘數	除權乘數	還原價	收盤指數
2	2015/11/13	83.6	1	1		
3	2015/11/12	83.9	1	1 ❶		
4	2015/11/11	83.4	1	1		
5	2015/11/10	84.5	1	1		
6	2015/11/9	86.0	1	1 ❷		
7	2015/11/6	86.6	1	1		
8	2015/11/5	88.2	1	1		

接下來計算還原股價。❶在儲存格「E2」鍵入公式：「＝ **[@ 收盤價]*[@ 除息乘數]*[@ 除權乘數]**」，並❷將儲存格「E2」公式複製至「E3：E1259」。

為了利於比較，將 B 欄的收盤價指數化，填入 F 欄。在❸儲存格「F1259」填入「100」，以資料起始日 2010 年 10 月 14 日收盤價為 100，當作指數起始值。❹儲存格「F1258」鍵入公式：「**＝ F1259*[@ 收盤價]/B1259**」，將收盤價指數化。❺將儲存格「F1258」公式複製至「F2：E1257」。

同樣的，也將 E 欄的還原價指數化，填入 G 欄。在❻儲存格「G1259」填入「100」，以資料起始日 2010 年 10 月 14 日還原價為 100，當作指數起始值。❼儲存格「G1258」鍵入公式「**＝ G1259*[@ 還原價]/E1259**」，將還原價指數化。❽將儲存格「G1258」公式複製至「G2：G1257」。

公式：「＝[@收盤價]*[@除息乘數]*[@除權乘數]」
向下複製儲存格

E2 =[@收盤價]*[@除息乘數]*[@除權乘數]

	A	B	C	D	E	F	G
1	日期	收盤價	除息乘數	除權乘數	還原價	收盤指數	還原指數
2	2015/11/13	83.6	1	❶	83.6	72.4	125.8
3	2015/11/12	83.9	1	1	83.9	72.6	126.3
4	2015/11/11	83.4	1	1	83.4	72.2	125.5
5	2015/11/10	84.5	1	1	84.5	73.2	127.2
6	2015/11/9	86.0	1	1	86.0	74.5	129.5
7	2015/11/6	86.6	1	1	86.6	❺ 75.0	❽ 130.4
1254	2010/10/21	113.0	0.9003	0.63❷	65.0	97.8	97.8
1255	2010/10/20	114.0	0.9003	0.6389	65.6	98.7	98.7
1256	2010/10/19	112.0	0.9003	0.6389	64.4	97.0	97.0
1257	2010/10/18	113.0	0.9003	0.6389	65.0	97.8	97.8
1258	2010/10/15	116.0	0.9003	0.6389	66.7	❹ 100.4	❼ 100.4
1259	2010/10/14	115.5	0.9003	0.6389	66.4	❸ 100.0	❻ 100.0

公式：「＝F1259*[@收盤價]/B1259」
向上複製儲存格

公式：「＝G1259*[@還原價]/E1259」
向上複製儲存格

將收盤價與還原價指數化，利於比較兩者表現

算出了還原價，就能算出含權息的實際報酬，例如鴻海的收盤價，在 2010 年 10 月 14 日為每股 115.5 元，到了 2015 年 11 月 13 日每股為 83.6 元，看起來好似虧損了 27.6%。若用還原價觀點來看就不一樣了，2010 年 10 月 14 日還原成每股 66.4 元，到了 2015 年 11 月 13 日每股為 83.6 元，累積投資報酬率變成獲利 25.8%，立刻從醜小鴨變天鵝。

如果想將股價和還原價做成曲線圖來比較，會發現一個問題——期初（2010 年 10 月 14 日）的收盤價為 115.5 元，期末收盤價為 83.6 元；然而同樣的時間點，期初還原價為 66.4 元，期末還原價 83.6 元，兩種價格起始金額不一樣，不容易看出兩者之差異。

如果讓收盤價及還原價都從 100 元開始，然後用前一交易日的收盤價比率計算出「收盤指數」，用還原價比率計算出「還原指數」，也就是將兩種價格指數化，就容易比較兩者之不同。

圖1 算出含權息總報酬，才能看出長期投資績效

鴻海（2317）收盤指數、還原指數

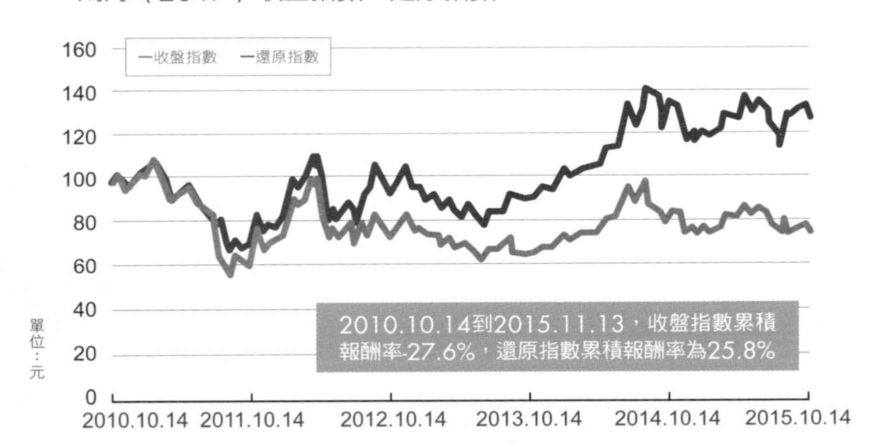

大立光（3008）收盤指數、還原指數

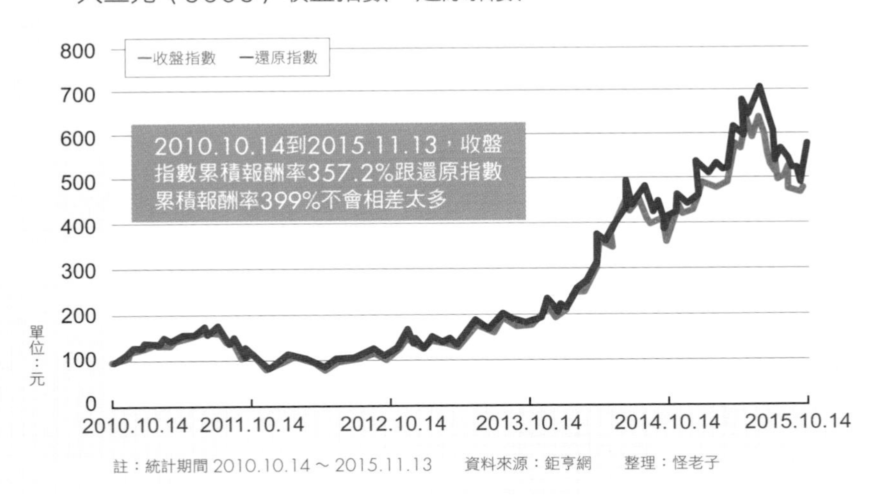

註：統計期間 2010.10.14～2015.11.13　資料來源：鉅亨網　整理：怪老子

「除息乘數」與「除權乘數」公式説明

公式說明 1：除息乘數

實作練習當中，儲存格「C3」公式為：

＝C2*（1－IFERROR（VLOOKUP（A2, 鴻海除權息表 ,2,FALSE）,0）/[@ 收盤價]）

「C3」公式也可以看待為
＝前一交易日除息乘數 *（1－配息／當日收盤價）

其中「C2」是前一交易日（上一列）的除息乘數，「1－配息／當日收盤價」是除息乘數公式。整個公式意思是，若前一交易日不是除息日，或者沒有配息，那麼這一列儲存格的除息乘數就會直接沿用前一交易日的除息乘數。

如果前一交易日是除息日，就會傳回每股配息值，並用以計算當日（這一列）的除息乘數，也就是將上一列除息乘數乘以「1－配息／當日收盤價」。

為了要知道前一日配息數值是多少，「C3」公式當中的「配息」會到已定義的「鴻海除權息表」搜尋，共使用以下 2 層函數：

◎內層公式（紅色框標示部分）
VLOOKUP（A2, 鴻海除權息表 ,2,FALSE）
用上一列的 A 欄日期當參數，至「鴻海除權息表」查詢，若找得到相對應的日期，則回傳該交易日的配息金額（位於鴻海除權息表第 2 欄），若找不到則回傳錯誤訊息「#NA」。

◎外層公式（藍色框標示部分）
IFERROR（VLOOKUP（A2, 鴻海除權息表 ,2,FALSE）,0）
IFERROR 函數有 2 個參數，第 1 個參數就是上述內層公式 VLOOKUP（A2, 鴻海除權息表 ,2,FALSE），第 2 個參數是當參數 1 公式回傳錯誤訊息時，以「0」代替錯誤訊息。但若回傳的不是錯誤訊息，就傳回內層公式所找到的配息值。

IFERROR函數判斷條件	VLOOKUP（A2,鴻海除權息表,2,FALSE）=#NA	VLOOKUP（A2,鴻海除權息表,2,FALSE）=配息值
回傳數值	↓ 0	↓ 配息值

簡單說，「C3」除息乘數公式中所參照的「C2」儲存格，就是上一列的除息乘數；其中的「IFERROR（VLOOKUP（A2,鴻海除權息表,2,FALSE）,0）」是判斷上一列的日期有沒有配息，如果沒有配息則回傳「0」，「C3」除息乘數就會等於「C2」除息乘數。如果有配息，就回傳查詢到的配息金額，並將「C2」除息乘數乘上這次的除息乘數「（1－配息/[@收盤價]）」。

公式說明 2：除權乘數

除權乘數跟除息乘數非常類似，唯一差別是找到配權時，將上一列的除權乘數再除上「1＋無償配股率」，也就是（1＋股票股利/10）。

4-4

善用2大財經資訊網 取得完整歷史股價

下載全球的股價歷史資料，最方便的是美國雅虎財經網站（Yahoo! Finance），以及鉅亨網網站。美國雅虎可以將所要的股價用 CSV 檔輸出，下載到電腦後，我們就可以直接使用 Excel 讀取。鉅亨網則是輸入股票代號、起始、結束日期，網頁就會顯示歷史股價，只是需要手動將網頁的資料複製到 Excel。

1.美國雅虎財經網站

先利用 Google 搜尋引擎（www.google.com.tw），輸入關鍵字「yahoo finance us」搜尋，立刻可以找到該網頁（finance.yahoo.com）。進入網站後，只要在上方的輸入欄位輸入股票代號，再點選「Search Finance」按鍵即可。

美國股票代號都是英文字組成的，例如 MSFT（美國微軟公司）、AAPL（蘋果公司）、COKE（可口可樂公司）等。若要查詢台灣股票，則是台股代號後方加上「.TW」，例如「2330.TW」（台積電）、3008.TW（大立光）等。

例如要找中華電（2412）的歷史股價，就輸入「2412.TW」，然後點選旁邊的「Search Finance」按鈕，就會進入中華電的股價資訊頁面。要確定資料是否正確，可以查看股票代號前的英文名稱，是否為中華電信公司的英文，例如中華電信會顯示「Chunghwa Telecom Co., Ltd.（2412.TW）」（詳見圖 1）。確認無誤後，點選左邊選單的「Historical Prices」（歷史股價），就會出現歷史成交資訊。

圖1 到美國雅虎財經網站查台股，要輸入「股號.TW」
——以查詢中華電（2412）為例

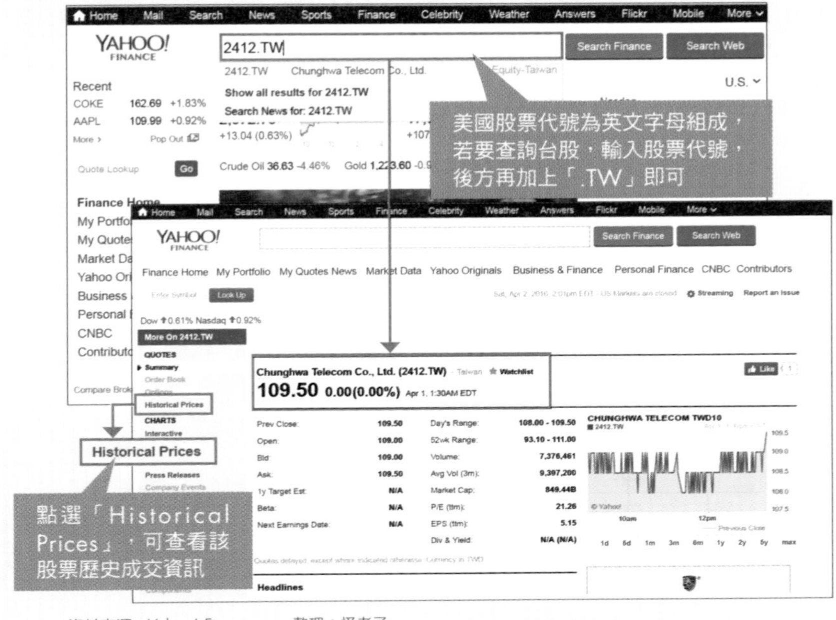

資料來源：Yahoo! Finance　　整理：怪老子

圖2 美國雅虎財經網站供查詢、下載歷史成交資訊
——以下載中華電（2412）歷史股價為例

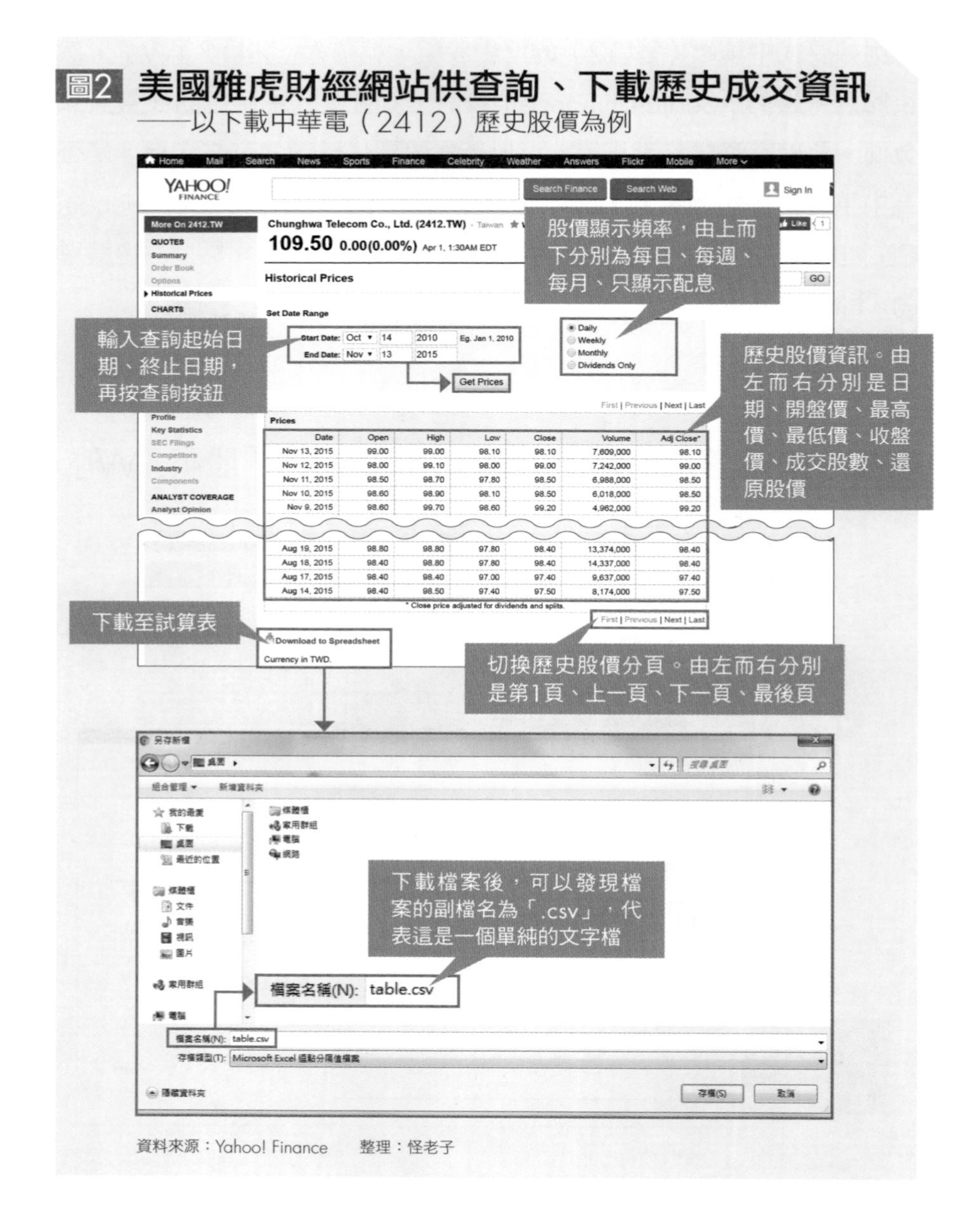

Date	Open	High	Low	Close	Volume	Adj Close*
Nov 13, 2015	99.00	99.00	98.10	98.10	7,609,000	98.10
Nov 12, 2015	98.00	99.10	98.00	99.00	7,242,000	99.00
Nov 11, 2015	98.50	98.70	97.80	98.50	6,988,000	98.50
Nov 10, 2015	98.60	98.90	98.10	98.50	6,018,000	98.50
Nov 9, 2015	98.60	99.70	98.60	99.20	4,962,000	99.20
Aug 19, 2015	98.80	98.80	97.80	98.40	13,374,000	98.40
Aug 18, 2015	98.40	98.80	97.80	98.40	14,337,000	98.40
Aug 17, 2015	98.40	98.40	97.00	97.40	9,637,000	97.40
Aug 14, 2015	98.40	98.50	97.40	97.50	8,174,000	97.50

資料來源：Yahoo! Finance　　整理：怪老子

在歷史股價網頁（詳見圖 2），選擇所需要的日期範圍（Start Date, End Date），以及股價顯示頻率——每日一筆（Daily）、每週一筆（Weekly）、每月一筆（Monthly）或只有配息（Dividends Only）。選好之後再點選「Get Prices」按鈕，就會按我們指定的範圍列出歷史交易資料。

資料的筆數若超過一頁，在最下方有「第 1 頁」（First）、「上一頁」（Previous）、「下一頁」（Next）及「最後頁」（Last）可以調整要

圖3 從網站下載後，以文字編輯器讀取csv檔案

——以文字編輯器Notepad++為例

D:\temp\Excel\table.csv - Notepad++

檔案(F) 編輯(E) 尋找(S) 檢視(V) 編碼(N) 程式語言(L) 自訂(T) 巨集 執行 外掛模組(P) 視窗(W) ?

table.csv

```
1  Date,Open,High,Low,Close,Volume,Adj Close
2  2015-11-10,98.60,99.10,97.80,99.00,6749300,99.00
3  2015-11-02,99.60,101.00,98.80,99.00,7398400,99.00
4  2015-10-26,100.50,101.00,99.70,99.70,9410000,99.70
5  2015-10-19,99.30,100.50,98.90,100.00,11187800,100.00
6  2015-10-12,98.10,99.80,98.10,98.70,11315800,98.70
7  2015-10-05,99.00,99.00,97.70,98.50,7292400,98.50
8  2015-09-28,98.00,99.00,98.00,99.00,7705800,99.00
9  2015-09-21,98.30,98.30,97.00,98.00,8021200,98.00
10 2015-09-14,98.10,98.60,96.90,98.50,11876800,98.50
11 2015-09-07,97.50,98.00,96.00,98.0
12 2015-08-31,96.10,98.80,96.00,97.5
13 2015-08-24,96.90,96.90,93.10,96.1
14 2015-08-17,98.40,98.80,96.90,97.5
15 2015-08-10,98.50,99.60,97.40,97.5
16 2015-08-03,97.90,99.70,97.00,98.00,15298600,98.00
17 2015-07-27,95.40,98.00,95.20,98.00,10125200,98.00
18 2015-07-20,95.40,95.50,94.70,95.50,6763400,95.50
19 2015-07-13,98.00,98.60,94.10,95.10,10671800,95.10
20 2015-07-06,98.30,98.70,97.20,97.70,5498600,92.8683
```

以文字編輯器（本圖以Notepad++為例）讀取csv檔案，可看到網頁上的表格內容，是以半形逗號分隔

整理：怪老子

看的頁面。

網頁左下方則有「下載至試算表」（Download to Spreadsheet）連結，可以讓我們下載這些歷史股價資訊。點選之後，會出現另存新檔的小視窗，選擇所要存檔的位置，按存檔按鈕即完成。

可以看到，檔案的副檔名為「.csv」，代表這是一個單純的文字檔，每個儲存格的數值都以逗號分隔。因為是文字檔，就可以用文字編輯器來修改，例如記事本、微軟的筆記本（Notepad）或 Notepad++（詳

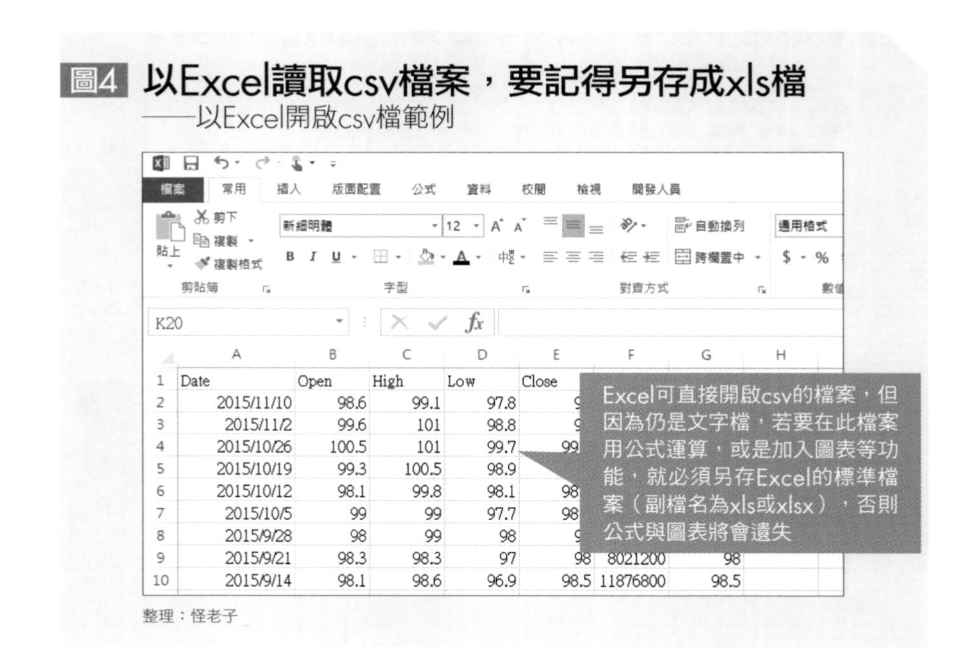

圖4 以Excel讀取csv檔案，要記得另存成xls檔
——以Excel開啟csv檔範例

整理：怪老子

見圖 4）等。

雖然是文字檔，但也可以利用Excel直接讀入使用（詳見圖5）；只是，若要在這個檔案加入公式運算，最後儲存時，必須另存成 Excel 的標準檔案。

2.鉅亨網

鉅亨網也有提供歷史股價查詢。以台積電（2330）為例，進入「鉅

圖5 以鉅亨網查詢歷史股價，可選取整張表格複製
——以台積電（2330）歷史股價為例

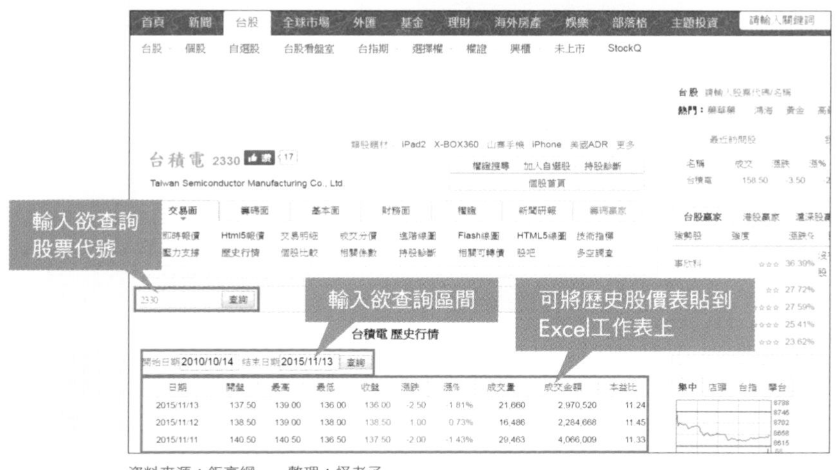

資料來源：鉅亨網　　整理：怪老子

亨網台股」首頁（www.cnyes.com/twstock），於查詢欄位輸入股票名稱，找到台積電個股頁面。再於選單點選「交易面」→「歷史行情」，就能進到歷史股價頁面（鉅亨網台積電歷史股價網址為：http://www.cnyes.com/twstock/ps_historyprice/2330.htm）。

台積電的歷史股價網頁如圖 5，可按需求選擇查詢區間。查看一下網址，最後字串格式為「股票代號 .htm」，「2330.htm」代表台積電的歷史股價；如果要看其他股票，只要將網址中的「2330」，或是直接在查詢欄位，改為你要查詢的股票代號即可。

鉅亨網歷史股價的查詢結果都會顯示在同一頁，只要選取整張表格，按 Ctrl ＋ C 鍵複製（或按滑鼠右鍵選複製），再貼到 Excel 工作表即可。

投資理財篇

聰明滾利 躋身富人行列

5

5-1

投資就是
用現在的錢買未來的錢

在低利時代，愈來愈多人想要靠「投資」戰勝通膨、變成有錢人，但是股票、基金都買了，為什麼財富還是沒有明顯地增長？為什麼別人能賺錢，自己卻賠錢？

自從退休後進入教學生涯以來，我接觸過許多投資人，我發現，很多人連「投資」真正的意義都沒有弄清楚，很容易盲目投資，做了錯誤的決策，導致財富很難有效累積。所以我希望，大家可以把投資及理財相關觀念好好搞懂。

到底什麼是「投資」？其實就是「用現在的錢，去買未來的錢」，你或許覺得奇怪，為何錢可以用買的？我舉一個簡單的例子就很清楚了，例如大賣場販賣一袋 100 元的葡萄，消費者拿出 100 元，就能買到價值 100 元的一袋葡萄。

購買的本質就是價值的交換，只不過是用金錢換取等值的物品。買賣本身就具有等值的意義，消費者願意用 100 元交換這一袋葡萄，就是認為這一袋葡萄價值 100 元。

錢放定存，等同借錢給銀行

我們把場景換成銀行，當我們帶著 1 萬元到銀行，辦理年利率 1.5% 的定期存款時，也是拿 1 萬元出來，跟銀行買到（交換）一張定存單。這定存單就是銀行的借據，意義是 1 年以後會還 1 萬 150 元。這也等同於我們現在用 1 萬元，向銀行購買 1 年後的 1 萬 150 元。

看到我們願意拿出 1 萬元，向銀行購買 1 年以後的 1 萬 150 元，這時有一位愣小子也說，他要賣出 1 年後的 1 萬 150 元，價格是 1 萬元，你想會有人買嗎？賣給你未來的錢，等同於向你借錢的意思，賣錢的就是借錢的人（債務人），買錢的人就是出借者（債權人）。所以，錢放定存，等於借錢給銀行；買這愣小子未來的錢，就是先把錢借給他。

這位愣小子的 1 萬 150 元賣得掉嗎？若是賣 1 萬元肯定沒人買囉，但若是賣便宜一些，當然就賣得掉了。沒有賣不掉的東西，只有賣不出去的價格。要是只賣 5,000 元，也許我會考慮去買，因為當他還我 1 萬 150 元時，我的投資報酬率就有 103%。

同樣是 1 年後的 1 萬 150 元，為何我願意用 1 萬元向銀行買，卻只願意用 5,000 元向愣小子買？兩者差別就是信用風險，銀行的規模及信用幾乎是不會有問題，我幾乎不用擔心銀行不還錢給我；但如果把錢借給那位愣小子，我就不敢保證，那位愣小子是不是真的會還錢。所以，未來的錢值多少，跟風險大小也有直接的關係。

買儲蓄險保單，等同用保費買未來的保額

再舉一個例子，很多人會買儲蓄險當作存錢，而保險公司賣的 6 年期儲蓄險，也等同於保險公司在賣未來的錢。

如果有一張保單，躉繳（一次繳清）保費 89 萬元，保險金額為 100 萬元，這代表保戶願意用現在的 89 萬元，去購買保險公司 6 年後的 100 萬元（詳見圖 1）。這樣的買賣划算嗎？投資報酬率有多少？就是身為投資者應該關心的事。

以這張儲蓄險保單為例，購買這張保單，等待 6 年，累積報酬率就是 12.36%（算法：本利和 100 萬元／成本 89 萬元－ 1 ＝ 12.36%）。

如果想跟銀行定存利率比較哪個報酬率高，就要看「年報酬率」了，像是銀行牌告的定存利率就是年報酬率。所以我們得先算出這張保單的年化報酬率，才能互相比較；只要用 Excel 的 RRI 函數（詳見 3-7），就可以輕鬆得知：

＝ RRI（期數 , 期初金額 , 期末金額）

＝ RRI（6,89,100）（詳見註 1）

＝ 1.96%

註 1：RRI 函數的期初及期末金額不用考慮現金流量方向，所以期初金額用正 89 代入。

圖1 躉繳89萬元，購買6年後的100萬元
——6年期儲蓄險的現金流量圖範例

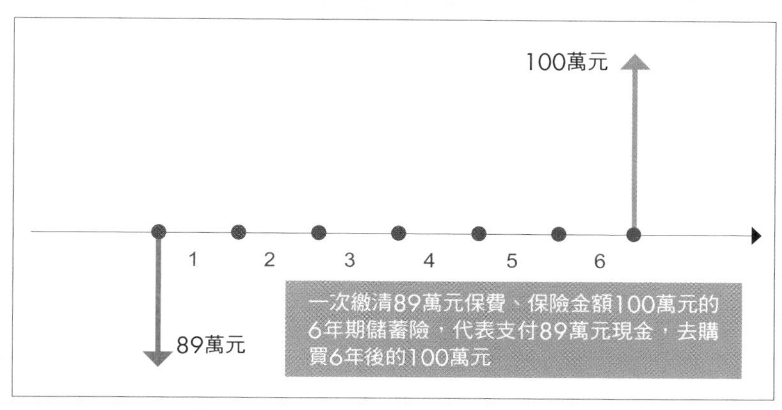

整理：怪老子

我們可以來驗證一下，假設拿 89 萬元到銀行存 1 年定存，年利率固定是 1.96%，到期本利續存，連續 6 年後，一樣能拿回 100 萬元。算法如下：

＝ 89*（1 ＋ 1.96%）^6 ＝ 100

實務上，儲蓄險的年化報酬率，往往只會比同時期的銀行定存利率好一點點，甚至有比銀行更低的。而且若在期限內提前解約，會有本金的損失。當然，儲蓄險不能單獨用報酬率來衡量，有些人是看重它的保障功能，只是通常這類保單的保障效用不大而已。

5-2

用未來值回推現值 評估投資、貸款是否划算

既然投資是買未來的錢（未來值），就要知道，未來的錢現在價值（現值）多少？

以保額 100 萬元的 6 年期儲蓄險保單為例，現在該用多少錢，買這筆 6 年後的 100 萬元呢？我們可以透過「現值」（PV）和「未來值」（FV）的關係來找答案；簡單說，現值經過一段時間的複利投資，就會變成未來值，公式如下：

$$\text{現值（PV）} \times (1+\text{投資報酬率})^{\text{期數}} = \text{未來值（FV）}$$

$$\text{現值（PV）} = \frac{\text{未來值（FV）}}{(1+\text{投資報酬率})^{\text{期數}}}$$

儲蓄險》算清楚花多少錢買才合理

已經知道未來值是 100 萬元，1 年為 1 期，共有 6 期，那麼只要設定好「投資報酬率」，就知道現在該用多少錢，去買 6 年後的這筆 100 萬元。

投資報酬率要怎麼設定才合理？一般就是投資者要求的報酬率或者市場報酬率，而不論是哪一種投資報酬率，都是由「無風險報酬率」加上「風險溢酬」。

「無風險報酬率」簡單說可以用銀行定存利率為標準，也就是你選的投資工具，至少要跟銀行定存利率相當才行。「風險溢酬」則是你選擇這項投資工具時，若承擔的風險愈高，報酬率也要愈高。

以儲蓄險而言，保險公司的信用程度跟銀行差不多，但是儲蓄險必須6年後才拿得回來，若是6年內解約則會損失本金，所以儲蓄險的報酬率應該要比銀行定存稍高，但不會高出太多。

假若銀行定存利率是1.6%，而儲蓄險的年化報酬率1.96%，風險溢酬就是0.36%。6年後的100萬元，現值計算如下：

$$\text{現值（PV）}=\frac{\text{未來值（FV）}}{(1+\text{投資報酬率})^{\text{期數}}}=\frac{100\text{萬元}}{(1+1.96\%)^{6}}$$

Excel公式寫法：
＝1000000/（1＋1.96%）^6＝890000

可以知道，6年後的100萬元，在1.96%的年化報酬率條件之下，現在的價值就是89萬元。也可以這麼說，目前拿89萬元存定存，若銀行給的年利率是1.96%，那麼6年後也可以拿回本利和100萬元。

另外，運用 Excel 的函數功能，按以下方式輸入，可快速得到結果：

```
＝PV（1.96%,6,0,1000000）
＝-890,064
```

債券》如同購買未來的配息和本金

投資債券也是用錢買錢的一種。一般投資人鮮少直接買債券，多是投資債券型基金，不過債券型基金的投資標的就是債券，所以我們也應該了解，買債券能夠賺到什麼錢？

持有債券等於是借錢給發行債券的機構，可能是一般企業或政府，而債券就是債權憑證。若是 10 年期債券，代表未來 10 年期間，債券發行單位得定期支付利息，並在 10 年到期時償還本金；換句話說，買債券就是買到債券未來的配息及本金。

債券在發行時，都會載明發行機構、面額、票面利率（發行機構支付利息的年利率）、到期日、付息日、以及還款方式，這些條件從發行日至到期日，都不會改變。

例如有一張中央政府發行的公債，面額 100 元（詳見註 1），票面利率 3%，1 年付息 1 次，發行日是民國 2004 年 2 月 10 日，到期日為民國 2024 年 2 月 10 日。就代表你在發行時買了這張債券，未來

20 年每 100 元面額，每年均可領到 3 元利息（100 元 ×3%），且 20 年後可領回本金 100 元。

債券發行後的交易價格，隨利率而變動

債券發行之後，如果持有者想要脫手，也可以在市場上賣出，就跟股票一樣可以自由買賣。不過債券的市場交易價格，不會以面額買賣，而是會跟著市場的利率而變動。

假若在 2015 年 2 月 11 日，你想買這張債券，花多少錢值得買呢？這時就要好好算一下，買進這檔債券至到期日，共可領回多少利息和本金？

從圖 1 可以清楚看到，2015 年 2 月 11 日買進後，往後 9 年的 2 月 10 日都可以領到利息 3 元，到期日可以領回本金 100 元，也就是未來 9 年總共可領到本息共 127 元。

多少錢值得買這張債券未來 9 年的 127 元？關鍵一樣是投資者希望獲得的報酬率，也就是債券持有至期滿的年化報酬率，又稱「殖利率」，評估方式就是「無風險報酬率」＋「風險溢酬」。

註 1：債券買賣金額都非常大，例如新台幣 100 萬元或 1,000 萬元。而實務上，在市場報價時則以每 100 元面額來報價（百元價），例如購買發行面額 100 萬元的債券，報價 105 元，代表每 100 元面額要用 105 元交易， 因此這張債券的實際交割價格會是 105 萬元。

圖1 購買一檔債券，等於買進一筆固定現金流
——債券現金流量圖範例

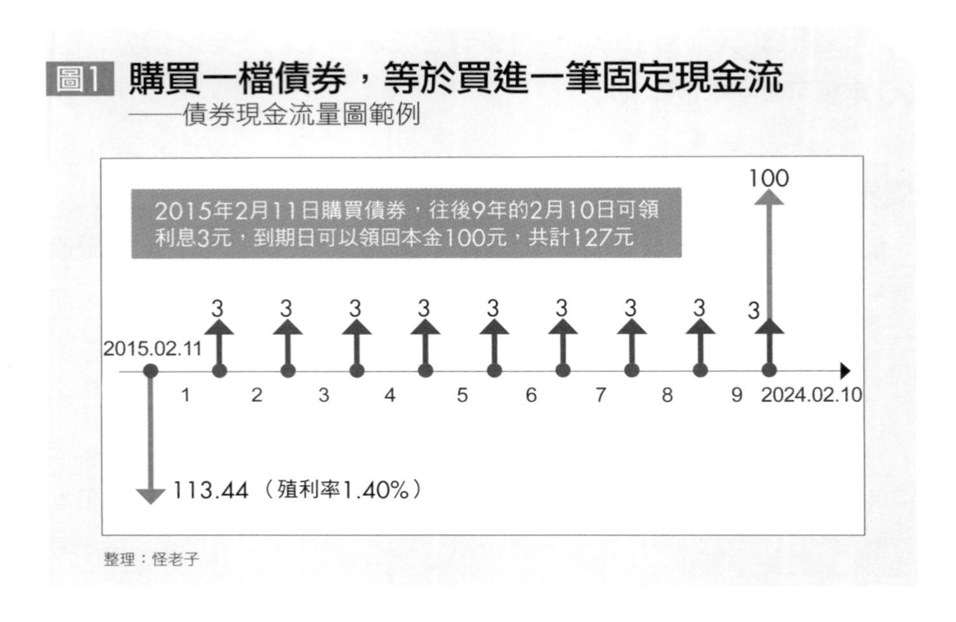

整理：怪老子

由於發行機構是中央政府，債信一定比銀行還要好，投資者不需要負擔更高的風險，「風險溢酬」可以為 0；所以這檔債券的投資報酬率只要跟無風險報酬率相同就好。

假設無風險報酬率——銀行定存利率為 1.4%，就可以套用 Excel 的現值函數，算出這檔債券在 2015 年 2 月 11 日的現值為 113.44 元：

＝PV（1.4%,9,3,100）＝-113.44

簡單說，如果目前以 113.44 元的價格，去交換這檔債券未來 9 年

的本息共 127 元，報酬率與 113.44 元投資 1.4% 利率的銀行定存是一樣的。

從以上儲蓄險和債券的例子可以了解到，一項投資商品現在值得用多少錢投入，取決於未來可獲得現金流量的現值。相同道理也能運用在股票，現在該用多少錢買一檔股票，就要算出未來這檔股票現金流量的現值。

股票》從未來預估股息推算適合買進價位

投資股票可以獲得的現金流量，就是每年配發的股息。要知道，股票及債券都是企業長期資金的來源，股票持有者就是公司的股東，債券持有者則是借錢給企業的債主。企業不管有無盈餘，都得固定支付利息給債券持有者；若有盈餘，扣除利息及稅金後，才是普通股東可以分配的股息。

由於我們很難預知企業未來能有多少盈餘或虧損，也無法保證企業的配息率有多少，因此股票的內在價值比較難估算。不過，對於一些穩定性高的大型企業，因為有穩健的經營績效，還是可以嘗試用「股息折現模型」（Dividend Discount Model）這種方式，評估該公司股票的內在價值。

股息折現模型，就是預估未來可以領到配息，以「要求報酬率」求出配息之現值，再將每年配息的現值加總起來，就是這檔股票的內在價值。圖 2 就是投資一檔股票的現金流量圖，開始時拿出一筆金額購買股票（P，現金流出），換取未來每年可拿回來的配息（D，現金流入），且配息每年成長。

假設預估中華電（2412）未來每年配息固定是 5 元，現金流量圖如圖 3，若一切如預估的發生，且投資者要求 5% 報酬率，那麼中華電價值多少錢？

從配息的現金流量圖可以看出，這是屬於永續年金（無限期領取現金流）的一種。永續年金的現值公式如下：

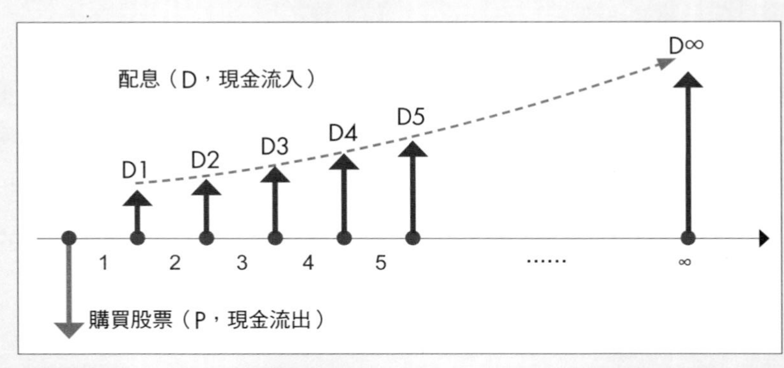

每股現值＝每股配息／要求報酬率
＝5元/5%＝100元

意思是說，中華電每年有5元配息，而且投資者要求報酬率只有5%，這兩個條件同時存在，中華電的內在價值就是100元。不過，若是實際條件不如預期，例如競爭力下降，造成每股盈餘（EPS）及配息下跌，股價自然跟著下跌，若每股配息降為4元，投資者要求報酬率仍為5%，內在價值就會降到80元（4元/5%＝80元）。

或者是銀行定存利率（無風險報酬率）從1.5%調升至3%，增加了1.5個百分點，這時候的投資者多不會滿足5%的報酬率，而會再把要

圖3 若每年固定配息5元，投資人等於購得永續年金
——股票配息固定之現金流量圖範例

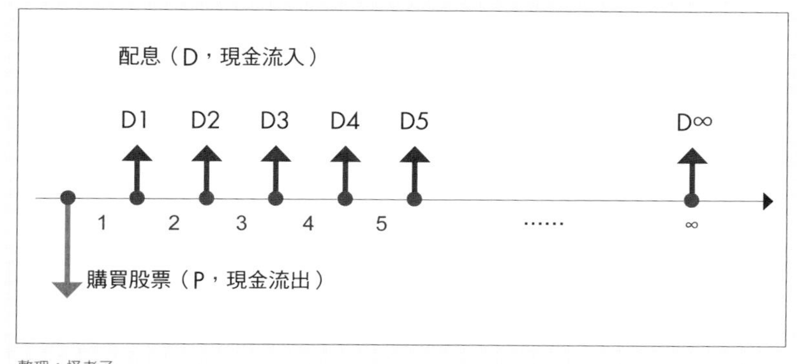

整理：怪老子

求報酬率同樣提升 1.5 個百分點，來到 6.5%，這也會導致股價下跌至 76.9 元（5 元 /6.5% = 76.9 元）。

如果想知道條件的變動對股價的影響，最一目了然的方法就是用 Excel 做一張變動分析表（詳見第 245 頁實作練習）。不過這張表是假設中華電的配息零成長，若是其他不同性質的股票，某些在成長期，某些是衰退期，每年配息不一樣，那麼配息的現值，就沒有辦法用簡單公式計算出來。

可以知道，定存、儲蓄險或債券、股票，概念都是「用現在的錢換取未來可以拿回的錢」。由於未來拿回的每一筆金額，因為拿回的時間點不同，以及風險的大小不一，現在的價值也都不一樣。還好有 Excel 這項好工具，只要正確利用，就可以幫我們評估是否值得投資。

貸款》銀行向你買未來的攤還利息總和

汽車貸款也是同理，銀行會把錢借給你，就是在跟你買未來的錢。例如 30 萬元車貸、年利率 5.0%、24 期的貸款，1 月為 1 期，每月繳款金額 1 萬 3,161 元。

相當於銀行用現在的 30 萬元，換取 2 年共 31 萬 5,874 元的現金流量（每期 1 萬 3,161 元乘以 24 期只有 31 萬 5,864 元，少了 10元，這是四捨五入的結果，少收的零頭通常會於最後一期收取）。

從銀行的角度來看，現金流量如圖 4 所示，銀行一開始拿出 30 萬元，之後每一期拿回 1 萬 3,161 元，24 期總共拿回 31 萬 5,874 元。

未來 24 期，銀行總共收到 31 萬 5,874 元，對銀行來說，這筆錢現在的價值是 30 萬元，所以銀行才會用 30 萬元去交換。銀行如何評估這些錢的現值呢？因為每一期的時間點都不一樣，所以一期一期地計算，最後加總就可以了。

圖 5 試算表說明這項貸款的金額是如何計算出來的。儲存格範圍「B4：B27」列出了每一期的現金流量，「C4：C27」計算出同期現金流量的現值。

圖4 30萬元申購車貸，每月本息攤還1萬3161元
——貸款現金流量圖範例

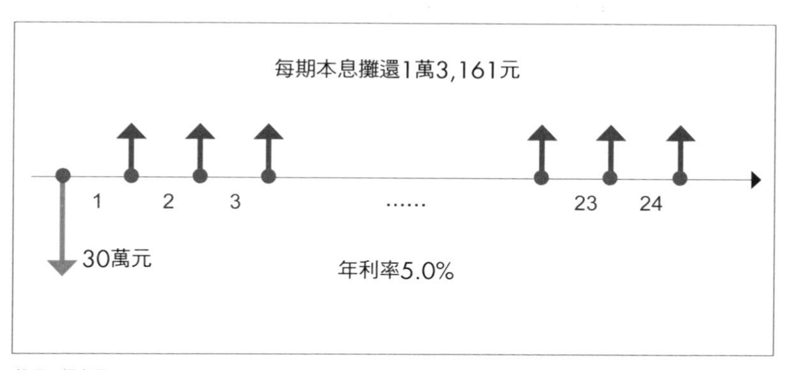

整理：怪老子

1 期為 1 個月，利率就必須使用月利率（年利率 5%/12），第 1 個月收到的 1 萬 3,161 元，對銀行來說價值 1 萬 3,107 元（＝ 13161/〔1 + 5.0%/12〕^1），第 2 個月收到的 1 萬 3,161 元，價值 1 萬 3,052 元（＝ 13161/〔1 + 5%/12〕^2），依此類推，愈久才拿到的錢就愈不值錢，第 24 個月收到的 1 萬 3,161 元，就只剩下 1 萬 1,911 元（＝ 13161/〔1 + 5%/12〕^24）。

計算現值的公式幾乎都一樣，只有期數的部位變動而已。把每一筆的現值全部加起來，剛好就值 30 萬元。只要把儲存格 B1 的公式設定為

圖5 以年利率回推現值，每期加總即為貸款總額
——貸款本息攤還金試算表

	A	B	C	D	E	F
1	現值	300,000				
2						
3	期數	本息攤還	現值			
4	1	13,161	13,107	=13161/(1+5.0%/12)^1		
5	2	13,161	13,052	=13161/(1+5.0%/12)^2		
6	3	13,161	12,998	=13161/(1+5.0%/12)^3		
7	4	13,161	12,944	=13161/(1+5.0%/12)^4		
8	5	13,161	12,891	=13161/(1+5.0%/12)^5		
[illegible]	21	[illegible]	[illegible]	[illegible]		
25	22	13,161	12,011	=13161/(1+5.0%/12)^22		
26	23	13,161	11,961	=1		
27	24	13,161	11,911	=1		

=SUM（C4：C27）

每期本息攤還金額，以年利率5%現值回推，加總起來即為30萬元

整理：怪老子

「＝SUM（C4：C27）」就能得到加總後的答案。透過這試算表也可以看出，銀行願意用30萬元去交換未來24個月的31萬5,874元，投資報酬率每年5.0%。反過來說，貸款者未來24個月的31萬5,874元，銀行認為值30萬元，所以才會用現在的30萬元去交換。

實作練習

我們用中華電（2412）為例，製作一張股價變動分析表，只需要更動黃色儲存格的數值，就能算出股票價值；同時在下方列出，當中華電每股配息從2至7元，且報酬率從2%至7%的情況下，股票內在價值會如何變化。

	A	B	C	D	E	F	G	H	I	J	K	L
1	每股配息	5										
2	要求報酬率	5.00%										
3	股票價值	100										
4												
5	100	2.0%	2.5%	3.0%	3.5%	4.0%	4.5%	5.0%	5.5%	6.0%	6.5%	7.0%
6	2.0	100.0	80.0	66.7	57.1	50.0	44.4	40.0	36.4	33.3	30.8	28.6
7	2.5	125.0	100.0	83.3	71.4	62.5	55.6	50.0	45.5	41.7	38.5	35.7
8	3.0	150.0	120.0	100.0	85.7	75.0	66.7	60.0	54.5	50.0	46.2	42.9
9	3.5	175.0	140.0	116.7	100.0	87.5	77.8	70.0	63.6	58.3	53.8	50.0
10	4.0	200.0	160.0	133.3	114.3	100.0	88.9	80.0	72.7	66.7	61.5	57.1
11	4.5	225.0	180.0	150.0	128.6	112.5	100.0	90.0	81.8	75.0	69.2	64.3
12	5.0	250.0	200.0	166.7	142.9	125.0	111.1	100.0	90.9	83.3	76.9	71.4
13	5.5	275.0	220.0	183.3	157.1	137.5	122.2	110.0	100.0	91.7	84.6	78.6
14	6.0	300.0	240.0	200.0	171.4	150.0	133.3	120.0	109.1	100.0	92.3	85.7
15	6.5	325.0	260.0	216.7	185.7	162.5	144.4	130.0	118.2	108.3	100.0	92.9
16	7.0	350.0	280.0	233.3	200.0	175.0	155.6	140.0	127.3	116.7	107.7	100.0

STEP 1

❶儲存格「A1：A3」鍵入文字：「每股配息」、「要求報酬率」、「股票價值」，並將儲存格「B1：B3」定義成「A1：A3」的名稱。❷儲存格「B3」鍵入公式「**＝每股配息／要求報酬率**」。

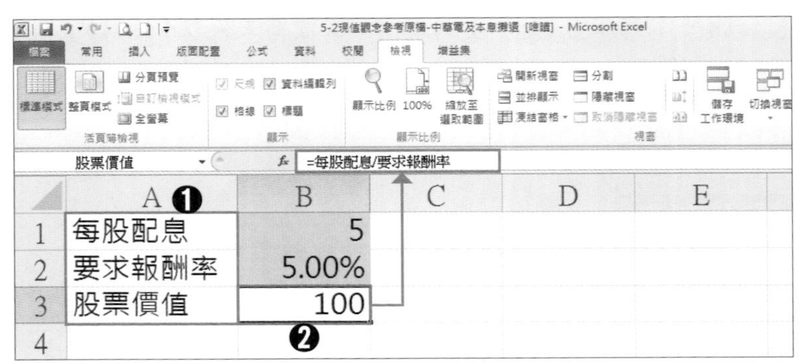

STEP 2

建立運算列表「A5：L16」。❶第 1 欄「A6：A16」填入 2.0 ～ 7.0，❷第 1 列「B5：L5」填入 2.0% ～ 7.0%（可運用數列填滿功能）。❸運算列表的起始儲存格「A5」，鍵入公式「**＝股票價值**」。

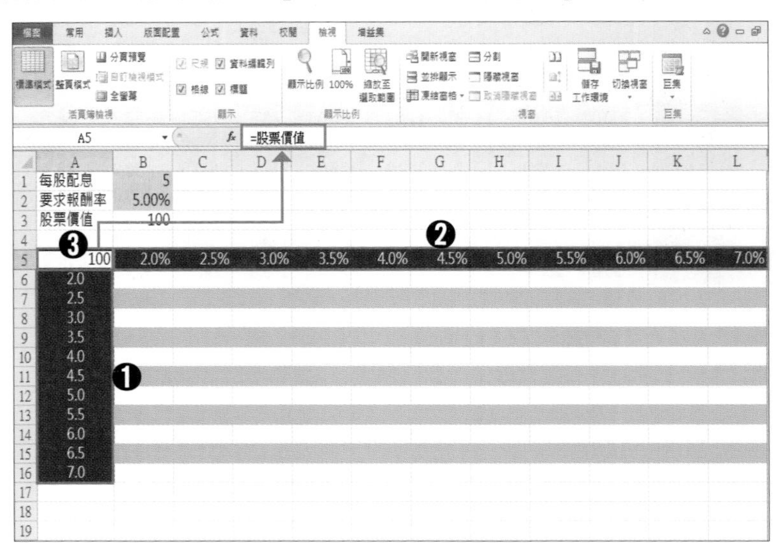

STEP 3

接著❶選取運算列表範圍「A5：L16」，點選❷「資料」索引頁標籤→❸「模擬分析」→❹「運算列表」。在「運算列表」小視窗中，❺「列變數儲存格」填入「要求報酬率」的儲存格位址「$B$2」、❻「欄變數儲存格」填入「每股配息」的儲存格位址「$B$1」，按下❼「確定」鈕，就完成了；最後可再依想要的格式，美化這張表格。

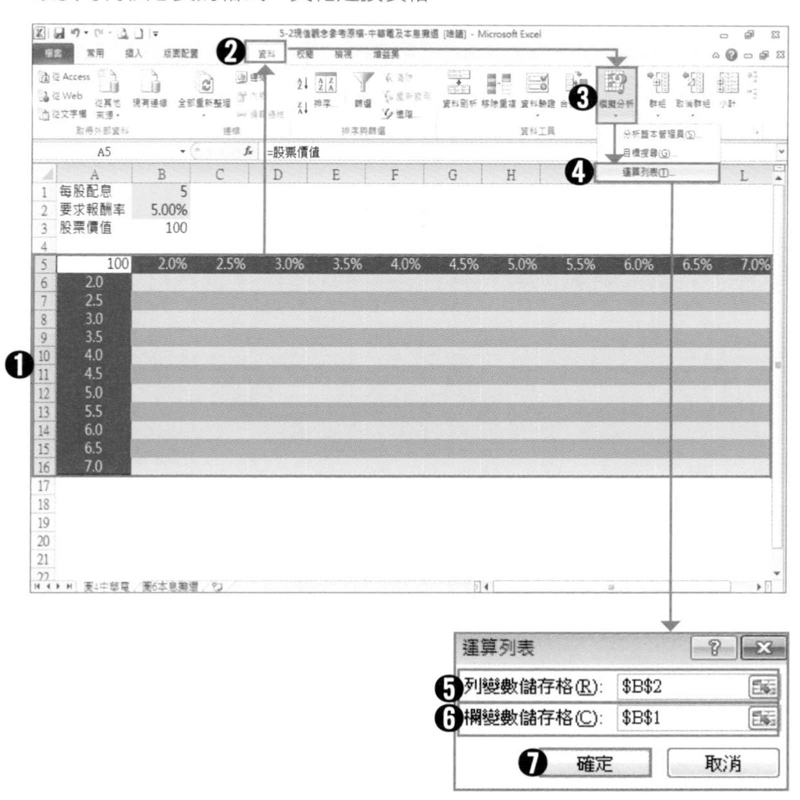

5-3

徹底搞懂單利與複利及早達成財務自由

投資報酬率屬於成長率的一種，也就是投入本金一段時間後的成長率。只要將期末的數量，減去期初數量就是增量（詳見圖1），增量除以期初數量就是成長率，通常以百分比表示，公式為：

$$成長率=\frac{期末數量-期初數量}{期初數量}\ 可簡化成\rightarrow\ \frac{期末數量}{期初數量}-1$$

例如台灣人口數2013年12月為2,337萬3,517人，1年後（2014年12月）人口數為2,343萬3,753人，這一年中增加了6萬236人，人口成長率等於0.26%（2,343萬3,753/2,337萬3,517－1＝0.26%）。

投資報酬率、通膨率，都是成長率的概念

投資報酬率又分為「累積報酬率」與「年化報酬率」這兩種概念。先看累積報酬率，期初投入一筆本金，經過一段時間，看看期末金額變成多少？將期末金額減掉期初本金，若增量是正值就是獲利，負值就是虧

圖1 增量相對期初數量的比率，即為「成長率」
——成長率示意圖

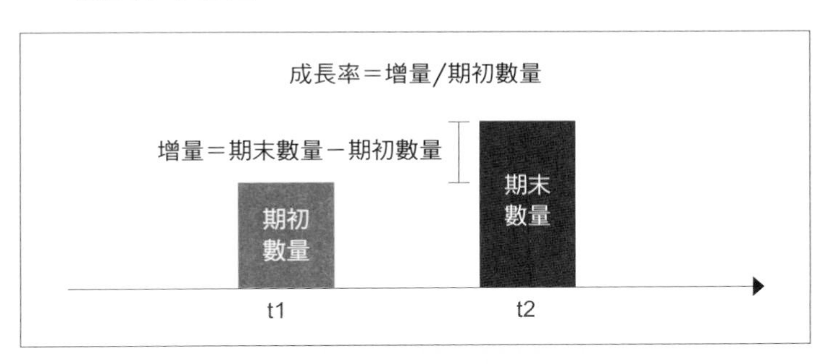

整理：怪老子

損，增量占期初本金的比率就是累積投資報酬率，也就是期初本金的成長率。公式如下：

$$累積報酬率=\frac{期末淨值-期初本金}{期初本金}=\frac{期末淨值}{期初本金}-1$$

例如期初投入本金 100 萬元，3 年後的期末淨值為 112 萬元，獲利為 12 萬元（期末減去期初的增量），占本金的比率是 12%，代表投資期初本金 100 萬元，過了 3 年，成長了 12%。

年報酬率則是指本金 1 年的成長率，我們平常所看到的「年利率」，就是固定收益商品的年報酬率。例如期初本金為 100 萬元，存入銀行

1 年期定期存款，年利率 1.5%，1 年後的利息為 1 萬 5,000 元，期末本利和（期末時的本金加利息）等於 101 萬 5,000 元，投資報酬率等於 1.5%（＝ 101.5/100 － 1），所以 1.5% 的年利率也可以解釋為存款本金的成長率。

由於投資期間常常不是剛好 1 年，可能是 3 年、5 年，也可能是 6 個月，若要方便比較，就要將累積報酬率換算為年報酬率，換算後就稱為「年化報酬率」。

通貨膨脹率也是成長率的一種，指的是物價的成長率，例如期初時牛肉麵平均 1 碗 100 元，到了期末平均賣 105 元，比起期初時漲了 5%，所以牛肉麵的價格成長了 5%。年利率、年化報酬率，通貨膨脹率都是成長率的概念，只是標的不一樣；用在人口統計就是「人口成長率」，用在投資上就是「投資報酬率」，用在物價上就是「通貨膨脹率」。

分清單利與複利，正確計算本利和

既然投資報酬率就是本金的成長率，所以當期初投入金額（PV），投資於每期報酬率（R）的商品，經過一期之後的期末淨值（FV），公式就是：

FV ＝ PV*（1 ＋ R）

這是投資最常用的公式之一，期初投入金額乘上（1 + R），等於期末的本利和。1 期可以是任何一段時間，1 天、1 個月或者 1 年，只是報酬率 R 也必須使用相同期間的報酬率。如果 1 期為 1 個月，要用月報酬率；若 1 期為 1 年，要用年報酬率。

例如，美元定期存款提供 3.2% 的年利率，期初投入 1 萬美元，1 年以後的本利和，就是 1 萬美元 ×（1 + 3.2%）= 1 萬 320 美元。

投資 1 期的期末金額為期初投入的「1 + R」倍，那麼當投資許多期的時候，期末金額會是多少呢？有 2 種計息方式，單利與複利：

1.單利：每期都用原始本金結算利息

單利就是每期的獲利不會再投入本金，本金維持不變。例如定存 1 萬元，年利率 1.5%，每個月以單利結算利息 1 次，因此 1 個月的利息是：

到了下個月，本金還是維持 1 萬元，所以第 2 個月的利息也是 12.5 元，依此類推，每月都是領到 12.5 元，12 個月後，總利息為 150 元（= 12.5*12），期末本利和為 1 萬 150 元。

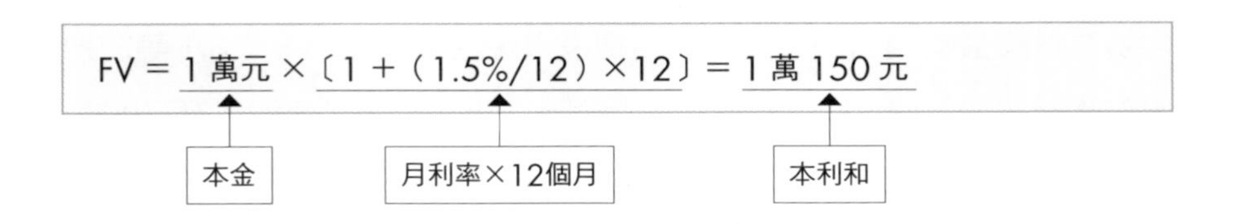

2.複利：每期都用上期的本利和結算利息

同樣是上述的例子，若用複利投資就不一樣了。複利是將每一期的獲利加入期初本金當作下一期的本金，所以即便每一期的報酬率不變，但

表1 複利計息的本利和比單利計息更高
——單利、複利比較表

期初投入金額 PV，於每一期報酬率為 R 的商品，經過 N 期後，複利計息的期末淨值，明顯比單利計息更高。

計算公式	單利 $FV=PV\times(1+N*R)$	複利 $FV_N=PV\times(1+R)^N$
投資1期	$FV=PV\times(1+R)$	$FV_1=PV\times(1+R)^1$
投資2期	$FV=PV\times(1+R\times2)$	$FV_2=PV\times(1+R)^2$
投資10期	$FV=PV\times(1+R\times10)$	$FV_{10}=PV\times(1+R)^{10}$

假設期初投入 1 萬元於年報酬率 3% 的商品，經過 N 年後（以 1 年為 1 期），單利與複利的本利和計算如下：

年	單利（元）	複利（元）
1	1萬×（1+3%）=1萬300	1萬×（1+3%）=1萬300
2	1萬×（1+3%×2）=1萬600	1萬×$(1+3\%)^2$=1萬609
10	1萬×（1+3%×10）=1萬3,000	1萬×$(1+3\%)^{10}$=1萬3,439
20	1萬×（1+3%×20）=1萬6,000	1萬×$(1+3\%)^{20}$=1萬8,061

整理：怪老子

是因為本金會一期比一期多，就好似滾雪球般的愈滾愈多。

除了第 1 期外，每一期的期初金額就是上一期的期末金額，而根據本利和公式，每一期的期末本利和等於期初乘上（1 ＋ R）。當第 1 期的期初投入 PV，到了期末就變成 PV×（1 ＋ R）；所以第 2 期的期初本金就是 PV×（1 ＋ R），到了期末就變成 PV×（1 ＋ R）^{2}，依此類推。

以下我們來實際製作一份複利試算表，對複利就更了解了。

實作練習

❶先將所需要的 3 大變數「投入本金」、「報酬率」、「期間」分別填入「A1：A3」儲存格；並在「A4」儲存格填入「期末本利和」。❷將儲存格「B1：B4」定義成「A1：A4」的名稱（我習慣將變數的儲存格設定為黃底色，提醒使用者這是可任意變更的條件）。❸在儲存格「B4」輸入期末本利和公式：「**＝投入本金 *（1 ＋報酬率）^ 期間**」。

期末淨值 | fx =投入本金*(1+報酬率)^期間

	❶A	❷B
1	投入本金	10,000
2	報酬率	1.50%
3	期間	❸ 10
4	期末本利和	11,605

完成後，之後只要變換任一黃色儲存格數值，就會立即得到新的試算結果。上圖的例子是投資 1 萬元，年利率 1.5%，每年計息 1 次，投資 10 年，所得到的期末本利和為 1 萬 1,605 元。

STEP 2

若想要更了解複利公式，也可以製作一份明細表，能清楚看出複利的計算過程。❶先按下圖在儲存格「D1：F1」填入「期數」、「期初」、「期末」，接著❷儲存格「D2：D11」按列填入期數（1 到 10 期）。

	A	B	C	D	E	F
1	投入本金	10,000	❶	期數	期初	期末
2	報酬率	1.50%		1		
3	期間	10		2		
4	期末本利和	11,605		3		
5				4		
6			❷	5		
7				6		
8				7		
9				8		
10				9		
11				10		

在❶第 1 期的「期初」儲存格「E2」填入公式「**＝投入本金**」，❷「期末」儲存格「F2」填入公式「**＝ E2*（1 ＋報酬率）**」。

在❸第 2 期的「期初」儲存格「E3」填入公式「**＝ F2**」，也就是上一期的期末金額。再❹將「F2」儲存格複製到儲存格「F3」。

	A	B	C	D	E	F
1	投入本金	10,000		期數	期初	期末
2	報酬率	1.50%		1	❶ 10,000	10,150 ❷
3	期間	10		2	❸ 10,150	10,302 ❹
4	期末淨值	11,605		3		
5				4		
6				5		
7				6		
8				7		
9				8		
10				9		
11				10		

接著我們要將第 2 期的期初與期末數值，往下複製到第 10 期。❶選取「E3：F3」範圍，將滑鼠移到選取範圍右下角的填滿控點，當滑鼠出現加號「＋」時，快速點擊兩次滑鼠，就能成功複製到「E4：F11」的範圍。完成後，所有期數的公式都已經複製好了，可以看到第 10 期的期末數值「F10」，跟期末本利和「B4」是一致的。

	A	B	C	D	E	F
1	投入本金	10,000		期數	期初	期末
2	報酬率	1.50%		1	10,000	10,150
3	期間	10		2 ❶	10,150	10,302
4	期末本利和	11,605		3	10,302	10,457
5				4	10,457	10,614
6				5	10,614	10,773
7				6	10,773	10,934
8				7	10,934	11,098
9				8	11,098	11,265
10				9	11,265	11,434
11				10	11,434	11,605

由於驗算表的公式中，除了報酬率使用絕對參照，其他都是使用相對參照，只要更改黃色儲存格任一變數，驗算表的內容也會跟著更改。

最後，可再將儲存格格式統一為整數的數值，較易於閱讀。若想檢查公式的內容，只要點選「公式」資料索引標籤→「顯示公式」按鈕即可。

	A	B	C	D	E	F
1	投入本金	10000		期數	期初	期末
2	報酬率	0.015		1	=投入本金	=E2*(1+報酬率)
3	期間	10		2	=F2	=E3*(1+報酬率)
4	期末本利和	=投入本金*(1+報酬率)^期間		3	=F3	=E4*(1+報酬率)
5				4	=F4	=E5*(1+報酬率)
6				5	=F5	=E6*(1+報酬率)
7				6	=F6	=E7*(1+報酬率)
8				7	=F7	=E8*(1+報酬率)
9				8	=F8	=E9*(1+報酬率)
10				9	=F9	=E10*(1+報酬率)
11				10	=F10	=E11*(1+報酬率)

5-4

高報酬搭配複利加速器 讓資產呈爆炸性成長

複利可以讓資產呈爆炸性地成長，但並不是光有複利效果就可以，還必須仰賴「投資報酬率」這個關鍵角色，資產才會如雪球般地愈滾愈大。若是只有複利的效果，但投資報酬率卻只有一點點，最後的結果有可能比單利還要慘。所以，不要只是一味的追求複利，更重要的是，找到可以創造高報酬率的標的才是上策。

報酬率太低，複利效果可能低於高報酬率的單利

例如有兩項投資案，期初投入金額都是 100 萬元，一個投入 1.5% 的銀行定存，且每年均將利息再投入本金，所以適用複利計算，10 年後的本利和只有 116 萬 541 元（＝ 100 萬 ×〔1 ＋ 1.5%〕^10）。

另一個則投入年化報酬率 12% 的股票型基金，若每年 12 萬的獲利均提出不再投入，本金一直維持 100 萬元，這就屬於單利投資。10 年後總獲利為 120 萬，加上本金總共 220 萬元（＝ 100 萬 ×〔1 ＋ 12%×10〕）。10 年後，投資報酬率 12% 的單利比 1.5% 的複利，

表1 12%的單利比1.5%的複利，期末淨值多了近1倍
——以單利、複利投入不同報酬率商品期末淨值比較

期初投入（元）	投資報酬率（%）	年數（年）	單利期末淨值（元）	複利期末淨值（元）
100萬	1.5	10	115萬	116萬541
100萬	12.0	10	220萬	310萬5,848

註：本例以 1 年為 1 期。複利公式：期末淨值＝期初投入 ×（1 ＋投資報酬率）^{年數}；單利公式：期末淨值＝期初投入 ×（1 ＋投資報酬率 × 年數）。
整理：怪老子

期末淨值多了將近 1 倍（詳見表 1）。

報酬率愈高，複利效果愈明顯

既然投資報酬率這麼重要，那麼，複利是不是可有可無？當然不是，複利可說是「加速器」，當報酬率相同，單利及複利的結果可是天差地遠；當報酬率愈高，差距就愈大。

例如兩項投資，投入金額都是 100 萬元，每年投資報酬率也一樣是 12%。30 年後單利的期末淨值僅 460 萬元，複利的期末淨值卻高達 2,996 萬元！表 2 是以單利及複利投資不同年數的結果，可看出，擁有高報酬率還不夠，還得加上複利及時間，才能讓資產呈爆炸性成長。

投資報酬率些微差距，複利效果後會有巨大差異

複利會讓資產快速成長，投資報酬率只要一點點差距，對於期末資產

表2 100萬元複利滾存，30年後竟變成2,996萬元
——以單利、複利投入報酬率12%商品期末淨值比較

期初投入（萬元）	投資報酬率（%）	年數（年）	單利期末淨值（萬元）	複利期末淨值（萬元）
100	12	5	160	176
100	12	10	220	311
100	12	15	280	547
100	12	20	340	965
100	12	25	400	1,700
100	12	30	460	**2,996**

整理：怪老子

表3 年報酬率多2個百分點，複利30年後資產多7成
——以複利投入不同報酬率商品期末淨值比較

投入金額（萬元）	投資報酬率（%）	年數（年）	複利期末淨值（萬元）
100	**10**	30	**1,745**
100	**12**	30	**2,996**

整理：怪老子

就會產生巨大影響。

例如兩項投資，金額都是 100 萬元，分別投資於 10% 及 12% 投資報酬率商品。雖然只差距 2 個百分點，但是 30 年後的期末淨值，投資報酬率 10% 為 1,745 萬元，投資報酬率 12% 則高達 2,996 萬元，相差快 1 倍之多（詳見表 3）。

直接計算累積報酬率恐失真，看年化報酬率才正確

報酬率既然那麼重要，就得正確的計算，才知道投資標的是否符合需求，否則用不正確的方法計算，就有可能誤判投資標的，最後必然無法達成理財目標。然而，報酬率的計算可不是想像的那麼容易，一般投資者均習慣使用累積報酬率，對年化報酬率比較陌生；其實只要善用 Excel 財務函數，很容易就能算出來。

1.定期定額投資

就以定期定額投資為例，每個月（期初）定期扣款 1 萬元投入基金，10 年後的銀行對帳單上顯示淨值為 185 萬元，因為總投入金額為 120 萬元，所以基金對帳單上的投資報酬率通常顯示 54.2%（185 萬 /120 萬－ 1），若要換算為 1 年的投資報酬率，則可能會直接將 54.2% 除以 10，算出 5.42% 的結果。

這樣算出來的報酬率，並沒有考慮時間因素，不管是累積報酬率或年化報酬率都是錯誤的。上述的本金算法是直接加總 10 年每月投入的 1 萬元，總共 120 萬元；但是，不同期間所投入的金額，是不可以直接相加的。因為第 1 年投入的 1 萬元，已經投入了 10 年，而最後一年的 1 萬元只有投入 1 年，所得到的獲利是不一樣的，當然不可以直接相加。

再來，年化報酬率更不能用累積報酬率直接除以年數。正確的算法是

用 Excel 的 RATE 函數算出年化報酬率（有關 RATE 函數，詳見 3-1），詳細計算如下：

Excel 的 RATE 函數，因為 1 期為 1 個月，公式為：

＝RATE（月數,－每月投入金額,0, 期末淨值, 期初或期末）*12

上述定期定額投資屬於期初年金，年化報酬率輸入方式為：

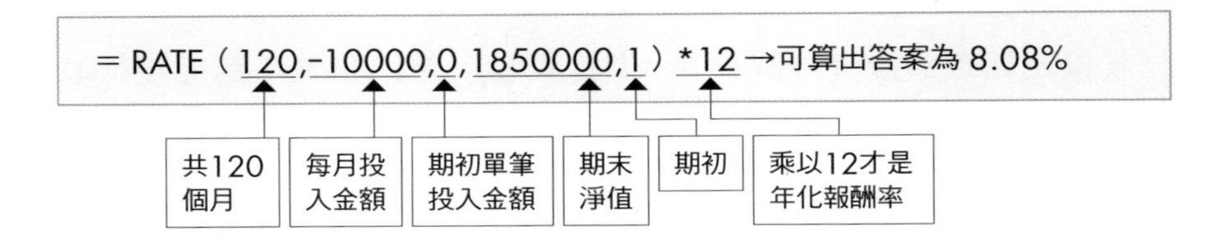

銀行或券商提供的報酬率都是累計報酬率，並不是銀行不知道正確算法，只是若用年化報酬率來標示績效，恐怕會讓客戶及理專帶來不少困擾，所以都使用一般人容易理解的累積報酬率。

2.單筆投資

單筆投資雖然資金投入只有一筆，沒有投入金額時間差的問題，年化報酬率也不可以直接以累積報酬率直接除以年數。例如單筆投入 10 萬元於股票型基金，10 年後對帳單上的投資淨值為 21 萬 3,240 元。哇，才投資 10 萬元，卻賺了 11 萬 3,240 元，累積報酬率為 113%，如果直接除以 10，每年有 11.3% 的報酬率？

這樣計算也是錯誤的，經過了 10 年的期間，累積報酬率 113% 是以複利成長的結果，所以年化報酬率必須以複利計算才正確。同樣可以使用 Excel 的 RATE 函數來計算，只是輸入參數有些不同，公式如下：

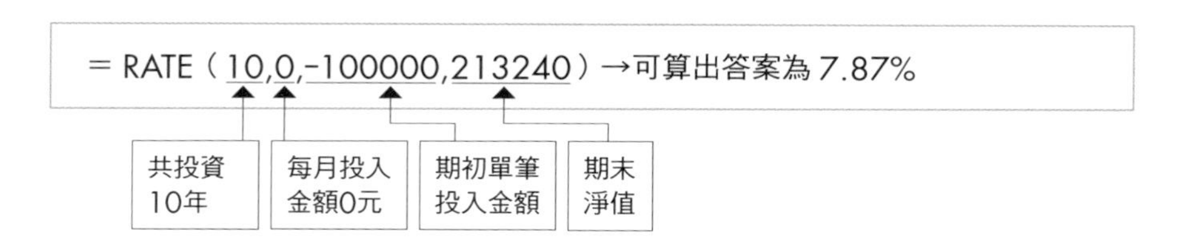

實際上的年化報酬率是 7.87%，並沒有直覺中的 11.3% 那麼大。

RATE函數算定期定額報酬率，每期現金流量需相同

表 4 整理出單筆與定期定額的函數輸入方式，再複習一次，定期定額的最後一個參數，可以選擇 0 或 1，若是每期投入金額為期初投入就填 1，期末投入就填 0。由於預設值為 0，因此若是期末投入，這項參數也可以省略。

「期間」代表多久複利 1 次，如果 1 期為 1 個月，就是每月複利 1 次，如果 1 期為 1 年，就是 1 年複利 1 次。定期定額若是每月為 1 期，那麼算出來就是每月複利 1 次的結果。

表 4 的公式不僅用於基金投資，也適用任何投資項目，單筆投資或是定期定額都通用，唯一的限制是每一期的投資金額均必須一樣。例如，郵局 6 年期吉利保險，26 歲女生 10 萬元保額，年繳 1 萬

表4 依據單筆或定期定額，用不同公式計算
——單筆投入及定期定額年化報酬率公式

投資方式	期間	公式
單筆	月	=RATE（月數,0,-期初投入金額,期末淨值）*12
單筆	年	=RATE（年數,0,-期初投入金額,期末淨值）
定期定額	月	=RATE（月數,-每月投入金額,0,期末淨值,0或1）*12
定期定額	年	=RATE（年數,-每年投入金額,0,期末淨值,0或1）

註：本表定期定額公式僅限於每月投入金額均相同時使用　　整理：怪老子

6,107 元。因為每一期都得繳，而且每一年繳的金額也一樣，所以跟基金定期定額投資沒有兩樣。保險費於簽約後立即就得繳，也屬於期初投入，那麼 RATE 的最後一個參數也必須設定為「1」才行（= RATE（6,-16107,0,100000,1））。

這樣算出來的年利率為 0.9767%，是否正確？驗算一下就知道了。圖 1 列出了每一年投資明細，每年的利息是去年期末結餘加上當年新投入金額，再乘上年利率。所以每年的期末結餘=（去年期末結餘+當年期初投入）×（1 +年利率）算出來的結果，到了第 6 年期末，剛好領回 10 萬元。所以這張保單除了定期壽險的保障之外，還提供了相當於年利率 0.9767% 的利息。

報酬率既然那麼重要，計算方式就要正確，否則容易誤判投資效果。但也要特別提醒投資者，不可一味追求高投資報酬率而忽略了風險；報

圖1 購買保單屬期初投入，RATE需輸入參數「1」
——6年期儲蓄險保單範例

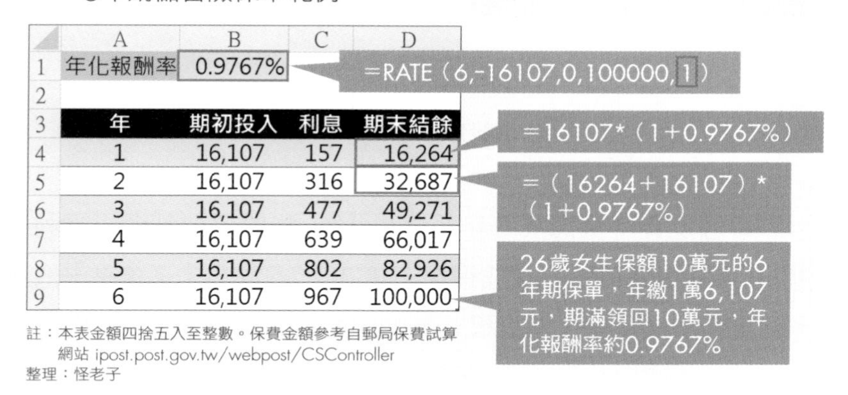

	A	B	C	D
1	年化報酬率	0.9767%		
2				
3	年	期初投入	利息	期末結餘
4	1	16,107	157	16,264
5	2	16,107	316	32,687
6	3	16,107	477	49,271
7	4	16,107	639	66,017
8	5	16,107	802	82,926
9	6	16,107	967	100,000

註：本表金額四捨五入至整數。保費金額參考自郵局保費試算網站 ipost.post.gov.tw/webpost/CSController
整理：怪老子

酬率跟風險是一體兩面，報酬率愈高風險就愈大。必須善用資產配置，調配出自己可承受風險的組合，才可能順利達成財務自由的目標。

5-5

要讓資產快速翻倍
報酬率是關鍵

「每月投資 1 萬元於每年報酬率 12% 的股票型基金以複利成長，40 年後基金淨值就可以成長至 1 億 1,765 萬元。」這是一般理財專家最喜歡舉的例子，確實很有鼓勵的效果。只是 40 年總共投入 480 萬元，如何演變為 1 億 1,765 萬元？透過 Excel 的試算可以讓過程清楚呈現。

每月投資1萬元，40年後成長至1億元

圖 1 是每月投資相同金額（PMT），經過 N 期的現金流量圖，因為每期投入金額都一樣，期末本利和就可使用未來值（FV）函數計算。1 期為 1 個月，所以利率（RATE）必須用月利率，期數（NPER）必須用月數，公式如下：

```
= FV（RATE, NPER, PMT, [PV], [TYPE]）
= FV（年利率 /12, 年數 *12,-每月投入金額）
```

因為沒有期初單筆投資，現值（PV）為 0，參數可省略；本例為期末年金，TYPE 為 0，參數省略。

圖1 每月投資相同金額，期末本利和以FV函數計算
——定期定額投資現金流量圖範例

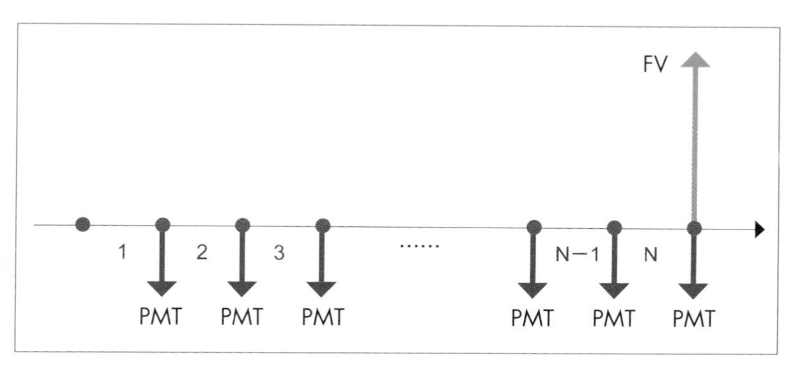

整理：怪老子

我們可製作一張如圖 2 的試算表（詳見第 267 頁實作練習），根據「每月投入金額」（B1）、「報酬率」（B2）、「年數」（B3）3 個變數，用上述 FV 函數公式計算出「未來值」（B4）。只要改變要試算的條件，就能獲知未來值是多少。

如果想知道同樣是每月投資 1 萬元，在不同年數及報酬率的未來值，還可以多做一張以「年數」及「報酬率」為雙變數的運算列表（A6：D15）。

從運算列表可以看到，每月投資 1 萬元，報酬率為 0%，也就是每月投入的錢都放在床底下，40 年總共累積了 480 萬元（B15）。若是

放在 1.5% 報酬率的商品（如定存），40 年可成長至 657 萬 1,490 元（C15）。投資於 12% 報酬率的商品（如股票型基金），40 年後可以成長至 1 億 1,764 萬 7,725 元（D15）。

仔細看 12% 報酬率那一欄，當投資年數只有 5 年時，只累積了 81 萬 6,697 元（D8），可是從第 35 年至第 40 年，這 5 年間卻從約 6,431 萬元成長至 1 億多元，增加約 5,334 萬元。同樣 5 年的時間，而且報酬率都是 12%，為何有這麼大的差距？原因很簡單，前 5 年是從零開始，最後 5 年是從大約 6,431 萬元起跳。

圖2 自製雙變數運算列表，可快速比較複利效果

——每月投資1萬元複利試算表

	A	B	C	D
1	每月投入金額	10,000		
2	報酬率	0.00%		
3	年數	40		
4	未來值	4,800,000		
5				
6	年數	報酬率0.0%	報酬率1.5%	報酬率12.0%
7	4,800,000	0%	1.5%	12.0%
8	5	600,000	622,669	816,697
9	10	1,200,000	1,293,803	2,300,387
10	15	1,800,000	2,017,174	4,995,802
11	20	2,400,000	2,796,848	9,892,554
12	25	3,000,000	3,637,206	18,788,466
13	30	3,600,000	4,542,972	34,949,641
14	35	4,200,000	5,519,238	64,309,595
15	40	4,800,000	6,571,490	117,647,725

整理：怪老子

也就是說，第 40 年的未來值約 1 億 1,765 萬元，是由兩項資金所貢獻，一個就是每月 1 萬元的投入，另一個是第 35 年的期末金額約 6,431 萬元，這筆金額可視為單筆投入，以每年 12% 複利滾存，才是第 40 年累積達上億元的主要功臣。Excel 計算如下：

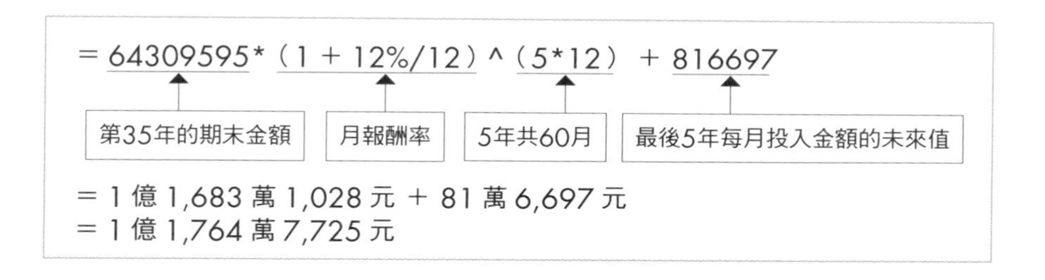

以下就來練習製作複利投資試算表：

實作練習

要製作如圖 2 的試算表，可按圖❶於儲存格「A1：A4」輸入「每月投入金額」、「報酬率」、「年數」、「未來值」，並將❷儲存格「B1：B4」定義為「A1：A4」的名稱（選取「A1：B4」，點選「公式」索引頁標籤→從選取範圍建立→勾選「最左欄」）。❸「未來值」儲存格「B4」輸入公式：「= FV（**報酬率 /12, 年數 *12,– 每月投入金額**）」或「= FV（B2/12, B3*12,–B1）」。

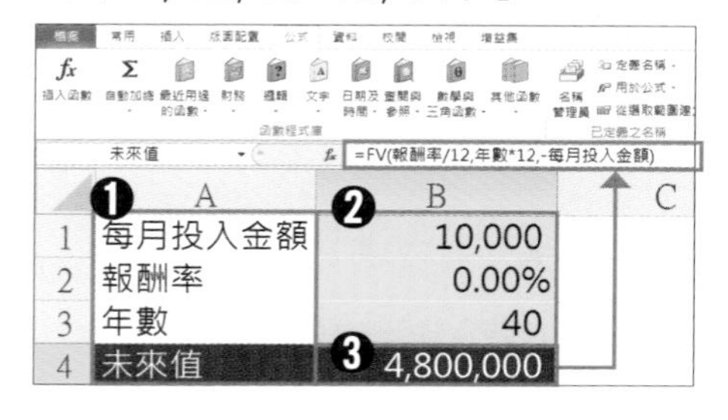

由於「每月投入金額」「B1」、「報酬率」「B2」、「年數」「B3」為使用者可變更的變數，將底色改為黃色以利辨識。

STEP 2

接著在儲存格「A7：D15」製作運算列表。❶第 1 欄「A8：A15」按列由上而下輸入「5、10、15、20、25、30、35、40」代表投資年數（也可使用數列填滿功能快速完成）；❷第 1 列「B7：D7」由左而右輸入「0%、1.5%、12.0%」代表報酬率。❸運算列表左上儲存格「A7」鍵入公式「＝**未來值**」或「＝ B4」。

若想替運算列表製作標題，可❹於儲存格「B6」鍵入公式「**＝"報酬率"&TEXT（B7,"0.0%"）**」，之後將儲存格「B6」複製到「C6」及「D6」，再將「A6：D6」格式改成黑底白字。

檔案 常用 插入 版面配置 公式 資料 校閱 檢視 增益集

從 Access 從 Web 從文字檔 從其他來源 現有連線 取得外部資料

全部重新整理 連線 內容 編輯連結 連線

排序... 篩選 清除 重新套用 進階... 排序與篩選

資料剖析 移除重複 資料驗證 合併彙算 資料工具

A7 ＝未來值

	A	B	C	D	E	F
1	每月投入金額	10,000				
2	報酬率	0.00%				
3	年數	40				
4	未來值	4,800,000				
5		❹				
6	年數	報酬率0.0%	報酬率1.5%	報酬率12.0%		
7	❸ 4,800,000	0%	1.5%	12.0% ❷		
8	5					
9	10					
10	15					
11	❶ 20					
12	25					
13	30					
14	35					
15	40					

接著設定「報酬率」、「年數」為運算列表雙變數。先❶選擇運算列表為儲存格範圍「A7：D15」，點選❷「資料」索引頁標籤→❸「模擬分析」→❹「運算列表」。

在「運算列表」小視窗，❺「列變數儲存格」點選「報酬率」數值所在儲存格「B2」（或直接填入「$B$2」），❻「欄變數儲存格」點選「年數」數值所在儲存格「B3」（或直接填入「$B$3」），最後按❼「確定」鍵即可。若所呈現的數字格式凌亂，可自行點選「儲存格格式」修改。

若想隱藏運算列表的第 1 列（第 7 列），點選最左邊列號 7，按右鍵下拉選單，選取「隱藏」即可。

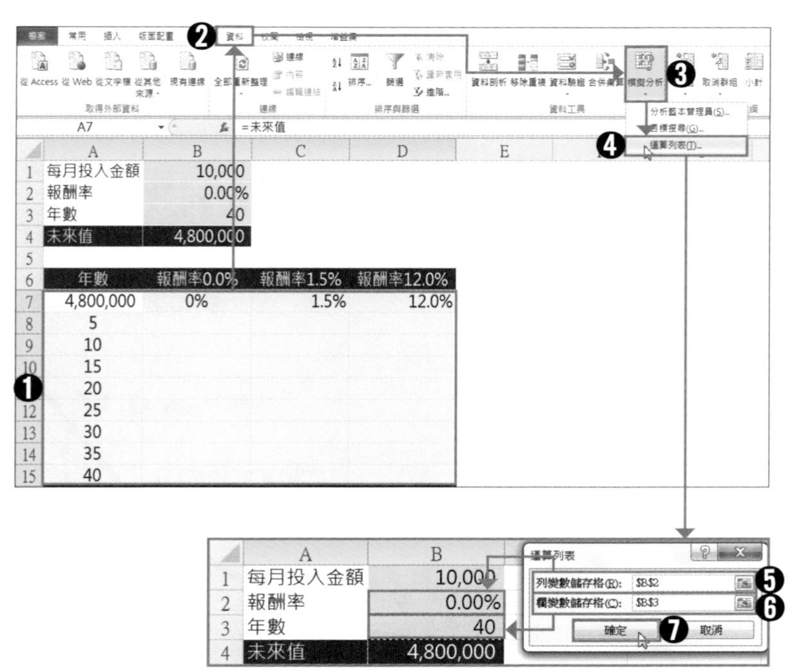

擁有一定資產時，複利翻倍時間即可縮短

既然 40 年後的 1 億 1,765 萬元，主要是由 35 年後的 6,431 萬元所創造，那麼最後 5 年每月投入的 1 萬元已經是可有可無；因為最後 5 年就算沒有每月投入 1 萬元，也能有 1 億 1,683 萬元。

這也讓我們知道，如果手上已經有 6,431 萬元，只要年報酬率有 12%，5 年就可以有 1 億 1,765 萬元。如果手上已經有 3,495 萬元，

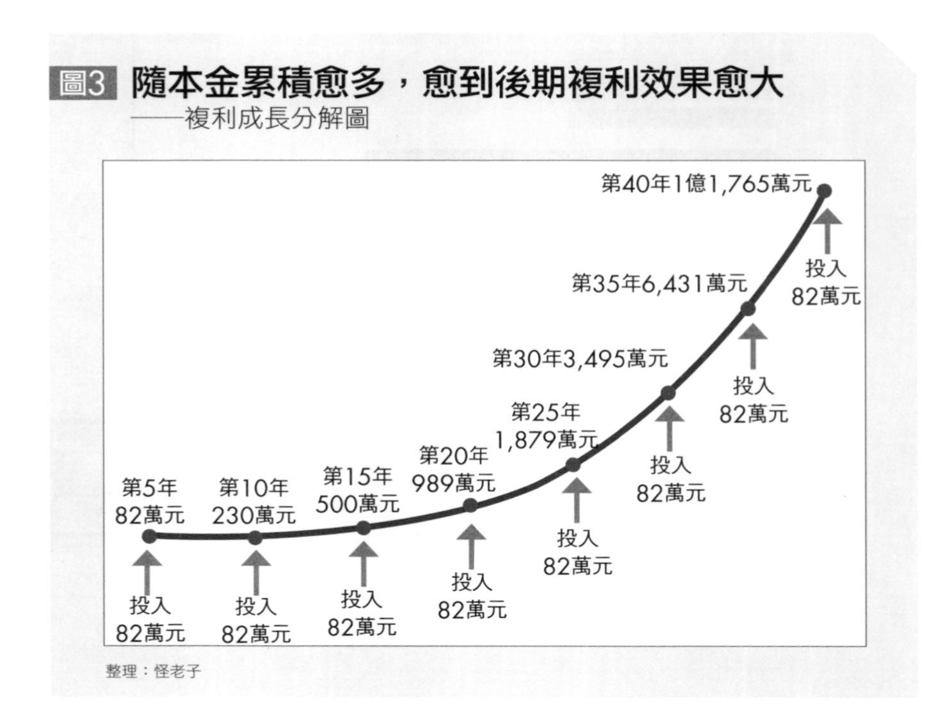

10 年就可以有 1 億 1,765 萬元。依此類推，只要手上有 989 萬元，只要 20 年就可擁有 1 億 1,765 萬元。

複利厲害之處，在於有效縮短資產翻倍所需時間；當擁有一定資產時，靠著複利的效果，很快可以累積財富。

例如 12% 的投資報酬率，6.1 年就可以讓資產翻 1 倍。所以當資產到第 35 年已經累積到 6,431 萬元，只要再 6.1 年就可以翻 1 倍，賺進 6,431 萬元，那麼 5 年賺 5,334 萬元也是合理。資產翻 1 倍所需的時間，僅跟投資報酬率有關，Excel 有 2 個方法可以計算：

方法 1：PDURATION 函數（詳見註 1）
期數＝ PDURATION（期報酬率 ,1,2）

方法 2：對數公式（詳見註 2）
期數＝ LN（2）/LN（1 ＋報酬率）

當資產成長至千萬元，宜降低風險

雖然投資報酬率可以縮短資產翻倍時間，但是投資報酬率也不可以無

註 1：PDURATION 函數適用版本：Excel Online、2013 及 2016、Mac 版 2011 及 2016。
註 2：若有興趣學習對數公式的原理，詳見第 273 頁。

限往上加，因為高報酬率伴隨著高風險，當投資報酬率增加，波動也會跟著增加。

每年 12% 的投資報酬率已算很高了，如果年化標準差為 15%（關於年化標準差，詳見第 274 頁），根據機率學可以算出，單筆投資 1,000 萬元，6 年後的期望值會是 2,112 萬元；但是也有 95% 的機會，會偏離到 961 萬元～ 4,056 萬元之間。最終到底是多少？沒有人說得準，要是情況很不好，落在低點 961 萬元，不只沒有翻倍，還會造成損失。

雖然說 6.1 年可能可以翻 1 倍，但也可能會是虧損。那麼該選擇多少報酬率才合適呢？這跟年紀有關，年輕時可承擔較大的風險，所以可投資報酬率較高的商品，雖然波動較大，但可以用時間來沖淡風險。當資金成長至 1,000 萬元時，資產配置就應該調整，讓波動風險降低，但是相對的也會降低投資報酬率。例如將投資報酬率從 12% 降至 8%，雖然翻倍年數從 6.1 年升高至 9 年，可是波動風險卻可以減低很多。想想看僅僅多 3 年時間來翻倍，可是承擔風險卻少很多。

擁有 1,000 萬元，投資報酬率 8%，9 年就可以翻 1 倍達到 2,000 萬元，18 年可以翻 4 倍達到 4,000 萬元，再過 9 年又翻 1 倍到 8,000 萬元，雖然還不到 1 億元但也差不遠了。再看看所承受的風險，投資報酬率 8%、年化標準差 8% 的狀況下，單筆投資 1,000 萬元，20 年後的期望值為 4,969 萬元，95% 的機會是落在 2,312 萬元～ 9,397 萬元，最差的狀況也漲了 1 倍多，更不用說有機會可達到 9,397 萬元。

年輕人先求薪資成長，再靠投資累積資產

所以説，每月投入 1 萬元確實可以快速達到 1,000 萬元本金，然後什麼事都不用做，就可以等著讓資產翻倍，這就是為何要理財的原因。然而，雖然投資理財很重要，但這是用錢賺錢的遊戲，前提是得要先有錢才可以投資。一般説來，年輕人因為薪資收入有限，能夠投資的金額相對較小，即便是可以快速翻倍，累積的金額也沒有多少。

所以我通常會告訴年輕朋友，多加強自己的職場專業，求取較高的薪資，因為職場初期薪資的成長比起投資獲利還要多、還要快，所以重點是如何比別人還要早獲得 1,000 萬元本金，薪資的成長是這時期的重點。接著才能靠投資讓資產快速翻倍，這時候靠著既有資產的獲利就比勞力所得還要多。所以年輕時，7 分靠薪資收入、3 分靠理財，年紀大時，7 分靠理財、3 分靠薪資收入，這才是理財的真正精髓。

何謂「對數公式」

未來值＝期初投入 ×（1 ＋報酬率）^{期數}
未來值 / 期初投入＝（1 ＋報酬率）^{期數}

因為求的是資產翻倍，因此將未來值設定為 2，期初投入為 1，公式如下：
2 ＝（1 ＋報酬率）^{期數}
LN（2）＝期數 ×LN（1 ＋報酬率）
期數＝ LN（2）/LN（1 ＋報酬率）

何謂「年化標準差」

「年化標準差」指的是投資報酬率偏離平均值的程度。從長期來看，投資報酬率呈現常態分配，落在平均報酬率正負 1 個標準差之內的機率大約是 68%；落在正負 2 個標準差之內，機率大約是 95%，正負 3 個標準差以內的範圍，機率大約是 99.7%。

例如一檔基金，年平均報酬率 12%，標準差為 15%，有了這兩個數字，就可以預測這檔基金 1 年後的報酬率會落在哪裡。以 95% 的機率來看（2 個標準差），高標就是 42%（＝ 12% ＋ 2×15%），低標就是-18%（＝ 12% － 2×15%）；簡單說，未來 1 年的報酬率，有 95% 的機率出現在 -18% ～ 42% 之間。也就是說，投資 1 萬元於這檔基金，1 年後的淨值可能賺也可能賠，預估 95% 的機會出現在 8,200 元～ 1 萬 4,200 元之間。

5-6
為求績效衝高報酬率 還須留意「波動風險」

上一章談到，每月投資 1 萬元於每年報酬率 12% 的股票型基金，40 年後基金淨值可以成長至 1 億 1,765 萬元（詳見 5-5）。這是數學精算出來的結果，應該不會錯才是。可是真有這麼美好嗎？其實這算法的基本假設是「每年都有 12% 的投資報酬率」，但是這樣並沒有將波動風險考慮進來。

要得到 12% 的年化報酬率困難嗎？代號 SPY 的 ETF（指數股票型基金）是追蹤美國 S&P 500 指數，從 2010 年 8 月 2 日至 2015 年 8 月 3 日的累積報酬率為 119%，相當於 17% 的年化報酬率。但是這樣的報酬率並不是每年都上漲 17%，而是上下波動的，像是前 3 年的年度報酬率有 18%，第 4 年高達 25%，到了第 5 年卻只有 5.8%（詳見表 1）。

由於不同期間的報酬率並不一樣，SPY 在 2010 年到 2015 年這段期間的報酬確實比較好。那麼，我們把時間放長一點，往前看看 22 年來的績效，果然沒有那麼高，但是，每年要獲得 9% ～ 10% 的報酬率也不是太困難！

表1 美股S&P 500指數ETF，每年報酬率呈上下波動
——美股S&P 500指數調整後收盤價及年度報酬率

日期	調整後收盤價（美元）	年度報酬率（%）
2010.08.02	95.105	
2011.08.01	112.590	18.4
2012.08.01	132.801	18.0
2013.08.01	157.400	18.5
2014.08.01	196.839	25.1
2015.08.03	208.280	5.8

資料來源：Yahoo! Finance　整理：怪老子

圖 1 就是美股代號 SPY 的 ETF 績效圖，原始資料從美國雅虎財經網站（Yahoo! Finance）下載，並採取調整後收盤價（Adj Close），這是把除息及股票分割因素考量進去，並非我們平常在技術分析線圖看到的收盤價。因為要計算投資報酬率，就得將配息還原才行，所以調整後收盤價也可以解釋成配息還原收盤價。

SPY 這檔 ETF 追蹤 S&P 500 指數，沒有基金經理人特別操作，單純只是買進持有所得到的績效。從線圖來看，雖然隨著時間上下起伏，走勢卻是一路往上揚。

每股淨值從 1993 年 1 月 29 日的 28.92 美元，一路成長到 2015 年 8 月 3 日的 208.28 美元，期間總共 22.5 年，累積報酬率高達

圖1 追蹤美股S&P 500指數的ETF，長期走升
——SPY調整後收盤價及報酬率

日期	Adj Close	月報酬率
1993/1/29	28.921892	
1993/2/1	29.230415	1.07%
1993/3/1	29.885187	2.24%
1993/4/1	29.120457	-2.56%
1993/5/3	29.905823	2.70%
1993/6/1	30.013733	0.36%
1993/7/1	29.868004	-0.49%
1993/8/2	31.012804	3.83%
1993/9/1	30.787165	-0.73%
1993/10/1	31.394497	1.97%
2015/5/1	210.117599	1.29%
2015/6/1	205.889999	-2.01%
2015/7/1	210.449997	2.21%
2015/8/3	208.279999	-1.03%

整理：怪老子

620.1%，相當於 9.16% 的年化報酬率。這期間的年化報酬率是如何計算出來的呢？只要使用 XIRR 就可以計算出年化的內部報酬率（詳見 3-8）。根據圖 1 的數值，XIRR 的公式寫法如下：

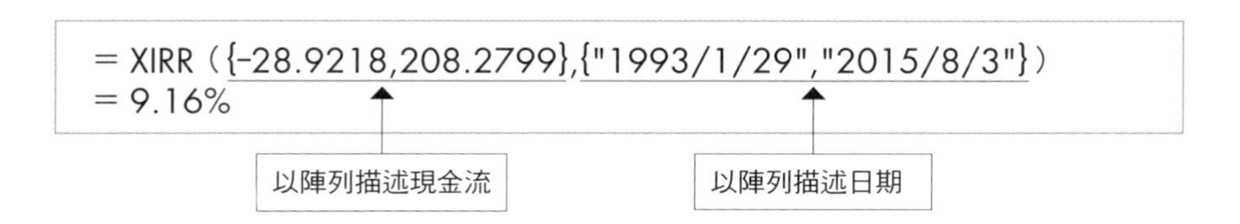

我們姑且把年化報酬率視為 9.1% 就好，由於 ETF 是追蹤指數，也不需要明星基金經理人，只要投資追蹤美國 S&P 500 指數的 ETF，而且

買進持有就能夠有這樣的績效了。如果要計算以複利成長的未來值，可以算出，每月投資 1 萬元於 SPY 這檔 ETF，40 年後可獲得 4,335 萬 7,557 元（算法詳見第 284 頁）。

對投資充滿不信任的人，初次看到這樣的結果都會嗤之以鼻，認為每年都 9.1% 的報酬率根本不可能。沒錯，若想找一項投資商品，提供每年「固定」9.1% 報酬率、沒有任何波動及風險，這是不可能存在的。

SPY 也不是每年固定提供這麼高的報酬率，仔細看，從過去 22 年來，淨值波動非常大，股市多頭時漲很多，空頭時卻虧損很大。儘管波動這麼大，長期趨勢仍是往上，從 1993 年 1 月 29 日的 28.92 美元，一路跌跌晃晃漲到 208.28 美元，這樣的結果「相當於」每年擁有 9.1% 的報酬率。

因此，這裡的 9.1%，並不是每年都會穩定成長 9.1%，而是每年的報酬率都不一樣，有時候比較高，有時候比較低，甚至虧損。就好似一個馬拉松選手賽後統計，平均時速每小時 9 公里，但不代表全程的時速都一樣；通常是一開始比較快，後來比較慢，平均時速每小時 9 公里。

標準差愈高，報酬率波動愈大

SPY 投資美國 500 檔大型股票，所以能獲得不錯的投資報酬率，但別忘了，投資的風險也跟著增加。反過來說，就是因為承擔了較高的風險，才有機會達到這樣規模的報酬。如果不願意承擔任何風險，就只能投資銀行定存，報酬率就只有 1.5% 左右。所以投資報酬率與風險程度是息息相關——高風險伴隨高報酬。

然而風險又要如何衡量呢？要有「平均報酬率」與「標準差」才能完全表達一組資產的上漲及波動幅度。平均報酬率描述上漲幅度及力道，用每期報酬率的算術平均，而標準差則是衡量每一期的報酬率偏離平均的幅度，標準差愈高則波動愈大。

例如 SPY 這檔 ETF，我們已經有了每月的調整後收盤價，就能算出，從 1993 年 1 月至 2015 年 8 月，平均年報酬率為 9.84%，年標準差為 14.5%。用這 2 項數據，套用到統計學的規則，可以預估這檔 ETF 的年報酬率，有 68% 的機率落在「平均值正負 1 個標準差內」的範圍，也就是 -4.7% ～ 24.3%；有 95% 的機率落在「平均值正負 2 個標準差內」，也就是 -19.2% ～ 38.8%。

表2 SPY有95%機會報酬率落在-19.2%～38.8%
——以預估年報酬率9.84%、年標準差14.5%條件下計算

	出現機率	報酬率低標	報酬率高標
1個標準差	68%	-4.7%	24.3%
2個標準差	95%	-19.2%	38.8%

整理：怪老子

平均報酬率一定要跟波動風險一起考慮才有意義。平均報酬愈高，波動風險就愈大，報酬率的上下起伏就很大；所以，找到自己可承擔風險的報酬率，才可以用來預估未來淨值，否則一切僅是空談。

不要再說高報酬不可能，應該說，沒有低風險高報酬的商品。追求高報酬的同時，也得考量自己是否可承擔伴隨的風險；報酬率不是愈高愈好，而是在報酬與風險中得到平衡，才能達到投資理財的最高境界。

範例》從月報酬率計算基金平均報酬率與標準差

只要能取得每月價格或指數，算出「月報酬率」，就能用 Excel 函數得到「平均月報酬率」與「月標準差」兩個數字，進而推算出「預估年報酬率」與「預估年標準差」：

1. 計算月報酬率：利用當月數值及上月數值，即可算出月報酬率，公式為：「當月數值／上月數值－1」。

2. 計算平均月報酬率：使用「AVERAGE」函數，將月報酬率的數值或儲存格範圍代入，即可算出月報酬率的算術平均值。公式為「＝AVERAGE（數值1, 數值2, ……）」或「＝AVERAGE（儲存格範圍）」。

3. 計算月標準差：使用「STDEV.S」函數，將月報酬率的數值或儲存格範圍代入，即可算出月報酬率的標準差。格式為「＝STDEV.S（數值 1, 數值 2,⋯⋯）」或「＝ STDEV.S（儲存格範圍）」。

4. 計算預估年報酬率：公式為：「平均月報酬率 *12」。

5. 計算預估年標準差：月標準差乘上 12 的 0.5 次方，公式為「＝月標準差 *12^0.5」。

我們以 SPY 這檔 ETF 為例，根據 1993 年 1 月 29 日到 2015 年 8 月 3 日的歷史股價，試著做出如本文圖 1 的圖表，詳見以下實作練習。

實作練習

首先下載歷史股價。前往美國 Yahoo! Finance 網站（finance.yahoo.com），❶搜尋欄鍵入「SPY」後，❷點選「SPDR S&P 500 ETF」，進入 SPY 的頁面。❸點選「Historical Prices」（歷史股價），❹於查詢欄位輸入查詢區間，❺點選「Get Prices」按鈕，可看到查詢結果。移到網頁最下方，❻點「Download to Spreadsheet」即可下載檔案（可複習 4-4）。

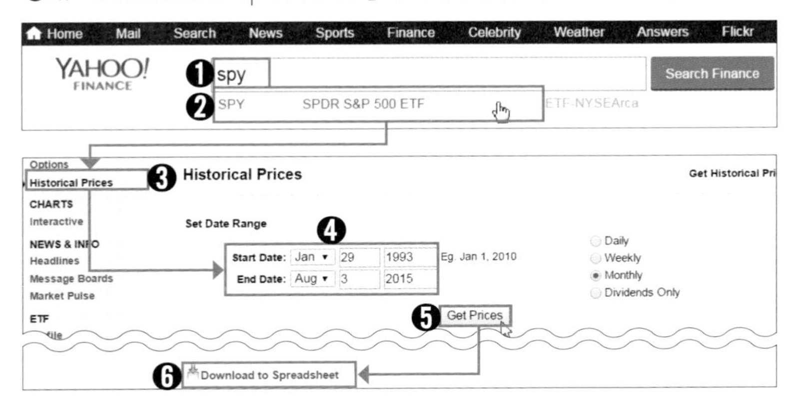

將下載的股價表，只❶留下「Date」（日期）及「Adj Close」（調整後收盤價）兩個欄位，其他欄位刪除；並且將股價表定義為表格（選取範圍後，點選「插入」索引標籤→「表格」），並將表格名稱命名為「績效表」。

❷最右欄新增一欄，「C8」輸入標題「月報酬率」。並❸於這一欄的第 2 個儲存格「C10」鍵入公式：「＝[@[Adj Close]]/B9 － 1」。接著，將「C10」公式往下複製至「C11：C280」。

按下圖，於❹儲存格「A1：A6」分別輸入「年化報酬率」、「月報酬率」、「預估年報酬率」、「月標準差」、「預估年標準差」。

❺「年化報酬率」儲存格「B1」，利用 XIRR 函數，輸入績效表期初與期末的現金流數值與日期，因期初視為現金流出，須加上負號：「＝ XIRR（{-28.9218,208.2799},{"1993/1/29","2015/8/3"}）」。

❻「月報酬率」儲存格「B3」，利用 AVERAGE 函數計算績效表的月報酬率算術平均值：「＝ AVERAGE（**績效表 [月報酬率]**）」。

❼「預估年報酬率」儲存格「B4」等於月報酬率 ×12：「＝ B3*12」。

❽「月標準差」儲存格「B5」，利用 STDEV.S 函數計算績效表的月報酬率標準差：「＝ STDEV.S（**績效表 [月報酬率]**）」。

❾「預估年標準差」儲存格「B6」為月標準差 ×12 的開平方：「＝ B5*12^0.5」。

	A	B	C
1	年化報酬率	9.16%	
2			
3	月報酬率	0.82%	
4	預估年報酬率	9.84%	
5	月標準差	4.19%	
6	預估年標準差	14.50%	
7			
8	日期	Adj Close	月報酬率
9	1993/1/29	28.921892	
10	1993/2/1	29.230415	1.07%
11	1993/3/1	29.885187	2.24%
12	1993/4/1	29.120457	-2.56%
279	2015/7/1	210.449997	2.21%
280	2015/8/3	208.279999	-1.03%

若想將調整後收盤價製作成折線圖，可❶選取歷史股價表的第 1 與第 2 欄「A8：B280」，點選❷「插入」→❸「折線圖」→❹「平面折線圖」，以「Adj Close」為垂直軸，「日期」為水平軸，畫出投資績效的走勢圖。

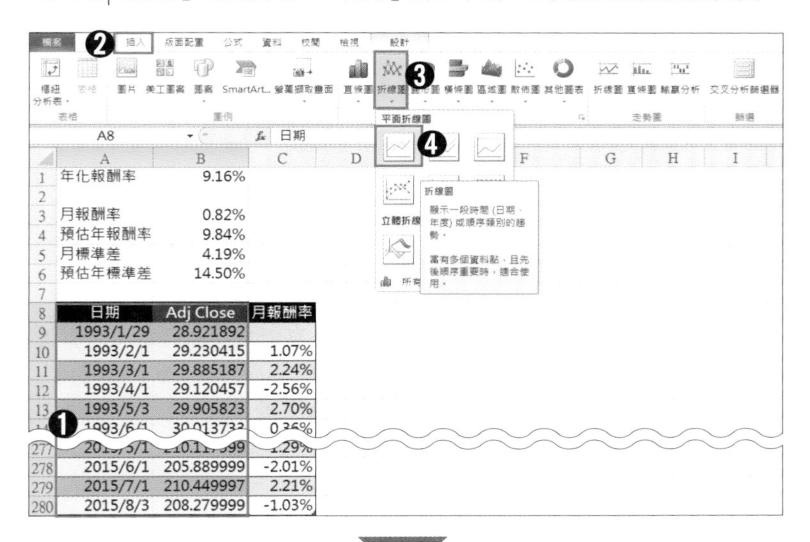

從年化報酬率計算每月投資的未來值

每月投資 1 萬元於年化報酬率 9.1% 的商品，40 年後未來值公式如下
＝ FV（月報酬率 / 月數 , 月數 ,– 月投資金額）
＝ FV（（1 ＋ 9.1%）^（1/12）－ 1,40*12,-10000）
或
＝ FV（NOMINAL（9.1%,12）/12,40*12,-10000）

＝ 4,335 萬 7,557 元

關於 FV 當中的第 1 個參數「月報酬率」，是從年化報酬率 9.1% 換算而來。由於已知的 9.1% 是月複利成長的年化報酬率，但 FV 函數若要以月報酬率計算未來值，必須將年化報酬率換算為尚未以複利計算的月報酬率：
＝（1 ＋ 9.1%）^（1/12）－ 1
＝ 0.728%

若想使用函數快速計算，可用 NOMINAL 函數再除以 12：
＝ NOMINAL（年化報酬率 , 期數）/12
＝ NOMINAL（9.1%,12）/12
＝ 0.728%

（上述概念其實就是「名目報酬率」與「實質報酬率」，完整介紹詳見 5-7。）

5-7
認識名目報酬、有效報酬 精確計算未來淨值

IRR 函數可以算出每一期的內部報酬率，如果 1 個月為 1 期，就是月報酬率，再乘上 12 才是年報酬率；這樣的計算結果又稱為「名目年報酬率」（Nominal Rate），是將每個月的月報酬率直接以單利計算，沒有考慮利息再投資。

銀行牌告的年利率、債券的票面利率、信用卡循環利率都是屬於名目報酬率。但是當我們到銀行定存，可發現銀行實際上 1 個月計息 1 次，並將每月利息再投入到下個月的本金複利計息。

例如，銀行年利率 1.23%，每月計息，用來計息的月利率就直接除以 12：

名目年利率 1.23%

名目月利率＝ 1.23%/12 ＝ 0.1025%

而當投資期間為 1 年時，會將上述的月利率複利 12 次，這樣算出來的報酬率，又稱為「有效年利率」或「有效年報酬率」（Effective Rate），這才是一年從期初至期末所得到的實質利率。

有效年報酬率＝（1＋0.1025%）^12－1
＝1.237%

所以你會發現，銀行牌告的年利率雖然是 1.23%，10 萬元存 12 個月，利息不是 1,230 元；而是以月複利計息，實際能領到的利息為 1,236 元。

因為 1 年複利 12 次，會比 1 年只複利 1 次的有效年報酬率更高一些；上述的例子因為名目年報酬率低，比較不明顯；當名目年報酬率較高，就能看出較明顯的差距。

EFFECT、NOMINAL函數，換算名目與有效年報酬率

想要換算名目年報酬率和有效年報酬率，可先參考以下公式；如果不想自己用公式計算，可直接學習以下第 2 及第 3 項，因為只要利用「EFFECT」與「NOMINAL」函數，就能直接獲知結果。

1.公式計算有效年報酬率

已知名目年報酬率（R_n）、每年計息次數（m），有效年報酬公式（R_e）為：

$$Re = (1 + R_n/m)^m - 1$$

例如名目年報酬率 10%，每年計息次數 12 次，公式如下：

有效年報酬率＝（1 + 10%/12）^12 － 1 ＝ 10.47%

2.EFFECT函數計算有效年報酬率

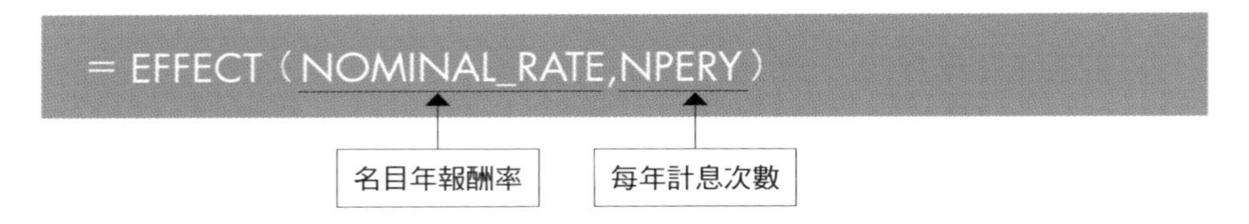

例如名目年報酬率 10%，每年計息次數 12 次，函數寫法如下：

＝ EFFECT（10%,12）→可得到答案為 10.47%

信用卡所標示的循環利率也是名目利率，每一個月的利息若沒有繳清，會併入下次的本金計息，相當於 1 年複利 12 次的月複利。若名目利率為 20%，只要用 EFFECT 函數，很快地可以計算出有效利率將近 22%：

＝ EFFECT（20%, 12）→可得到答案為 21.94%

3.NOMINAL函數計算名目年報酬率

反過來，要將有效報酬率轉成名目報酬率，Excel 也提供一個 NOMINAL 函數，不用自行用公式計算，非常方便。有效報酬率是以名目報酬率複利 m 次得到，所以參數也必須要有每年複利次數 m，才有辦法計算出來。

＝NOMINAL（有效報酬率，一年複利次數）

例如，已知一檔定期定額投資的基金，月複利計算的有效年報酬率為9%，名目年報酬率為：

＝NOMINAL（9%,12）→可得到答案為 8.65%

定期定額投資，需學習有效年報酬率與月利率的轉換

當知道有效年報酬率 Re，想要求出複利 m 次的期利率，Excel 公式為：
＝（1＋R_e）^（1/m）－1 或＝NOMINAL（R_e, m）/m

例如，1 季複利 1 次，1 年分為 4 季（m＝4）。那麼當一年有效報酬率為 15%，名目季報酬率為：
＝（1＋15%）^（1/4）－1 或＝NOMINAL（15%, 4）/4
＝3.5558%

若是每月複利 1 次，1 年複利 12 次（m＝12），名目月報酬率為：
＝（1＋15%）^（1/12）－1 或＝NOMINAL（15%, 12）/12
＝1.17149%

如果一檔基金有效年報酬率為 15%，1 年複利 12 次，名目月報酬率為 1.17149%，就代表在月報酬率 1.17149% 條件下，每月複利 1 次，期末的有效報酬率等於 15%。

為什麼這麼麻煩來算出月利率呢？因為定期定額投資時就會使用到。例如，每月定期定額投入 1 萬元於同樣一檔基金（現金流量圖如圖 1），1 年後的本利和為多少？

本利和可用 FV 函數計算，但是因為 1 個月為 1 期，總共 12 期，所以 RATE 參數要使用月報酬率；這個月報酬率經過 12 個月的複利，必須產生 15% 的有效年報酬率才正確，所以月報酬率才需要轉換回名目

圖1 名目月報酬率經過12次複利，才是有效年報酬率
——定期定額投資現金流量圖範例

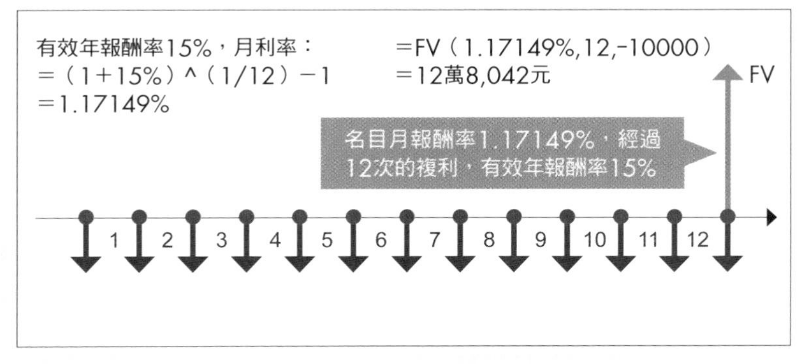

整理：怪老子

報酬率。若每月投資 1 萬元，1 年後本利和計算如下：

＝ FV（1.17149%,12,-10000）＝ 12 萬 8,042 元

範例》推估富達世界基金未來淨值

富達世界基金（ISIN：LU0069449576）2011 年～ 2015 年的累積報酬率為 56.4%（詳見圖 2），年化報酬率為 9.36%（＝ RATE（5,0,-1,1.564））。假設未來表現也是如此，那麼每月定期定額 2 萬元，預估 10 年後的淨值會成長多少？

圖2 富達世界基金5年間累積報酬率達56.4%
——富達世界基金2011～2015年含息報酬指數

註：以 2010.11.12 為基期 1 萬；統計期間 2010.11.12 ～ 2015.11.11
資料來源：晨星（MorningStar）網站　整理：怪老子

年化報酬率 9.36% 是有效報酬率，所以名目月報酬率為：

= NOMINAL（9.36%,12）/12 = 0.748412%

期末淨值為：

= FV（0.748412%,120,-20000）= 386 萬 6,119 元

也可以直接放到一個式子裡：

= FV（NOMINAL（9.36%,12）/12,120,-20000）

= 386 萬 6,118 元

差了 1 元是因為沒有月利率的小數點誤差，因此這個方式算出來的結果更為精確。

表1 名目報酬率與有效報酬率，可用公式快速轉換
——名目報酬率與有效報酬率整理表

代號說明：有效報酬率：R_e、名目報酬率：R_n、1 年複利次數：m、期初：PV、期末：FV

轉換方向	名目報酬率轉成有效報酬率（$R_n \rightarrow R_e$）	有效報酬率轉成名目報酬率（$R_e \rightarrow R_n$）
公式	$FV=PV*(1+R_n/m)^m$ $R_e=FV/PV-1=(1+R_n/m)^m-1$ $R_e=(1+R_n/m)^m-1$ 其中R_n/m為期報酬率	$R_e=(1+R_n/m)^m-1$ $(1+R_e)^{1/m}=(1+R_n/m)$ 名目報酬率$(R_n)=m*[(1+R_e)^{1/m}-1]$ 期報酬率$(R_n/m)=(1+R_e)^{1/m}-1$
Excel計算	=（1+R_n/m）^m－1	=m*（（1+R_e）^（1/m）－1）
Excel函數	=EFFECT（R_n,m）	=NOMINAL（R_e,m）

整理：怪老子

5-8

自己算物價複合成長率 估算財務目標無誤差

看著自己好不容易存下來的儲蓄，受到通膨的影響愈來愈不值錢，真不知道該怎麼辦才好。其實，通膨是經濟成長必要之惡，只有正視問題的存在，勇敢面對才是根本解決之道。

通貨膨脹既然存在，唯一對付的辦法就是讓自己的薪資及資產成長得比通貨膨脹還要快。薪資成長由國家經濟決定，而資產的成長卻是自己可以掌握的，因為投資報酬率就是成長率的一種，所以只要資產的投資報酬率大於通貨膨脹率，實質報酬率才是正值，否則會得到負的實質報酬率。

利用物價指數，預估未來通貨膨脹率

對於通貨膨脹率有兩件事必須學習，一個就是預估未來通貨膨脹率，另一個就是當知道通貨膨脹率以後，如何預估多年以後的物價？例如小孩的教育基金，通常我們只知道小孩多少年後要上大學，那時候的學費及生活費又會是多少？要能夠準確預估，就得先知道通貨膨脹率是多少，以及學會估算未來經通膨調整後的費用。

通貨膨脹，用俗話來說就是錢變薄了，同樣金額的錢，未來可以買到的物品及服務變少了，也就是實質購買力變低了！而衡量通貨膨脹的指標，就是消費者物價指數（CPI），行政院主計總處每年都會公布物價指數及年增率。圖 1 節錄自主計總處截至 2015 年 5 月的消費者物價指數，基期是 2011 年（民國 100 年），基期指數為 100。

例如 1981 年（民國 70 年）1 月的物價指數為 58.05，代表 2011 年標價 100 元的物品，在 1981 年只要 58 元就可以買到。反過來說，在 1981 年 58 元可買到的物品，30 年後卻得用 100 元才買得到。

圖1 1981年58元商品，30年後要花100元才買得到
——1981.01～2015.05消費者物價指數

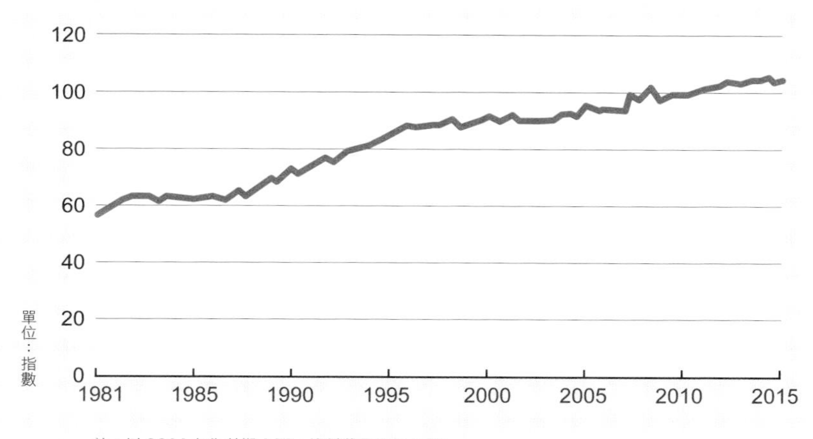

註：以 2011 年為基期 100；資料截至 2015.05
資料來源：行政院主計總處　　整理：怪老子

圖中可以看出物價並非直線上升，而是有幾年緩步上升，有幾年急速上揚，又有少數幾年不只沒有上升、還呈現下降的情況。想要了解過去通貨膨脹的狀況，再做合理的生活費預估，最好的方法，就是算出這段期間的每年平均成長率（或稱複合成長率）；以當前的指數為基準，回溯 5、10、15、20、25、30 年期間內，每年的複合成長率是多少。

只要將主計總處的物價指數整理如表 1，就可以很清楚看出過去平均通貨膨脹率是多少了。表中的複合成長率的公式為：

$$=（期末指數／期初指數）^{\frac{1}{年數}}-1$$

有沒有很眼熟？這與複利投資的報酬率，算法是相同的，因為通貨膨脹率就是物價的成長率，而投資報酬率是資金成長率，都是成長率的一種，計算方式當然是相同了。

在表 1 當中，是以第 1 列 2015 年 5 月的物價指數為基準，所以「複合成長率」的公式中，期末指數都是 2015 年 5 月的「103.14」，期初指數則是用各期間起始月份的物價指數；例如，最近 5 年的期初指數就是 2010 年 5 月的物價指數 98.12，最近 10 年的期初指數就是 2005 年 5 月的物價指數 92.53。

所以，最近 5 年（2010 年 5 月～ 2015 年 5 月）的物價平均以每

表1 過去30年，物價年複合成長率約1%～1.7%
——物價指數年複合成長率

最近年數	物價指數	複合成長率
0	103.14	
5	98.12	1.00%
10	92.53	1.09%
15	89.77	0.93%
20	83.44	1.07%
25	69.36	1.60%
30	62.38	1.69%

註：資料截至 2015.05　　整理：怪老子

年 1.00% 成長：

＝（103.14/98.12）^（1/5）－ 1

最近 10 年（2005 年 5 月～2015 年 5 月）的物價平均每年以 1.09% 成長：

＝（103.14/92.53）^（1/10）－ 1

有了這張表，可以看出最近 20 年內（1995 年 5 月～2015 年 5 月），通貨膨脹率平均每年都以 1% 成長。即便是最近 30 年（1985 年 5 月～2015 年 5 月），平均通貨膨脹率也只有 1.69%。所以，未來的通膨用 2% 來預估，應該是很保守了。

想自己製作如表 1 的通貨膨脹率表格，首先必須到中華民國統計資訊網下載物價指數，再根據物價指數計算最近 5～30 年的複合成長率。以下透過實作練習按步驟講解。

實作練習

首先下載消費者物價指數歷史資料。進入「中華民國統計資訊網」（statdb.dgbas.gov.tw/pxweb/Dialog/statfile9L.asp），點選❶「物價統計」→❷「消費者物價指數」→❸「消費者物價基本分類指數」→❹「月」，就能進入資料庫，或鍵入網址，直接進入該網頁（goo.gl/95WVHy）。

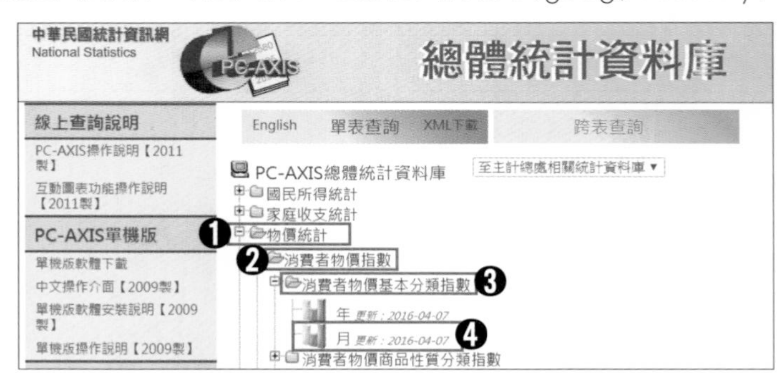

STEP 2

抓取消費者物價指數。第 1 欄的期間，點選❶「全選」，第 2 欄基本分類選❷「總指數」這一項，第 3 欄的種類，也點選❸「全選」，然後點選❹「繼續」按鈕。

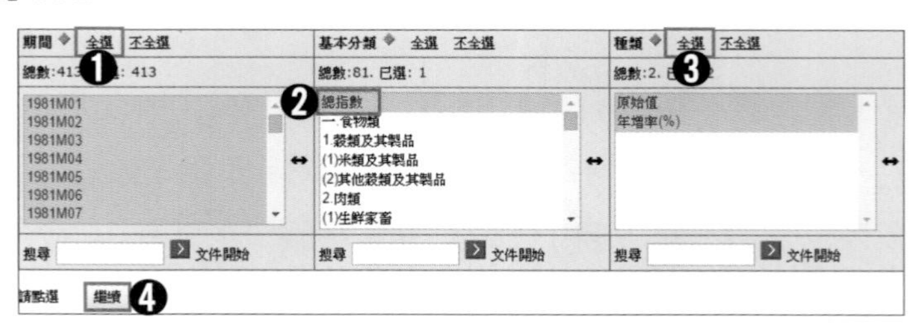

STEP 3

上一步驟點選「繼續」按鈕後，會出現所查詢的表格。點選❶「csv」按鈕，就可以下載檔案。用 Excel 開啟 csv 檔案後，共有 3 個欄位，A 欄為年份加月份，B 欄是物價指數，C 欄則是跟去年同月份相比的物價年增率，所以資料起始的前 12 個月沒有數值（本範例的最新日期為 2015 年 5 月）。

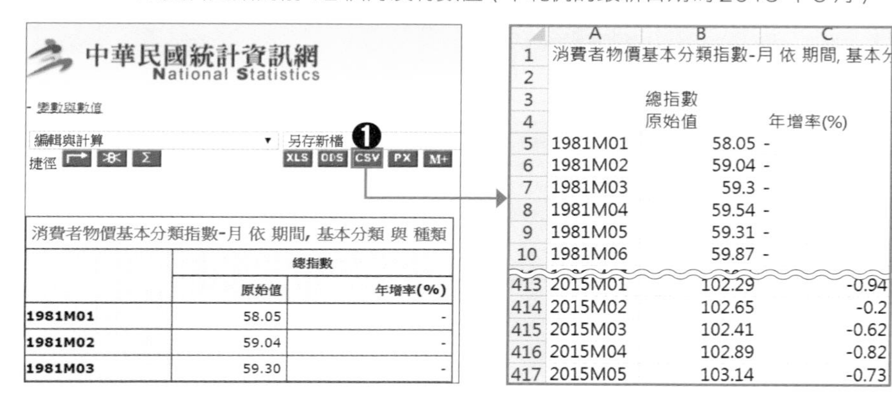

將 csv 另存新檔為 Excel 檔案（副檔名 xls 或 xlsx）後，再次開啟，並製作 3 個欄位。❶儲存格「E3」、「F3」、「G3」分別輸入文字「最近年數」、「物價指數」、「複合成長率」。❷「最近年數」的第 1 列「E4」輸入數字 0，並往下依序輸入 5、10……30，或可使用數列填滿功能，先點選儲存格「E4」，再點選❸「常用」索引頁標籤→❹「填滿」，選擇下拉選單的「數列」。數列小視窗中「數列資料取自」勾選❺「欄」，❻「間距值」填入 5，❼「終止值」填入 30，點選❽「確定」即可。

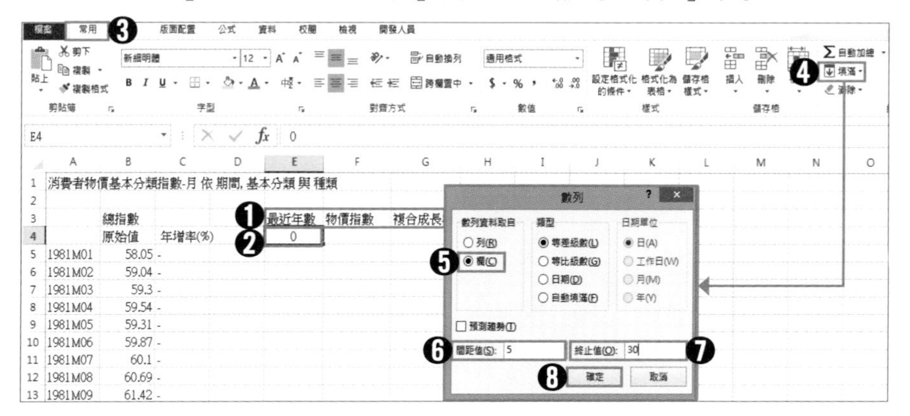

❶選取要製表的儲存格範圍「E3：G10」，❷點選「插入」索引頁標籤→❸「表格」，出現「建立表格」視窗，同時自動列出選取的範圍「=$E$3：$G$10」，確定勾選有標題的表格後，❹點選「確定」按鈕。

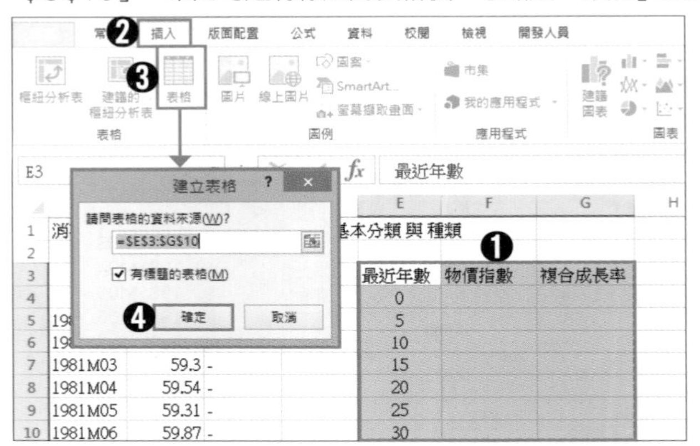

為增加公式的可讀性，以及未來公式維護，可將物價指數資料範圍定義名稱。❶以滑鼠選取儲存格範圍「B5：B417」，❷點選「公式」索引頁標籤→ ❸「定義名稱」，即出現「新名稱」小視窗，❹將名稱命名為「指數」，並確認參照到的範圍無誤，再❺點選「確定」按鈕。這樣一來，這個Excel 檔案若有公式是參照到「指數」這個名稱，就代表「B5：B417」的範圍。

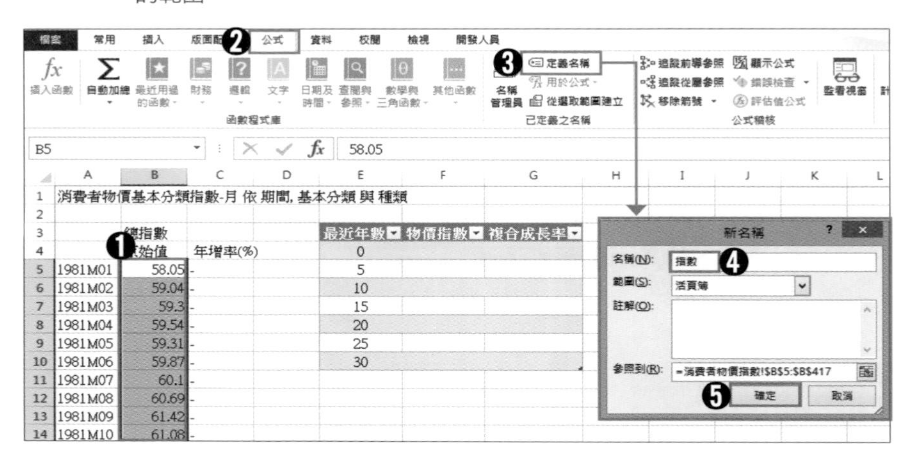

❶點選年數為 0 的物價指數儲存格「F4」，輸入「= INDEX（**指數**,COUNT（**指數**）－ [@ **最近年數**]*12）」，就會找出距離「最近年數」欄位的物價指數（公式說明詳見第 301 頁）。因為這一列的「最近年數」為 0，所以就會找到最下面一列那筆（2015M05）物價指數數值（103.14）。接著❷將儲存格 F4 公式往下複製至「F5：F10」。

F4 =INDEX(指數,COUNT(指數)-[@最近年數]*12)

	A	B	C	D	E	F	G	H
1	消費者物價基本分類指數-月 依 期間, 基本分類 與 種類							
2								
3		總指數			最近年數	物價指數	複合成長率	
4		原始值	年增率(%)		0 ❶	103.14		
5	1981M01	58.05	-		5			
6	1981M02	59.04	-		10			
7	1981M03	59.3	-		15 ❷			
8	1981M04	59.54	-		20			
9	1981M05	59.31	-		25			
10	1981M06	59.87	-		30			
11	1981M07	60.1	-					

❶點選最近年數為 5 的「複合成長率」儲存格「G5」，輸入複合成長率公式「=（**$F$4/[@ 物價指數]**）^（**1/[@ 最近年數]**）－ 1」（公式說明詳見第 302 頁），要特別注意公式中「$F$4」必須是「絕對參照」，等一下複製公式時才會正確。接著❷將「G5」複製到「G6：G10」。

G5 =($F$4/[@物價指數])^(1/[@最近年數])-1

	A	B	C	D	E	F	G	H
2								
3		總指數			最近年數	物價指數	複合成長率	
4		原始值	年增率(%)		0	103.14		
5	1981M01	58.05	-		5	98.12	0.010029172 ❶	
6	1981M02	59.04	-		10	92.53		
7	1981M03	59.3	-		15	89.77		
8	1981M04	59.54	-		20	83.44	❷	
9	1981M05	59.31	-		25	69.36		
10	1981M06	59.87	-		30	62.38		
11	1981M07	60.1	-					
12	1981M08	60.69	-					

STEP 9

整理「複合成長率」的儲存格格式，❶選取「G5：G10」範圍，❷點選「常用」索引頁標籤→❸「%」，就會以百分比顯示，❹再用增減小數點按鈕選擇適當的小數點位數，表格就全部完成了。

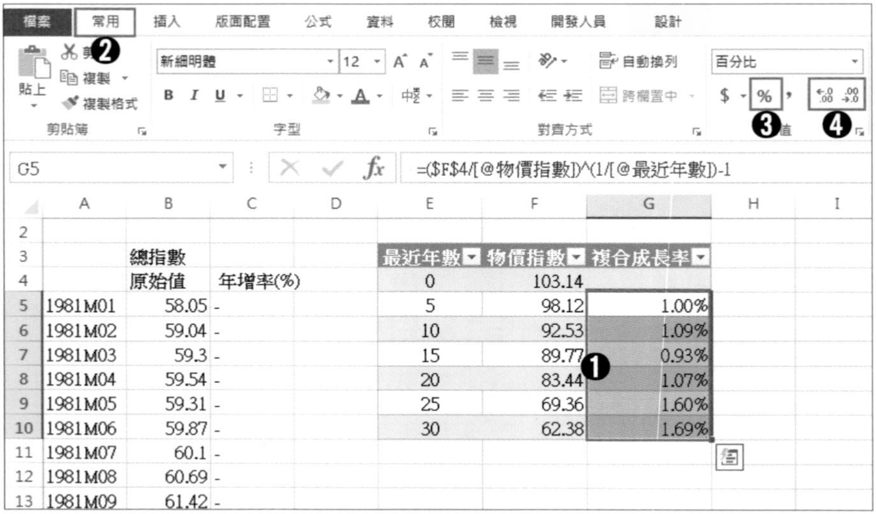

G5 =($F$4/[@物價指數])^(1/[@最近年數])-1

	A	B	C	D	E	F	G
2							
3		總指數			最近年數	物價指數	複合成長率
4		原始值	年增率(%)		0	103.14	
5	1981M01	58.05	-		5	98.12	1.00%
6	1981M02	59.04	-		10	92.53	1.09%
7	1981M03	59.3	-		15	89.77	0.93%
8	1981M04	59.54	-		20	83.44	1.07%
9	1981M05	59.31	-		25	69.36	1.60%
10	1981M06	59.87	-		30	62.38	1.69%
11	1981M07	60.1	-				
12	1981M08	60.69	-				
13	1981M09	61.42	-				

完成後的表格公式如下：

最近年數	物價指數	複合成長率
0	=INDEX(指數,COUNT(指數)-[@最近年數]*12)	
5	=INDEX(指數,COUNT(指數)-[@最近年數]*12)	=($F$4/[@物價指數])^(1/[@最近年數])-1
10	=INDEX(指數,COUNT(指數)-[@最近年數]*12)	=($F$4/[@物價指數])^(1/[@最近年數])-1
15	=INDEX(指數,COUNT(指數)-[@最近年數]*12)	=($F$4/[@物價指數])^(1/[@最近年數])-1
20	=INDEX(指數,COUNT(指數)-[@最近年數]*12)	=($F$4/[@物價指數])^(1/[@最近年數])-1
25	=INDEX(指數,COUNT(指數)-[@最近年數]*12)	=($F$4/[@物價指數])^(1/[@最近年數])-1
30	=INDEX(指數,COUNT(指數)-[@最近年數]*12)	=($F$4/[@物價指數])^(1/[@最近年數])-1

物價指數、複合成長率欄位公式說明

◎物價指數欄位公式

物價指數那一欄位所使用的公式全一樣，都是「＝INDEX（指數,COUNT（指數）－[@最近年數]*12）」，當中「指數」是已定義的表格（儲存格範圍「B5：B417」），每一儲存格的數值為一個月的物價指數。

「COUNT（指數）」的意思，是計算指數「B5：B417」這個資料範圍，共有幾個儲存格，計算結果共有413個儲存格（亦即1981年1月到2015年5月共有413個月）。而最下方第413列的儲存格，就是2015年5月的物價指數，所以n年前的物價指數會存放在「413－n*12」，也就是第413列（2015年5月）往回推n*12個月，用公式表示就是（413－n*12）。

例如，2015年5月往前5年的物價指數儲存格，就是1981年1月（B5）算起第353列（413－5*12），為儲存格「B357」。

物價指數的公式每一列都一樣，可是每個值都不同，原因就是我們已將這張表定義為表格。公式中「[@最近年數]」屬於同表格中的用法，指的是「最近年數」那一欄的同列儲存格。

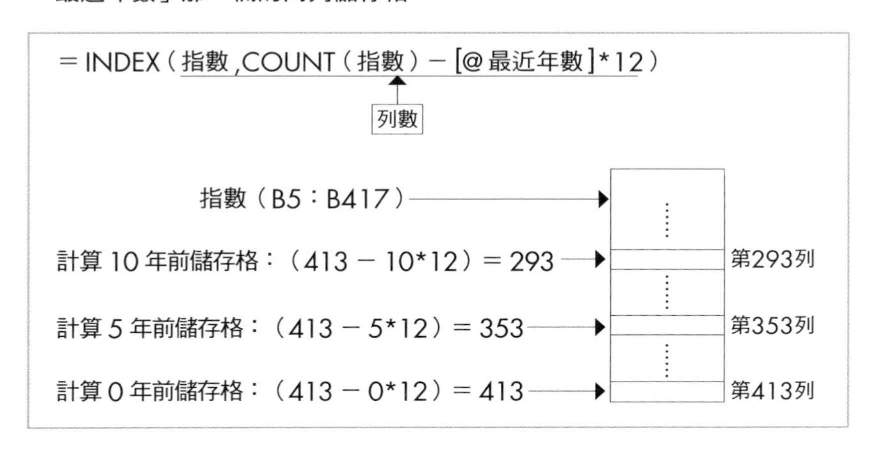

例如儲存格「F6」的公式，找出最近往前10年的物價指數，而儲存格「F8」的公式，則是找出最近往前20年的物價指數。「F6」及「F8」公式都一樣，但是公式中的「[@最近年數]」代表的數值就不一樣，「F6」公式中「[@最近年數]」數值為10，而「F8」的「[@最近年數]」是20。

◎複合成長率欄位公式
複合成長率的公式如下：
＝（期末指數 / 期初指數）^（1/ 年數）－ 1

不論最近幾年的複合成長率，都是跟資料中最新的物價指數「F4」為基準，所以期末指數都是「F4」儲存格的值103.14。複合成長率這欄的公式也都一樣是「＝（$F$4/[@物價指數]）^（1/[@最近年數]）－ 1」。

◎善用表格與定義名稱功能，增加維護便利性
善用這樣的表格功能，將來重新查看時也比較容易看懂，將來若要增強功能，所需更動的地方也較少。要是沒有使用表格，整個公式的寫法可讀性就不是很好。

使用表格與定義名稱功能：
＝ INDEX（指數 , COUNT（指數）－ [@最近年數]*12）

未使用表格與定義名稱功能，僅以儲存格範圍描述：
＝ INDEX（$B$5：$B$417, 413 － E6*12）

可以看到，若是計算資料列數的寫法「COUNT（指數）」寫成「413」，一旦資料範圍有變動，413這數字必須跟著列數更改，否則就會出現錯誤。但因為我們寫成COUNT（指數），就算之後有變更資料，只要去變更指數名稱的參照範圍就好，其他儲存格的公式都不需變更，大大減少出錯機會。

保險規畫篇

精省費用 打造全面保障

6-1
理財不可忘記保險 資產少的人更需要留意

講到「理財」，大家多半只會想到存錢、投資，卻常常忽略「保險」也是理財行為中很重要的一環。一生當中，有可能發生臨時急需用錢的狀況，可能出了車禍傷到對方，需要支付賠償金；或者罹患重大疾病，需要開刀住院及長期療養，也會出現不小的開銷。甚至可能不幸身故，導致年幼子女及年邁父母無人照顧。要是還有房貸尚未還清，家中經濟狀況很可能雪上加霜，連住的地方都沒有。

這些意外狀況，沒人想遇到，但不能不重視。如果不先處理這些可能的風險，只顧著將錢拿去投資，期望獲得更高報酬，萬一臨時需要一筆錢時，就可能必須忍痛殺出，讓苦心建立的投資組合功虧一簣。對於這些發生機率不大，可是萬一發生卻難以承擔的財務風險，正確的做法是透過適當的保險，填補不幸發生時的財務短缺。

也有人認為自己還年輕，沒有多少積蓄，哪有多餘的錢可以投保？其實這是錯誤的觀念，真正具有保障功能的險種，保費並不會很貴。高保費的險種，通常都是具有儲蓄或投資功能。再說，就是因為沒有多少積蓄，萬一不幸發生了，結果不是更慘？所以窮人才更需要保險。富人即便是沒有保險，也不會有財務風險，像是上市公司大老闆、世界首富，他們所擁有的財富，就算沒有投保，也已經足以應付任何風險。

保險是互助行為，須趁身體健康時投保

保險其實是人類的互助行為，在一群被保險人中，透過存活者所繳的保費，來資助發生不幸的一群人。例如 10 萬名 30 歲女性參加保險，從經驗值預估，1 年約有 40 人死亡。如果每人的保險金額為 10 萬元，保險公司在這一年要支付理賠金 400 萬元。而 400 萬元的理賠金是由 10 萬人分攤，每人只要保險費 40 元；所以 30 歲女生的 1 年期定期壽險，每 10 萬元的保險金額，純保費就是 40 元。

理賠金雖然是透過保險公司支付，來源卻是從所有要保人繳納的保費集資而來。因此，可以說是存活者共同集資 400 萬元，去資助發生不幸的 40 人；而保險公司扮演的角色，則是招攬、收款及理賠的管理者。

也因為保險公司的介入，才能將需要保險的人組織起來，達成互助的行為。而保險公司是私人機構，需要生存及獲利，所以每 10 萬元的保費，不會只有「純保費」40 元，必須外加保險公司的營運費用及獲利，又稱為「附加保險費」。假設 30 歲女生的 1 年期定期壽險，每 10 萬元的保費為 60 元，扣除 40 元的純保費，20 元才是附加保險費。

保險公司會用生命表的死亡率計算純保費，是以沒有重大疾病的人為

群體，所以加保的人也不能有重大疾病或徵兆，保險公司才願意給予投保。要是保險公司沒有篩選，讓生病的人也可以投保，收取的保費就會難以支付理賠金額，保險公司就會出現虧損。

所以，只有在自己身體還健康時，保險公司才會接受保單；等到生病或受傷才想投保，就太晚了。

保障要足夠，但不是愈多愈好

許多人對保險的認知是保障愈多愈好，終身壽險因為保障一生，而且一定可以拿到保險金，所以才會那麼暢銷。其實，保障只要足夠就可以，並不是愈多愈好。有保障需求時才要保險，否則就該將保費省下來，創造更高的價值。那又要如何檢驗自己有哪些保險需求呢？一個最高指導原則——只保所擔心的事情。

例如，剛有小孩的父母親，擔心萬一疾病或意外身故，小孩未來的生活費及教育費用該怎麼辦？這時家中主要經濟來源，就有壽險的需求。另外，醫療險也相當重要，畢竟，發生意外或罹患重大疾病，住院醫療需要一筆不小的開支。雖然已經有了全民健保，但總希望可以住隱密性高一點的單人房或雙人房。

除此之外，住院開刀通常會衍生額外費用，例如自費藥品及醫療器具等，這些都是不小的開銷，且無法預期。透過「醫療險」就可以讓被保險人不用擔心醫療費用；而且這醫療險最好涵蓋終身，因為年紀愈大，生病的機率就愈高。

壽險需求隨年齡遞減，定期險較符合經濟效益

保險最主要功用就是提供保障，所以保障一定要足夠；否則繳了許多保費，實際獲得的保障卻只有一點點，就失去了保險的意義。唯有對各個險種都充分了解，才能選對保單、獲得需要的保障。

以壽險而言，是在死後由保險公司支付理賠金給遺屬，最重要的功能是照顧在世遺屬的基本生活。例如 30 歲的 Kevin 最近剛升格當爸爸，若要扶養小孩至 25 歲，生活費及教育費估算需要 800 萬元。身為家中的經濟來源，他擔心自己萬一不幸身故，小孩的養育費會沒有著落，因此可以透過壽險保單，讓孩子的未來獲得保障。

保障需求在每一時間點都不一樣，若在 30 歲死亡，小孩才剛出生，保障需求就要 800 萬元。若是 40 歲死亡，小孩已經 10 歲了，只剩 15 年需要扶養就能獨立了，所以保障需求會隨著小孩長大而遞減。等 Kevin 到了 55 歲時，小孩 25 歲了，理應能自給自足，這時就沒有保障需求了。

保險只要涵蓋保障需求即可，以 Kevin 為例，如果投保終身壽險，保額 800 萬元、繳費 20 年，每年保費恐高達 27 萬元，每月就要 2 萬

多元；對於一般年輕人來説，根本負擔不起。許多人只好降低保障金額，只投保 100 萬元終身壽險就好，每年 3 萬 4,000 元的保費，還算可以負擔；然而，Kevin 有 800 萬元的保障需求卻只投保 100 萬元，保障缺額將近 700 萬元（詳見圖 1）。

或許因為終身壽險的銷售佣金較高，還是有其他原因，一般的保險業務員都喜歡推銷終身壽險。終身壽險的保障期間非常長，從投保日起到 100 歲，所以保費才會非常貴。然而，當 Kevin 55 歲以後，小孩已經長大成人，保障需求已經消失，所以 55 歲至 100 歲的保障是多餘的。

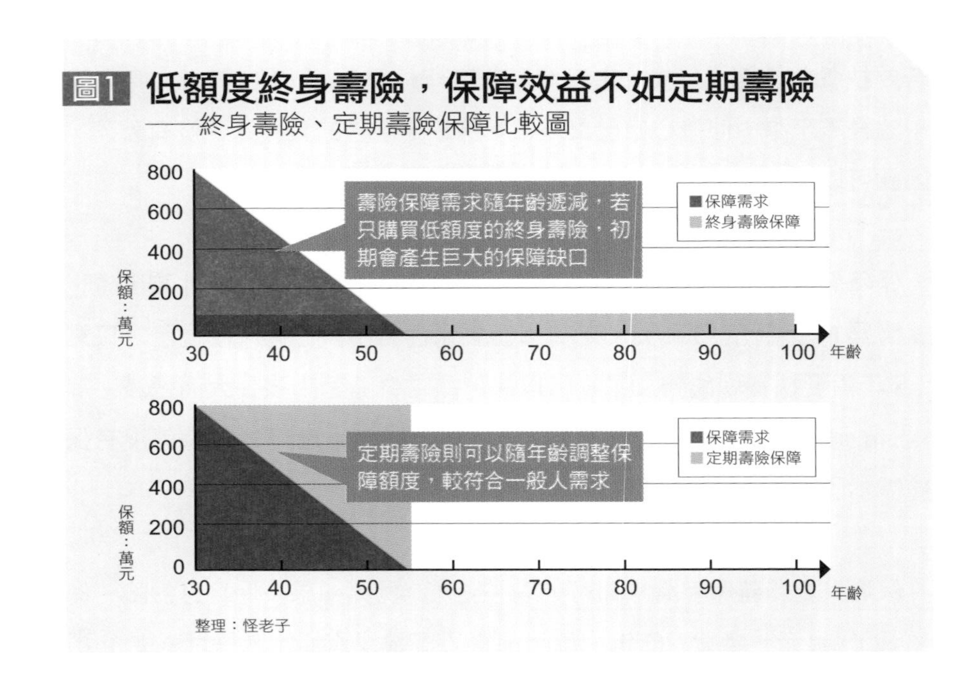

圖1 低額度終身壽險，保障效益不如定期壽險
——終身壽險、定期壽險保障比較圖

錢要用在刀口上，最好的方式是削減不需要的保障，例如將終身壽險改成 25 年的定期壽險，保費就便宜了，然後將省下來的錢拿去提高定期險的保額。同樣 800 萬元的保額、繳費 20 年，每年的保費只要 2 萬 6,400 元。如果有保險公司提供保額遞減的定期壽險，那更理想了，可惜目前尚未看到這樣的商品。

壽險目的是照顧遺屬，額度適當即可

曾經看過一篇報導，加保的高峰期出現在剛結婚的時候，顯然很多人認為結婚需要給對方保障。這句話說得一點都沒錯，但是這保障指的並不是保險，應該是有穩定的收入、擁有一間足以安身立命的房子等。

保險的正確觀念，應該是考量萬一發生不幸時，所承擔的家庭財務責任可獲得保障。畢竟壽險是利用身故的理賠金，保障遺屬未來的生活，多少帶有承擔責任的意涵。父母對小孩的扶養當然有責任，例如前述 Kevin 的例子，因為即將當父親確實應加保；萬一不幸發生，就能由保險公司代為承擔財務責任，利用理賠金支付小孩直到成年的所有花費。

同樣的，當保障只需要 800 萬元，就不需要投保 1,000 萬元，或者 2,000 萬元。記住一點，保險是保障遺屬未來的生活，夠用就好。保險金額若比保障需求高，等於多繳了不必要的保費；這是白花花的鈔票，可以拿來旅遊，也可以拿來投資。多繳的保費代表壓縮目前的生活品質，換取遺屬在自己身後過更好的生活，想清楚這真的是你要的嗎？

6-2

精確評估保額 自製便宜大碗壽險組合

既然壽險是當被保險人身故時，遺屬可以獲得的理賠，所以保障需要多少，就得從受益人的角度來看，而不是隨便猜一個數字。唯有透過試算，才能有效預估保障的金額。

每個人對遺屬所需要的生活條件都有不一樣的規畫，所需扶養的人數也不盡相同，以下先以「一個小孩剛出生」的情況當範例，大家可以再根據自己的需求彈性調整。

估算壽險保額，需考量通膨與投資報酬率

壽險需求考慮的因素，除了生活費用，還要考慮通貨膨脹率、投資報酬率等變動的因素。例如剛出生的小孩，要到 18 年後才開始上大學，那麼 18 年後的學費得準備多少，跟通貨膨脹率就有關聯。而計算未來才會用到的錢、目前所需要的金額，這又跟投資報酬率有關。

1. 計算考量通膨的未來所需金額

已知目前物價（K）、每年平均通貨膨脹率（G），就能預估 N 年之

後的物價（FV）（公式 1）：

$$FV = K \times (1+G)^N$$

2. 將未來所需金額，以投資報酬率折現回現值

已知 N 年後的物價（FV），以投資報酬率（R）折現回來，可知道現在該準備多少錢（PV）（公式 2）：

$$PV = \frac{FV}{(1+R)^N}$$

將以上兩個公式結合，能簡化成以下公式（公式 3）：

$$PV = K \times \left(\frac{1+G}{1+R}\right)^N$$

範例》18年後需要30萬元，現在需準備多少錢？

舉個例子就清楚了，若 18 年後，小孩的大學學費以目前物價估算，一年需要 30 萬元。當通貨膨脹率平均每年 2%、投資報酬率為 6%，現在得準備多少錢？

1. 計算第 18 年，經通膨調整後的學費（FV）（使用公式 1）

= 300000*（1 + 2%）^18 →可得到答案為 42 萬 8,474 元

2. 算出經通膨調整後的學費需求後，若是投資報酬率可以達到 6%，現在得準備多少錢（PV）（使用公式 2）

＝ 428474/（1 ＋ 6%）^18 →可得到答案為 15 萬 113 元

由於 18 年後的學費經通膨調整後，需要 42 萬 8,474 元，當這 18 年每年投資報酬率有 6%，那麼現在只需要準備 15 萬 113 元就足夠。換句話説，當遺屬拿到 15 萬 113 元的理賠金後，投資年報酬率 6% 的商品，18 年後的淨值就會成長至 42 萬 8,474 元。

至於投資報酬率能不能到達 6%，就要看遺屬的投資理財能力了。投資報酬率愈高，目前所需的金額就愈低；相反地，若遺屬把錢放在低利率的定存，就需要準備更多錢。假設投資報酬率為 1.5%，必須準備的金額就是 32 萬 7,745 元（使用公式 2）：

＝ 428474/（1 ＋ 1.5%）^18 →可得到答案為 32 萬 7,745 元

6% 及 1.5% 兩種報酬率，所需要的金額完全不一樣，而且兩者的差距將近 1 倍，所以設定投資報酬率時必須謹慎，必須是遺屬可以達成的才行。

製作壽險需求表，計算各階段所需保障額度

我們可以利用上述的觀念，將保障需求金額做成試算表。試算表可分為兩個部分：

1.各階段費用表

養育小孩的年度費用會隨著小孩的成長而增加，不過並不是每一年都不一樣，通常是階段性的增加。例如保母時期、幼稚園時期、中小學、高中及高等教育，所以用「各階段費用表」描述每一階段需求的金額（詳見圖1）。

「年齡」欄位為階段的起始年齡，「生活費用」欄位為該階段的每年生活費，「教育費用」欄位為該階段的每年教育費，「小計」欄位為該階段每年生活費與教育費的合計，金額以現在的物價計算。

例如第1列代表0～6歲階段，生活費用12萬6,000元及教育費用18萬元，總共30萬6,000元，包括奶粉、尿布以及保母費。第

圖1 養育小孩的費用常是階段性的增加
——養育小孩各階段費用表

生活費用、教育費用欄位為該階段的每年所需花費，金額皆以當下的物價計算

	F	G	H	I	J
2					
3					
4	各階段費用表				
5	年齡	生活費用	教育費用	小計	備註
6	0	126,000	180,000	306,000	褓姆、奶粉、尿布
7	7	64,800	60,000	124,800	安親班、才藝班
8	13	90,000	60,000	150,000	才藝班、補習費
9	18	90,000	240,000	330,000	大學費用
10	24	0	0	0	成年

整理：怪老子

2列代表7～12歲這階段，第3列代表13～17歲這階段，依此類推。直到小孩24歲，理應讓他開始照顧自己，因此費用設定為0。如果想照顧小孩更長的時間，只要將表中的年齡24歲改成你希望的年齡，再輸入所需要的金額即可。

2.保障需求主表

以通貨膨脹率2%、投資報酬率1.5%為例，可做出如圖2的保障需求主表：

1.**「年齡」**：小孩的年齡，每一列代表一個年度。

2.**「年度費用」**：以目前物價列出小孩在當年度需要的費用，會隨著小孩的成長而有所不同。可使用VLOOKUP函數，以年齡為查詢值至「各階段費用表」，就可以抓取到該年齡階段的費用，以圖2為例，年度費用這欄的公式為「＝VLOOKUP([@年齡],各階段費用表,4)」。例如0歲到6歲每年都是30萬6,000元。

3.**「通膨調整」**：列出「年度費用」欄位以通貨膨脹率調整後的金額（使用公式1），例如0歲到6歲每年的年度費用都是30萬6,000元，在小孩1歲時，因為計入2%通膨，通膨調整金額變成31萬2,120元（30萬6,000元×1.02）。

4.**「保障需求」**：列出當年度到小孩成年的這段期間，通膨調整金額以投資報酬率折現回來的保障需求（使用公式 2）。

例如在小孩 1 歲時，需要保障的範圍是 1 歲至 23 歲，所以 1 歲時的保障需求，就是 1 歲至 23 歲所需要金額的現值加總；5 歲時的保障需求，就是 5 歲至 23 歲所需要金額的現值加總。此處可使用 NPV 函

圖2 隨小孩年齡增長，保障需求會逐年遞減
——養育小孩保障需求主表

	A	B	C	D
1	通貨膨脹率	2.00%		
2	投資報酬率	1.50%		
3				
4	**保障需求主表**			
5	年齡	年度費用	通膨調整	保障需求
6	1	306,000	312,120	5,649,849
7	2	306,000	318,362	5,422,477
8	3	306,000	324,730	5,185,452
27	22	330,000	510,173	1,007,744
28	23	330,000	520,377	512,686
29	24	0	0	0
30	25	0	0	0

年齡	保障年齡	保障需求公式
1	1～23	=NPV（投資報酬率,C6：$C$30）
2	2～23	=NPV（投資報酬率,C7：$C$30）
3	3～23	=NPV（投資報酬率,C8：$C$30）
⋮	⋮	⋮
23	23	=NPV（投資報酬率,C30：$C$30）

整理：怪老子

數，以小孩在 1 歲時需要的保障需求為例（儲存格 D6），公式為「＝NPV（投資報酬率 ,C6：$C$30）」。從 1 歲到 23 歲的計算結果可看到，保障需求金額不是每年相同，而會隨著小孩成長逐漸遞減。

預估時，你可能會想用不同的通貨膨脹率及投資報酬率數值做試算，因此可把這兩個變數拉出來，各自放在獨立的儲存格，再讓保障需求表的公式參照這兩個儲存格；這樣未來只要更改通貨膨脹率及投資報酬率的數值，整張試算表就會跟著變動（製作步驟詳見第 318 頁實作練習）。

巧妙搭配不同保單，自創階梯式定期壽險

從試算結果清楚看到保障需求是每年遞減，偏偏保險公司提供的定期壽險，保險金額都是固定式；因此我們可以自己設計出「階梯式」定期壽險保障法，利用多張定期壽險保單，組合成不同時期具有不同的保障金額，用最少的金額獲得該有的保障。

以前述試算結果為例，小孩 1 歲時，因為需要替他準備 1 歲到 23 歲的費用，所需保障金額最高，約 565 萬元。11 歲之後則需要 300 多萬元；21 歲後則只要 100 多萬元（詳見表 1）。

此時就能做出如下的規畫——利用 4 張不同保額及不同期間的定期壽險保單，分別為 200 萬元 25 年、150 萬元 20 年、150 萬元 15 年以及 100 萬元 10 年，建構出 1 ～ 10 歲期間都擁有 600 萬元的保

障、11 ～ 15 歲期間擁有 500 萬元保障、16 ～ 20 歲期間擁有 350 萬元保障、21 ～ 25 歲期間擁有 200 萬元的保障，完全符合試算需求，所要繳納保險費也最便宜（詳見圖 3）。

表1 根據每階段保障需求，規畫保障金額
——養育小孩保障需求及規畫保障金額

孩子年齡	保障需求	建議規畫保障金額
1～10歲	565萬元	600萬元
11～15歲	383萬元	500萬元
16～20歲	315萬元	350萬元
21～25歲	195萬元	200萬元

整理：怪老子

圖3 4張不同保額及年期的保單，建構階梯式保障
——養育小孩階梯式定期壽險示意圖

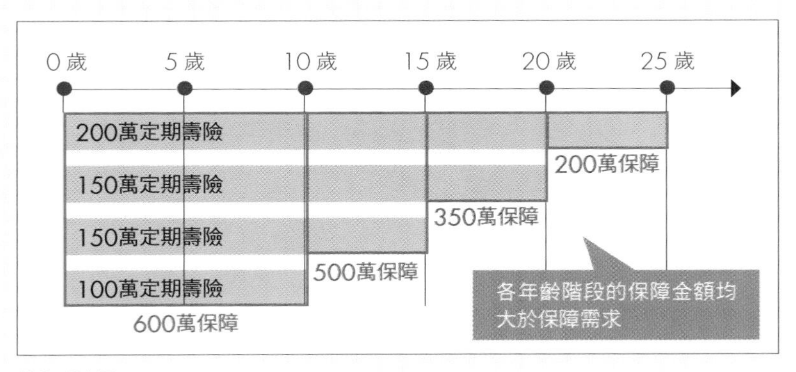

整理：怪老子

實作練習

先參考下圖輸入文字及數值，「各階段費用表」可依個人需求規畫。❶將儲存格「B1」、「B2」分別重新定義名稱為「通貨膨脹率」及「投資報酬率」，此後可按試算需求更改數值。❷將儲存格範圍「A5：D30」定義成表格，命名為「保障需求主表」，❸儲存格範圍「F5：J10」定義成表格且命名為「各階段費用表」。

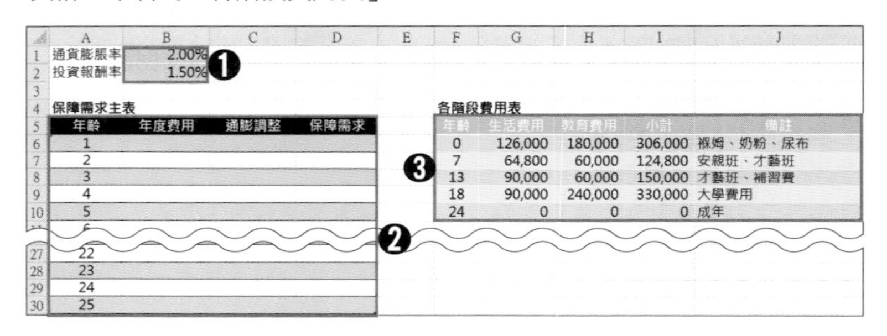

	A	B
1	通貨膨脹率	2.00%
2	投資報酬率	1.50%

保障需求主表

年齡	年度費用	通膨調整	保障需求
1			
2			
3			
4			
5			
22			
23			
24			
25			

各階段費用表

年齡	生活費用	教育費用	小計	備註
0	126,000	180,000	306,000	褓姆、奶粉、尿布
7	64,800	60,000	124,800	安親班、才藝班
13	90,000	60,000	150,000	才藝班、補習費
18	90,000	240,000	330,000	大學費用
24	0	0	0	成年

STEP 2

在「保障需求表」輸入公式。❶ 1 歲的年度費用「B6」輸入公式「= **VLOOKUP（[@ 年齡], 各階段費用表 ,4）**」，並往下複製至「B7：B30」。❷ 1 歲的通膨調整「C6」輸入公式「= **[@ 年度費用]*（1 + 通貨膨脹率）^[@ 年齡]**」，並往下複製至「C7：C30」。❸ 1 歲的保障需求「D6」輸入公式「= **NPV（投資報酬率 ,C6：$C$30）**」，並往下複製至「D7：D30」，以上動作完成後，檢查每一列公式是否正確。

=[@年度費用]*（1+通貨膨脹率）^[@年齡]

=NPV（投資報酬率,C6：$C$30）

	A	B
1	通貨膨脹率	2.00%
2	投資報酬率	1.50%

保障需求主表

年齡	年度費用	通膨調整	保障需求
1	306,000	312,120	5,649,849
2	306,000	318,362	5,422,477
3	306,000	324,730	5,185,452
4	306,000	331,224	4,938,504
5	306,000	337,849	4,681,357

各階段費用表

年齡	生活費用	教育費用	小計	備註
0	126,000	180,000	306,000	褓姆、奶粉、尿布
7	64,800	60,000	124,800	安親班、才藝班
13	90,000	60,000	150,000	才藝班、補習費
18	90,000	240,000	330,000	大學費用
24	0	0	0	成年

=VLOOKUP（[@年齡],各階段費用表,4）
以年齡為查詢值，到「各階段費用表」進行區間查詢，傳回該年齡所屬區間的第4欄「小計」數值

STEP 3

若想製作各年齡保障需求的直條圖，可❶選取「A5：D30」，點選❷「插入」索引頁標籤→❸「直條圖」→❹「平面直條圖」，就會自動出現一張包含所有欄位的直條圖。

但因為我們只想要以年齡為水平軸的保障需求資料，可❺在圖上按右鍵，點選「選取資料」，再❻於「選取資料來源」小視窗的「圖例項目（數列）」中，移除不要的項目，只留下「保障需求」；並❼在「水平（類別）座標軸標籤」中，點選「編輯」，再以滑鼠選取「A6：A30」，回到小視窗❽按下「確定」按鈕就大功告成，完成如下圖的直條圖。

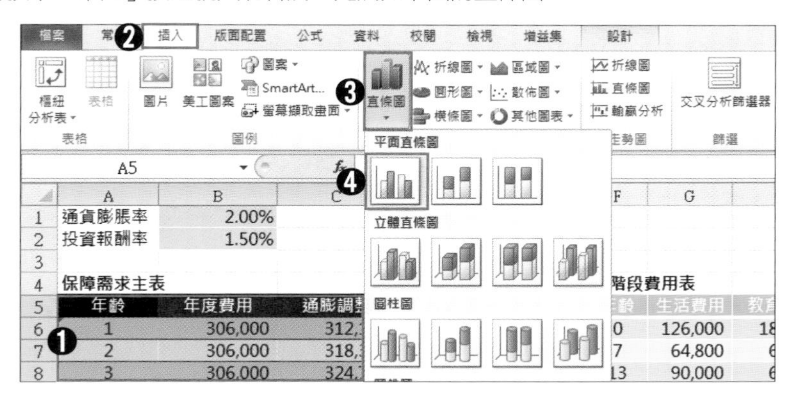

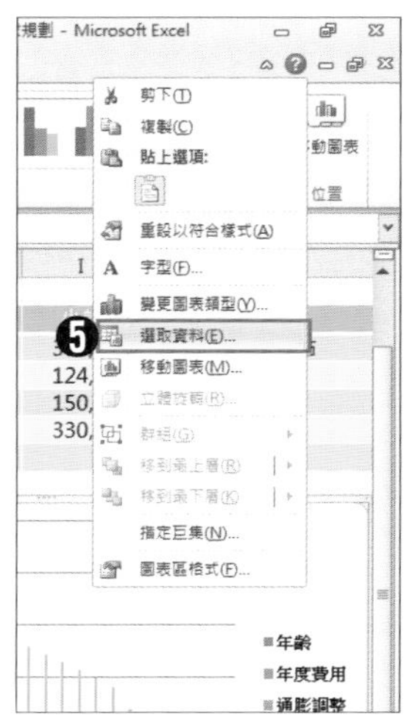

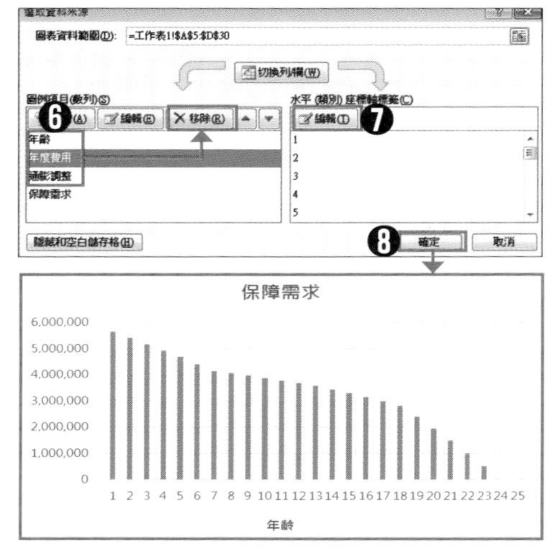

6-3

儲蓄險保障偏低 著重存錢功能應精算報酬率

購買以保障為主的保單，不能考慮還本及收益，才能以低廉的保費享有較高保額，保障才會充足。但偏偏很多人覺得，買保險如果最後錢拿不回來，等於錢白白繳出去，很不划算，所以造就了儲蓄險的熱賣。

儲蓄險是一種還本型保險，含有保障及儲蓄兩種功能。但這類保單必須還本給保戶，同時保險公司還得要有足夠收益，使得保障功能變得非常弱，保費也相對昂貴。

以31歲女性6年期儲蓄險試算，年化報酬率僅0.96%

以郵局簡易人壽的6年期壽險為例，31歲女生投保金額10萬元，年繳保費1萬6,117元（轉帳折扣價，表定保費實為1萬6,280元），6年期滿可拿回10萬元，壽險保障也同時消失。我不知道對一位31歲女生，區區10萬元的保障要做什麼，要是還沒生小孩，根本沒有保險的急迫性；若已經有小孩或高齡父母需要扶養，10萬元的保障也實在少得可憐。所以，會購買這類型的保單，主要目的就不是保障，而是為了那10萬元的儲蓄。

既然是儲蓄，就得好好計算一下投資報酬率，這類固定年繳的商品，現金流量如圖 1，投資報酬率可以使用 RATE 函數或 IRR 函數計算（詳見 3-4），若是繳費金額不同，則直接用 IRR 函數計算，答案為 0.96%（詳見圖 1）。

圖1 31歲女性保額10萬元，需年繳保費1萬6117元

A.6年期壽險現金流量圖範例

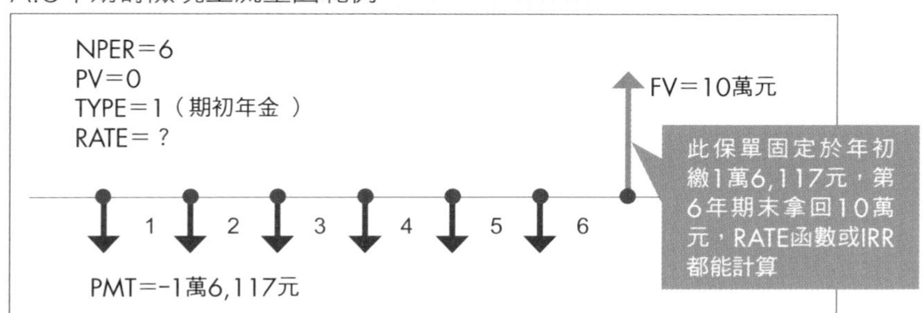

B.以儲存格描述現金流量

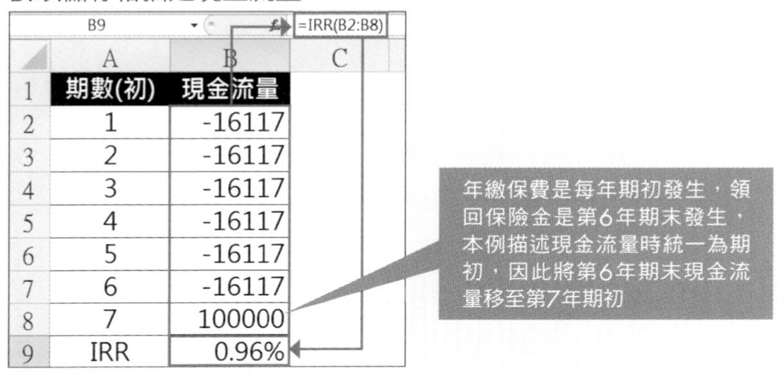

B9 =IRR(B2:B8)

	A	B	C
1	期數(初)	現金流量	
2	1	-16117	
3	2	-16117	
4	3	-16117	
5	4	-16117	
6	5	-16117	
7	6	-16117	
8	7	100000	
9	IRR	0.96%	

整理：怪老子

RATE 函數

＝RATE（6,-16117,0,100000,1）

＝0.96%

IRR 函數

＝ IRR（{-16117,-16117,-16117,-16117,-16117,-16117,100000}）（以陣列描述現金流量）

＝IRR（B2：B8）（以圖 1 儲存格描述現金流量）

＝0.96%

固定期間還本儲蓄險，應分別計算內、外報酬率

還有一種儲蓄險也是繳費 6 年，繳費期間與繳費期滿後，每年都可以領回一些錢。而繳費期滿後，只要不解約，就可以擁有終身壽險保障，一直到解約還本，這種保單的保障成分也較少。

圖 2 是節錄自某張保單的文宣，23 歲女生年繳 7 萬 4,250 元（轉帳折扣價，表定保費為 7 萬 5,000 元），繳滿 6 年後，可以擁有終身壽險保障。但是真有保障嗎？

壽險功能》身故保險金幾乎等於已繳保費

壽險保障要看最右欄「身故保險金」，金額跟著保費繳納金額而調整。第 1 年繳費 7 萬 4,250 元，身故保險金額 7 萬 5,000 元；第 2 年再

繳 7 萬 4,250 元，累積保費 14 萬 8,500 元，身故保險金差不多是 15 萬元。而 6 年期滿以後，保費總共繳了 44 萬 5,500 元，身故保險金就一直是 45 萬元。這哪有保障的功用？只不過把保戶繳的保費加點利息當作理賠金而已。若是保戶不採取轉帳付款，那麼壽險金額就跟表定保費一模一樣。

儲蓄功能》2函數分別計算內、外報酬率

既然保障成分很少，主要功能還是儲蓄，投資報酬率就得斤斤計較了。要計算終身儲蓄險的年利率或投資報酬率，只要用儲存格列出現金

圖2 年領生存保險金，解約時拿回保單現金價值
——壽險公司還本型壽險範例

保單年度	年齡	年繳保險費（經轉帳折減1%）	保單現金價值	生存保險金	累積已領生存保險金	身故保險金
1	23	74,250	48,795	1,050	1,050	75,000
2	24	74,250	104,890	2,100	3,150	150,000
3	25	74,250	161,460	3,150	6,300	225,000
4	26	74,250	218,515	4,200	10,500	300,000
5	27	74,250	276,070	5,250	15,750	375,000
6	28	74,250	445,510	6,300	22,050	450,000
10	32	0	445,605	10,000	62,050	450,000
20	42	0	445,895	10,000	162,050	450,000
30	52	6年總繳 445,500元	446,260	10,000	262,050	450,000
40	62		446,710	10,000	362,050	450,000
50	72		447,270	10,000	462,050	450,000
累積至105歲領回			祝壽保險金45萬[illegible]積已領生存保險金782,050元			

年繳保險費（期初現金流出）：保戶於6年期間每年期初支付的保費

保單現金價值（期末現金流入）：若解約，保戶於當年期末可拿回的金額

生存保險金（期末現金流入）：在保單有效期間，保戶每年期末可拿回的金額

身故保險金（壽險保障）：當保戶身故，保險公司的理賠金額

資料來源：某壽險公司網頁　整理：怪老子

流量，輸入至 IRR 函數就能算出來。

再次提醒，要注意現金流量是發生在期初或期末？例如「年繳保險費」是訂約後立即繳交，1 年到了之後接著續繳，所以現金流量發生在期初。而當年的「生存保險金」卻是滿 1 年才給付，發生在期末，剛好慢了 1 年；「保單現金價值」也是用期末計算的，時間跟生存金一致。從這張保單的現金流量圖（詳見圖 3）可以看到，第 1 年的保費 7 萬 4,250 元，跟第 1 年的生存保險金 1,050 元剛好相差一期。

期初與期末的描述要統一，圖 3B 是將現金流量統一為期初的儲存格表示方式。每一儲存格只能描述一期的淨現金流量，所以第 1 年現金流出是保費 -7 萬 4,250 元；到了第 2 年，期初有保費 -7 萬 4,250 元的現金流出，還有生存保險金 1,050 元的現金流入，因此淨現金流量為 -7 萬 3,200 元。

依此類推，當 6 年繳費期滿，就不會再有其他現金流出。假設僅投保 20 年，那麼到第 21 年期初（等同第 20 年期末），會領回保單現金價值 44 萬 5,895 元加生存保險金 1 萬元，現金流量一共是 45 萬 5,895 元。

有了現金流量，就能分別算出內部及外部報酬率：

1. 內部報酬率：用「IRR」函數可算出，保單放了 20 年，投資報酬

圖3 期初繳費、期末領還本金，當期現金流量需合計

A.6年期終身儲蓄險現金流量圖

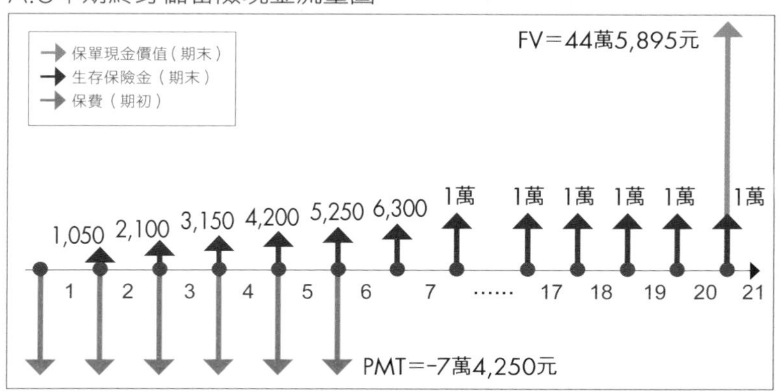

B. 以儲存格描述現金流量

	A	B	C	D	E	F
1	內部報酬率(IRR)	2.1%				
2	再投資報酬率	1.50%				
3	籌資報酬率	1.50%				
4	外部報酬率(MIRR)	1.9%				
5						
6	保單年度(初)	年齡	年繳保費	保單現金價值	生存保險金	現金流量
7	1	23	74,250			-74,250
8	2	24	74,250		1,050	-73,200
9	3	25	74,250		2,100	-72,150
10	4	26	74,250		3,150	-71,100
11	5	27	74,250		4,200	-70,050
12	6	28	74,250		5,250	-69,000
13	7	29	0		6,300	6,300
23	17	39	0		10,000	10,000
24	18	40	0		10,000	10,000
25	19	41	0		10,000	10,000
26	20	42	0		10,000	10,000
27	21	43	0	445,895	10,000	455,895

整理：怪老子

率相當於每年 2.1%。

2. 外部報酬率：這張保單有每年領取的生存保險金，保費也是分 6 年繳交，較準確的計算方式可使用外部報酬率函數「MIRR」，但是就得輸入「再投資報酬率」（領回金額直到解約前的投資報酬率）及「籌資報酬率」（支付保費前的投資報酬率）才能計算，若這兩項參數都設 1.5%，投資報酬率還會更少一點，只剩 1.9%（關於內部與外部報酬率，詳見 3-7）。

實作練習

製作一張表格「A6：F27」，❶依序輸入「保單年度」、「年齡」、「年繳保費」、「保單現金價值」、「生存保險金」、「現金流量」，並定義為表格，命名為「保險試算」。本圖現金流量統一為期初。

❷依照保單文宣，將保單內容填入第 1 至第 5 欄「A7：E27」。接著，在 F 欄填入各年度現金流量，先❸於第 1 列「F7」輸入公式「**＝[@ 生存保險金]＋[@ 保單現金價值]－[@ 年繳保費]**」，並將公式往下複製至「F8：F27」。

	A	B	C	D	E	F
1	內部報酬率(IRR)	2.1%				
2	再投資報酬率	1.50%				
3	籌資報酬率	1.50%				
4	外部報酬率(MIRR)	1.9%				
5						
6	❶ 保單年度(初)	年齡	年繳保費	保單現金價值	生存保險金	現金流量
7	1	23	74,250			-74,250 ❸
8	2	24	74,250		1,050	-73,200
9	❷ 3	25	74,250		2,100	-72,150
10	4	26	74,250		3,150	-71,100
26	20	42	0		10,000	10,000
27	21	43	0	445,895	10,000	455,895

＝[@生存保險金]＋[@保單現金價值]－[@年繳保費]

❶在儲存格「A1：A4」輸入「內部報酬率」、「再投資報酬率」、「籌資報酬率」、「外部報酬率」，並將「B1：B4」定義為「A1：A4」的名稱。

❷「內部報酬率」儲存格「B1」輸入公式：「**＝IRR（保險試算[現金流量]）**」。

❸「外部報酬率」儲存格「B4」輸入公式：「**＝MIRR（保險試算[現金流量],籌資報酬率,再投資報酬率）**」。

	A	B	C	D	E	F
1	內部報酬率(IRR)	❷ 2.1%	＝IRR（保險試算[現金流量]）			
2	❶ 再投資報酬率	1.50%				
3	籌資報酬率	1.50%	＝MIRR（保險試算[現金流量],籌資報酬率,再投資報酬率）			
4	外部報酬率(MIRR)	❸ 1.9%				
5						
6	保單年度(初)	年齡	年繳保費	保單現金價值	生存保險金	現金流量
7	1	23	74,250			-74,250
8	2	24	74,250		1,050	-73,200
9	3	25	74,250		2,100	-72,150
10	4	26	74,250		3,150	-71,100
11	5	27	74,250		4,200	-70,050
12	6	28	74,250		5,250	-69,000
13	7	29	0		6,300	6,300
14	8	30	0		10,000	10,000
15	9	31	0		10,000	10,000
16	10	32	0		10,000	10,000
17	11	33	0		10,000	10,000
18	12	34	0		10,000	10,000
19	13	35	0		10,000	10,000
20	14	36	0		10,000	10,000
21	15	37	0		10,000	10,000
22	16	38	0		10,000	10,000
23	17	39	0		10,000	10,000
24	18	40	0		10,000	10,000
25	19	41	0		10,000	10,000
26	20	42	0		10,000	10,000
27	21	43	0	445,895	10,000	455,895

6-4

將保障、儲蓄拆開規畫 資金運用更有效益

前文介紹的終身儲蓄險，是繳費 6 年、投保滿 20 年就解約，我們也只計算出期末時的報酬率。如果想要投保更長的時間，直到老年甚至身故，就要把每年的投資報酬率計算出來，才可以看出報酬率優不優。

我們看另一張可還本終身壽險保單的例子，圖 1 是節錄自這張保單的利益分析表（保險建議書），31 歲女生、保額 100 萬元、年繳保費 2 萬 9,997 元（轉帳折扣價）、繳費 20 年。只要不解約，保單效力就能持續到 99 歲期末（等同 100 歲期初）。

同樣先看「保障」功能，只要在這張保單有效期間內，身故就會有最高 100 萬元的理賠金。

再看「儲蓄」功能，這保單沒有每年可領回的生存保險金；保戶繳滿 20 年若想領回，只會有「保單價值準備金」這項現金流入，因為這筆錢是保戶的資產。

但是在 20 年之內，繳費尚未期滿就想解約領錢，只能領到「解約

金」；例如第 1 年期初繳 2 萬 9,997 元，到了年底就想領回，只能領到解約金 800 元，領不回來的差額 2 萬 9,000 多元就是違約金。直到繳滿 20 年，解約金才會等於保單價值準備金，但是還要再多等幾年，解約金才會高於已經繳交的「累積保險費」。所以購買這類長天期的儲蓄險，首先要面對解約時的本金損失風險。

還本儲蓄型終身壽險，報酬率遠低於定存

要計算這張保單的報酬率，只要將圖 1 的利益分析表做成試算表（詳

圖1 可還本終身壽險在繳費期間內解約，恐損失本金
——可還本終身壽險範例

折扣前每期保險費	30,700 元
高保額折扣後每期保險費	30,300 元
選擇自動轉帳後每期保險費	29,997 元

繳費別：年繳　幣別/單位：新台幣/

保單年度（末）	保險年齡	累積保險費	壽險保障	保單價值準備金	年度末領回	累積年度末領回	減額繳清保險金額（基本保額）	解約金
1	31	29,997	1,000,000	1,000	—	—	2,100	800
2	32	59,994	1,000,000	24,000	—	—	48,300	18,600
3	33	89,991	1,000,000	47,600	—	—	95,900	37,500
4	34	119,988	1,000,000	71,700	—	—	154,600	57,400
5	35	149,985	1,000,000	96,200			[illegible]	78,200
6	36	179,982	1,000,000	121,300				100,100
7	37	209,979	1,000,000	146,900				123,100
8	38	239,976	1,000,000	173,000				147,100
9	39	269,973	[illegible]	[illegible]				[illegible]

累積保險費：保戶累積總繳保費金額

壽險保障：保單有效期間內的身故理賠金額

保單價值準備金：保戶的資產

減額繳清保險金額：保戶若不想繼續每年繳保費，可選擇一次付清減額繳清的金額，該金額等同於可享有的保額，未來就不需要每年繳保費。但此項不在本文討論範圍內

解約金：保戶解約時實際能拿回的金額

資料來源：某壽險公司　整理：怪老子

見圖 2），就能算出每年投資報酬率。計算方式是假設該年解約，能拿回的金額就是解約金，所以只要將每年解約的現金流量描述出來即可。

因為現金流量是「保險費」及「解約金」，試算表必須多加「現金流量」及「報酬率」欄位。現金流量統一為期初，因此，期初從投保第 1 年的 31 歲開始，最後會結束在 99 歲期末（100 歲期初）。保險費繳交 20 年，所以現金流量欄位前 20 年（31 歲至 50 歲），都要填入 2 萬 9,997 元，其他年數就填 0。

圖2 就算100歲才解約，報酬率也僅有0.86%

——可還本終身壽險以Excel精算報酬率結果

	A	B	C	D	E	F	G	H
1	保單年度(初)	保險年齡	累積保險費	壽險保障	保單價值準備金	解約金	現金流量	報酬率
2	1	31	29,997	1,000,000			-29,997	-97.33%
3	2	32	59,994	1,000,000	1,000	800	-29,997	-56.72%
4	3	33	89,991	1,000,000	24,000	18,600	-29,997	-37.78%
5	4	34	119,988	1,000,000	47,600	37,500	-29,997	-27.40%
6	5	35	149,985	1,000,000	71,700	57,400	-29,997	-20.97%
7	6	36	179,982	1,000,000	96,200	78,200	-29,997	-16.57%
26	25	55	599,940	1,000,000	571,700	571,700	0	-0.20%
27	26	56	599,940	1,000,000			0	-0.08%
28	27	57	599,940	1,000,000				0.02%
29	28	58	599,940	1,000,000			0	0.11%
30	29	59	599,940	1,000,000			0	0.19%
31	30	60	599,940	1,000,000			0	0.26%
67	66	96	599,940	1,000,000	950,400	950,400	0	0.83%
68	67	97	599,940	1,000,000	959,100	959,100	0	0.84%
69	68	98	599,940	1,000,000	969,200	969,200	0	0.84%
70	69	99	599,940	1,000,000	982,300	982,300	0	0.86%
71	70	100			1,000,000	1,000,000		

56歲期末解約，內部報酬率仍是負數；即便99歲期末才解約，內部報酬率也只有0.86%

註：報酬率為當年度末的報酬率　　整理：怪老子

再來計算年報酬率，每一年度要描述的現金流量，期初都是從 31 歲期初開始的現金流出，直到當年度期末解約金的現金流入。以圖 2 為例，31 歲期初那一列的現金流量（G2）是「-29997」，下一年度期初的解約金現金流入（F3）是「800」，因此 31 歲那一列的「報酬率」（H2）公式為「＝IRR（（$G$2：G2,F3））」，內部報酬率為 -97.33%。

公式中的「$G$2」是絕對參照，往下複製公式時，才會將期初現金流鎖定在 31 歲那一年（G2），不會亂跑。G2 及 F3 是相對參照，這樣報酬率欄位才會依照儲存格相對位置而變化。像是複製到 39 歲那一年，報酬率公式（H9）為「＝IRR（（$G$2：G10,F11））」，代表現金流量範圍是從 31 歲期初至 39 歲期初的保險費現金流出，以及 39 歲期末（40 歲期初）的解約金現金流入。

可以看到，在 50 歲期初繳滿 20 年，共繳了 59 萬 9,940 元，但若是在 56 歲期末解約，投資報酬率竟然都是負數，可以拿回來的金額比已繳的保費還要少。就算再等 15 年，於 66 歲期末退休解約，也只能拿回 68 萬 5,300 元，相當於年化報酬率為 0.56%，比起年利率 1.3% 的銀行定存還少。要是活久一點，報酬率會逐年升高，但最多到 99 歲期末領回，也僅有 0.86%（讀者若想自製如圖 2 的保單報酬率試算表，製作步驟詳見第 332 頁實作練習①）。

分析這張保單的效果，儲蓄功能相當低，保障功能似乎優於儲蓄功能，因為就算只繳了 1 年，如果不幸身故，受益人依然可以拿到 100 萬元的理賠。只是，如果要 100 萬元的理賠保障，卻要花費每年將近 3 萬元的保費，又顯得太貴了。其實，如果支付一樣的金額，可以用其他替代方式，自創一個相同保額，但是獲利更高的結果喔！

實作練習①

將業務員給的保單利益分析表的數據，輸入到工作表，每一列為一年。現金流量的時間點統一為期初，因此原本當年度期末的保單價值準備金及解約金，要移到下一年的期初。

❶現金流量欄位的前 20 年鍵入保費「-29997」，其他年數鍵入「0」。因為繳交保費為現金流出，以負值表示。

❷ 31 歲期初那一列「報酬率」儲存格「H2」公式為「＝IRR（（$G$2：G2, F3））」，並將公式複製到「H3：H70」，就完成了。

	A	B	C	D	E	F	G	H
1	保單年度(初)	保險年齡	累積保險費	壽險保障	保單價值準備金	解約金	現金流量 ❶	報酬率 ❷
2	1	31	29,997	1,000,000			-29,997	-97.33%
3	2	32	59,994	1,000,000	1,000	800	-29,997	-56.72%
4	3	33	89,991	1,000,000	24,000	18,600	-29,997	-37.78%
5	4	34	119,988	1,000,000	47,600	37,500	-29,997	-27.40%
6	5	35	149,985	1,000,000	71,700	57,400	-29,997	-20.97%
7	6	36	179,982	1,000,000	96,200	78,200	-29,997	-16.57%
8	7	37	209,979	1,000,000	121,300	100,100	-29,997	-13.39%
26	25	55	599,940	1,000,000	571,700	571,700	0	-0.20%
27	26	56	599,940	1,000,000	581,700	581,700	0	-0.08%
28	27	57	599,940	1,000,000	591,800	591,800	0	0.02%
29	28	58	599,940	1,000,000	601,900	601,900	0	0.11%
30	29	59	599,940	1,000,000	612,300	612,300	0	0.19%
31	30	60	599,940	1,000,000	622,500	622,500	0	0.26%
32	31	61	599,940	1,000,000	633,000	633,000	0	0.32%
66	65	95	599,940	1,000,000	942,700	942,700	0	0.83%
67	66	96	599,940	1,000,000	950,400	950,400	0	0.83%
68	67	97	599,940	1,000,000	959,100	959,100	0	0.84%
69	68	98	599,940	1,000,000	969,200	969,200	0	0.84%
70	69	99	599,940	1,000,000	982,300	982,300	0	0.86%
71	70	100			1,000,000	1,000,000		

自製終身壽險保單，保障不變、還本金變多

用以下方式，投保壽險公司的 1 年期定期壽險，並且自行投資；同樣繳費 20 年，年繳 2 萬 9,997 元，一樣可獲得每年 100 萬元的保障：

1. 保障功能：每年均投保壽險公司的 1 年期定期壽險，保額 100 萬元，所支付的保費稱為「風險保費」，每年保費隨年齡遞增。例如 31 歲保費為 790 元，40 歲保費為 1,108 元（本文僅舉例，實際狀況依各家壽險公司費率不同）。

2. 儲蓄功能：到銀行開立一個投資理財專戶，可稱為「價值準備金帳戶」。前 20 年，將每年 2 萬 9,997 元減去當年的風險保費，其餘金額全部放在價值準備金帳戶；這個帳戶中，可保留部分現金，其他則拿去投資，至於投資績效就看個人功力了。

年報酬率1.4%，100歲可拿回金額比投保終身險更多

利用這個方法，我們可做成一張如圖 3 的試算表，假設以投資報酬率每年 1.4% 保守試算，各欄位說明如下：

「投入金額」：前 20 年每年都投入 2 萬 9,997 元（當年風險保費＋當年價值準備金帳戶的存入淨額）。

「存入淨額」：就是當年投入金額 2 萬 9,997 元扣除風險保費後，

存入價值準備金帳戶的金額。

「價值準備金」：為上一年度的本利和加上當年度的存入淨額，當投資報酬率愈高，則價值準備金累積愈快。

「保障缺額」：保障需求 100 萬元扣除「去年累積價值準備金乘以投資報酬率」的金額。

「風險保費」：每年的風險保費就是投保定期壽險的保費，計算方式為保障缺額乘上風險費率（本例的風險費率為每萬元保額的定期壽險保

圖3 自製20年期終身儲蓄險，100歲拿回115萬元

——同樣金額分別放定存與投保定期壽險精算報酬率結果

一邊投保定期壽險，一邊將錢存在銀行，假設年利率1.4%，100歲時可拿回115萬元

	A	B	C	D	E	F	G	H
1	投資報酬率	1.40%						
2								
3	主表							
4	保單年度	保險年齡	投入金額	保單價值準備金	保障缺額	風險費率(萬元)	風險保費	存入淨額
5	1	31	29,997	29,207	1,000,000	7.9	790	29,207
6	2	32	29,997	58,788	970,384	8.5	825	29,172
7	3	33	29,997	88,743	940,389	9.2	865	29,132
8	4	34	29,997	119,091	910,015	9.8	892	29,105
9	5	35	29,997	149,823	879,242	10.6	932	29,065
10	6	36	29,997	180,942	848,080	11.5	975	29,022
11	7	37	29,997	212,468	816,525	12.3	1,004	28,993
12	8	38	29,997	244,396	784,558	13.3	1,043	28,954
13	9	39	29,997	276,746	752,182	14.2	1,068	28,929
71	67	97		1,110,503	0	0.0	0	0
72	68	98		1,126,050	0	0.0	0	0
73	69	99		1,141,815	0	0.0	0	0
74	70	100		1,157,801	0	0.0	0	0

整理：怪老子

費），費率會隨年齡調整。不過，隨著年齡增加，價值準備金也會跟著增加，所需要的保障缺額也會遞減。

可以看到，前 20 年因為每年都投入 2 萬 9,997 元（風險保費＋存入淨額），存入淨額都是正數；滿 20 年之後，每年就沒有新的投入金額，此時先前累積的價值準備金就可以用來支付風險保費，而存入淨額也出現負數。

利用 Excel 強大的計算功能，很快就能將試算表做好，當投資報酬率為定存 1.4%，99 歲期末（100 歲期初）可拿回的金額是 115 萬 7,801 元，比向保險公司投保要多了 16%。這很正常，因為保險公司要賺錢！（自製終身壽險報酬率試算表，製作步驟詳見第 337 頁實作練習②）

若投資更高報酬率商品，100歲可領回更多錢

如果不是投資銀行定存，而是較高報酬率的商品，例如股票型基金加上債券型基金的組合，期末的價值準備金就更多了；若是報酬率 6%，期末可領回的金額可高達 1,976 萬元（詳見表 1）。但要特別提醒，報酬率愈高風險就愈大，建議不要超過每年 6%。

還有，得要注意定期險的續保以及投保年齡限制問題。1 年期定期險，分為「無條件保證續保」（多為壽險公司產品）及「有條件續保」兩種，一定要選擇無條件續保的定期險，當身體出狀況時才能繼續擁有保障。或是改用 20 年或 30 年的定期險，就不用煩惱投保期間的續保問題了。

表1 平均報酬率6%，100歲可累積1,976萬元
——投入不同報酬率商品期末價值準備金試算

投資標的	平均投資報酬率	價值準備金（100歲）
定存	1.4%	115萬7,801元
20%定存＋80%債券基金	4.0%	614萬4,359元
10%定存＋75%債券基金＋15%股票基金	6.0%	**1,976萬4,647元**

整理：怪老子

定期險都會有年齡限制，很多公司只提供保障至 80 歲，不過這不是問題。因為到了這歲數，壽險保障已經不是真正的需求，應該關心此時能否有一筆儲蓄作為養老金，才是考量重點。

其實，這就是投資型保單的概念，投資部位讓客戶自行負責，保險公司的強項是保障，投資理財本來就得靠自己。簡單說，保障找保險公司，投資理財就靠自己的功力，才能擁有足夠保障，又能創造最大獲利。

實作練習②

建立「投資報酬率」欄位。❶儲存格「A1」輸入文字「投資報酬率」，儲存格「B1」為投資報酬率數值，並將「B1」定義為「A1」的名稱。未來只要更改「B1」數值，就能顯示不同試算結果。

1. **保單年度**：❷儲存格「A5：A74」，依序輸入保單年度，可善用數列填滿功能。

2. **保險年齡**：若要從保險年齡 31 歲開始計算，❸儲存格「B5：B74」輸入從 31 ～ 100 數字，可善用數列填滿功能。

3. **投入金額**：❹此欄前 20 列「C5：C24」填入數字「29997」。

4. **保單價值準備金**：此為累積的保單價值準備金，❺第 1 列儲存格「D5」輸入「**＝ [@ 存入淨額]**」，❻第 2 列儲存格「D6」輸入公式「**＝ D5*（1 ＋投資報酬率）＋ [@ 存入淨額]**」，並將「D6」公式往下複製至「D7：D74」。

	A	B	C	D	E	F	G	H
1	投資報酬率 ❶	1.40%						
2								
3	主表 ❷	❸	❹					
4	保單年度	保險年齡	投入金額	保單價值準備金	保障缺額	風險費率(萬元)	風險保費	存入淨額
5	1	31	29,997	❺ 29,207	1,000,000	7.9	790	29,207
6	2	32	29,997	❻ 58,788				172
7	3	33	29,997	88,743				132
8	4	34	29,997	119,091				105
9	5	35	29,997	149,823	879,242	10.6	932	29,065
10	6	36	29,997	180,942	848,080	11.5	975	29,022
11	7	37	29,997	212,468	816,525	12.3	1,004	28,993
12	8	38	29,997	244,396	784,558	13.3	1,043	28,954
13	9	39	29,997	276,746	752,182	14.2	1,068	28,929
66	62	92		1,035,929	0	0.0	0	0
67	63	93		1,050,432	0	0.0	0	0
68	64	94		1,065,138	0	0.0	0	0
69	65	95		1,080,050	0	0.0	0	0
70	66	96		1,095,171	0	0.0	0	0
71	67	97		1,110,503	0	0.0	0	0
72	68	98		1,126,050	0	0.0	0	0
73	69	99		1,141,815	0	0.0	0	0
74	70	100		1,157,801	0	0.0	0	0

＝D5*（1＋投資報酬率）＋[@存入淨額]

1. **保障缺額**：此為保障需求 100 萬元減去本年度期初價值準備金的金額，❶第 1 列儲存格「E5」輸入「1000000」，❷第 2 列儲存格「E6」輸入公式「**= MAX（0,1000000 – D5*（1 +投資報酬率））**」，並將 E6 公式往下複製至「E7：E74」。使用 MAX 函數會顯示數值最大的參數，此函數用意是當保單價值準備金大於 100 萬元時，保障缺額會顯示為 0，否則則顯示 100 萬元減去本年度期初保單價值準備金的數值。

2. **風險費率**：選定一家定期壽險的費率（有分性別），❸按年齡將費率填入此欄。以本圖為例，是取自某人壽公司定期險的女性費率，最高能保到 50 歲。第 1 列「F5」數值「7.9」，代表每萬元保額的保費為 7.9 元。

3. **風險保費**：❹第 1 列儲存格「G5」輸入公式「**= [@[風險費率（萬元）]]*（[@ 保障缺額]/10000）**」，並將公式往下複製「G6：G74」。

4. **存入淨額**：❺第 1 列儲存格「H5」輸入公式「**= [@ 投入金額] – [@ 風險保費]**」，並將公式往下複製至「H6：H74」。

投資報酬率 1.40%

主表

保單年度	保險年齡	投入金額	保單價值準備金	保障缺額	風險費率（萬元）	風險保費	存入淨額
1	31	29,997	29,20[illegible]	1,000,000	7.9	790	29,207
2	32	29,997	58,78[illegible]	970,384	8.5	825	29,172
3	33	29,997	88,743	940,389	9.2	865	29,132
4	34	[illegible]	[illegible]	910,015	9.8	[illegible]	[illegible]
5	[illegible]	[illegible]	[illegible]	[illegible]	[illegible]	[illegible]	[illegible]
6	[illegible]	[illegible]	[illegible]	[illegible]	[illegible]	[illegible]	[illegible]
7	37	29,997	212,468	[illegible]	[illegible]	[illegible]	[illegible]
8	38	29,997	244,396	784,558	13.3	1,043	28,954
9	39	29,997	276,746	752,182	14.2	1,068	28,929
10	40	29,997	309,510	719,379	15.4	1,108	28,889
11	41	29,997	342,708	686,157	16.5	1,132	28,865
12	42	29,997	376,341	652,494	17.8	1,161	28,836
63	93		1,050,432	0	0.0	0	0
64	94		1,065,138	0	0.0	0	0
65	95		1,080,050	0	0.0	0	0
66	96		1,095,171	0	0.0	0	0
67	97		1,110,503	0	0.0	0	0
68	98		1,126,050	0	0.0	0	0
69	99		1,141,815	0	0.0	0	0
70	100		1,157,801	0	0.0	0	0

=[@投入金額]－[@風險保費]

=MAX（0,1000000－D5*（1＋投資報酬率））

=[@[風險費率（萬元）]]*（[@保障缺額]/10000）

6-5

自製投資型保單 不讓保險公司扒層皮

傳統的儲蓄險保單是由保險公司負責保費的投資運用，收益當然由保險公司保證，只是近年來一直處於低利率，保單的投資報酬率也所剩無幾，吸引力相對就降低了，於是保險公司大力推動「投資型保單」，提供投資標的讓保戶自行選擇，由保戶自負盈虧。

會投資的保戶可能會有較高的報酬，可是不會投資者就比較吃虧了。通常保戶會希望保險業務員幫忙挑選，但是業務員的專長是保障，投資並非其專業。所以，投資就必須靠自己，畢竟錢是自己辛苦賺來的，很少有理財專員或保險業務員會真正關心你的盈虧。

保障夠用就好，帳戶價值才是投資型保單的重點

投資型保單同時擁有保障及投資兩種功能，保障的部分可以透過定期壽險完成，在保單有效期間內，全殘或死亡就會得到理賠金額。投資的部分，則依賴保戶專屬帳戶，投資標的由保戶自行決定，績效當然就自己負責了。因此保戶所繳納的保費（目標保費），扣除保險公司內部的管理費及利潤，剩下的才實際用在保戶身上。有一部分是支付壽險保障

部位的「危險保費」，剩下的金額注入專屬帳戶，由保險公司投入保戶所指定的標的，專屬帳戶的淨值就稱為「帳戶價值」，會隨著投資狀況而波動。

在市場上，看到「變額壽險」或「變額萬能壽險」商品就是投資型保單，從身故保險金（死亡給付）的發放方式不同，大致分為甲型及乙型兩種：

甲型：保險金額、帳戶價值，金額擇高給付
乙型：保險金額加上帳戶價值一併給付

甲型的特色是，就算保戶的帳戶價值很低，身故時，最少也會領到當初投保的保險金額。而隨著帳戶價值提高，根據危險保額（保險金額減去帳戶價值）計算的危險保費，也會漸漸減少。

例如甲型保障金額 100 萬元，開始投保時帳戶價值為零，危險保費就會根據危險保額 100 萬元來計算；到了帳戶價值已經有 60 萬元時，危險保額只要 40 萬元就足夠，所以危險保費也只要支付 40 萬元保額就可以了。

直到帳戶價值高於保險金額 100 萬元時，危險保額就等於零，這時就不用再支付危險保費了，只需要持續支付保單的行政成本；身故時，理賠的金額就是帳戶價值。

而乙型的危險保額是每年都固定，也就是危險保額一直保持不變，身故保險金就是保險金額加上帳戶價值。例如投保的保險金額為 100 萬元整，一開始帳戶價值為 0，所以身故理賠為 100 萬元；當帳戶價值成長至 40 萬元時，身故理賠金就是保險金額 100 萬元加上帳戶價值共 140 萬元。

投資型保單，我認為甲型保單會比較實用，因為保障不是愈高愈好，足夠就可以了。例如保障需求 100 萬元，那麼高於 100 萬元的保障是多出來的。帳戶價值才是愈高愈好，因為這是屬於保戶可運用的金額，不管是身故後要留給遺屬，或是退休時領出來當退休金使用都可以。

投保定期壽險＋自行投資基金，自己掌握獲利多寡

其實，投資型保單並不一定得依靠保險公司才行，也可以自己做出類似甲型保單的效果，好處就是可以按自己的規畫管理風險，且不用讓保險公司再賺一手。

我一再強調，實際的壽險保障需求會隨著時間而遞減，若能以定期壽險方式規畫保障部位，再加上自行投資的帳戶價值部位，將是更有彈性的組合，概念如下：

1. 規畫每年的保障需求，列出「保障需求表」，利用不同期間及保額的定期壽險，組合成階梯式保障需求（規畫方式詳見 6-2）。這裡指

的定期壽險是純保障，沒有儲蓄、還本功能。

2. 根據自己的能力來估算每月能投入的金額（此處稱為「目標保費」），目標保費可隨著年齡增加或減少。

3. 每年的目標保費（每月保費 ×12），扣除該年度的定期壽險危險保費支出之後，剩下金額投入自行投資的專屬帳戶，定期投入投資標的。

4. 每年的死亡給付為定期壽險保險金額加上專屬帳戶淨值。

想知道自製投資型保單的結果會是如何，只要根據保障需求表，以及保險公司的定期壽險費率表資料以查詢危險保費，就能做出一張「利益分析表」試算表，進而預估未來每年的帳戶價值以及身故保險金額。如果想要將做出的試算表提供給親友使用，就以「年齡」、「性別」、「投資報酬率」、「保障需求表」為變數，這樣只要更改變數，就能呈現出適合不同人的利益分析表。以下分別說明製作這張試算表的規畫架構：

1.設定查詢欄位

設定「年齡」、「性別」、「投資報酬率」3 個查詢欄位。

	A	B
1	保險年齡	30
2	性別	男
3	投資報酬率	1.50%

2.製作保障需求表及危險保費費率表

輸入「保障需求表」。例如剛升格當爸爸的 Kevin，他的壽險保障需求是小孩 1 到 10 歲時需要 600 萬元，11 歲到 15 歲 500 萬元，16 歲到 20 歲 350 萬元，21 歲到 25 歲 200 萬元，保障需求隨著小孩長大而遞減。他打算使用 4 張定期壽險保單架構階梯式保障，分別為 10 年期保額 100 萬元，15 年期保額 150 萬元，20 年期保額 150 萬元，25 年期保額 200 萬元。

同時，選定欲購買的定期壽險保單，取得該保單的完整費率表（詳見註 1），將費率表內容輸入到同張工作表，命名為「費率表」。接著，只要在「保障需求表」設定好簡單的公式，就能根據上述「查詢欄位」的「年齡」、「性別」條件，到費率表查詢到該年期保單所對應的危險保費。

保障需求表

年期	保障金額	欄位數	危險保費
10	1,000,000	2	2500
15	1,500,000	4	4050
20	1,500,000	6	4650
25	2,000,000	8	6600

註 1：費率表：列出該保單每多少保額需要多少保費，按年齡、性別、年期而不同。除了請保險公司提供，亦可直接搜尋「財團法人保險事業發展中心」網站的「保險商品資料庫」，只要輸入保單名稱，就能查詢到保單條款、費率表等文件。網址：insprod.tii.org.tw/database/insurance/index.asp

3.製作目標保費規畫表

輸入自己在不同年齡期間的每月「目標保費」。這裡指的是保戶自己評估、每月可負擔的保費金額（危險保費＋投入專屬帳戶的金額）。由於一般人評估收支時，較習慣採用月收入評估，所以此處輸入每月金額。年度欄位列出起始年度，且須由小而大排列，以下圖為例，代表第 1 年到第 5 年，每月目標保費為 8,000 元，第 6 年到第 10 年每月目標保費為 1 萬 8,000 元，依此類推，直到第 35 年初才會停止目標保費的投入。

	A	B
6	目標保費規畫表	
7	年度	每月目標保費
8	1	8,000
9	6	18,000
10	11	20,000
11	21	25,000
12	35	0

4.製作主表：利益分析表

利益分析表是整張試算表的主表，將每一年度的危險保費、年繳目標保費、定期壽險保額、投資專屬帳戶的投資收益、帳戶價值、總保額（定期壽險保額＋帳戶價值）等項目列出來，可清楚預估每年度帳戶的變化情形。

圖 1 就是 Kevin 自製投資型保單的利益分析表，保險年齡 30 歲，性別為男性。第 1 年到第 5 年，每年投入目標保費 9 萬 6,000 元（每

月 8,000 元），其中每年 1 萬 7,800 元是用來支付 4 張定期壽險的危險保費，保額共 600 萬元。扣除危險保費後，每年剩餘的 7 萬 8,200 元則投入投資專屬帳戶中，並假設每年以 1.5% 的投資報酬率複利成長，到了第 5 年度初（34 歲），帳戶價值累積至 40 萬 2,907 元，加上定期壽險保額，Kevin 共可享有約 640 萬元的保障。

圖1 投資報酬率若為1.5%，64歲可累積980萬
——自製投資型保單利益分析表範例（以投資報酬率1.5%試算）

	A	B
1	保險年齡	30
2	性別	男
3	投資報酬率	1.50%

目標保費規畫表

年度	每月目標保費
1	8,000
6	18,000
11	20,000
21	25,000
35	0

利益分析表

列	年度初	年齡	危險保費	年繳目標保費	定期壽險保額	投資收益	帳戶價值	總保額
18	1	30	17,800	96,000	6,000,000	0	78,200	6,078,200
19	2	31	17,800	96,000	6,000,0			
20	3	32	17,800	96,000	6,000,0			
21	4	33	17,800	96,000	6,000,0			
22	5	34	17,800	96,000	6,000,0			
23	6	35	17,800	216,000	6,000,0			
40	23	52	6,600	300,000	2,000,0			
41	24	53	6,600	300,000	2,000,000	77,941	5,567,375	7,567,375
42	25	54	6,600	300,000	2,000,000	83,511	5,944,285	7,944,285
43	26	55	0	300,000	0	89,164	6,333,450	6,333,450
44	27	56	0	300,000	0	95,002	6,728,451	6,728,451
50	33	62	0	300,000	0	131,912	9,226,045	9,226,045
51	34	63	0	300,000	0	138,391	9,664,436	9,664,436
52	35	64	0	0	0	144,967	9,809,402	9,809,402
53	36	65	0	0	0	147,141	9,956,543	9,956,543

整理：怪老子

一直到第 25 年初（54 歲），帳戶價值加上定期壽險保額，共累積約 794 萬元。根據 Kevin 的規畫，第 26 年初（55 歲），就不需要定期壽險的保障，所以定期壽險保額為 0 元，不過光是帳戶價值，也累積達 633 萬元。為了讓自己能有無虞的退休生活，他仍然在未來 9 年，繼續投入每年 30 萬元目標保費到投資帳戶當中，直到第 35 年初（64 歲）才停止。

因此，第 26 年初（55 歲）開始的 9 年，每年 30 萬元的目標保費當中，就沒有危險保費的支出，而是全數放在投資帳戶以 1.5% 年複利成長。直到第 35 年初（64 歲），再也不投入目標保費，此時帳戶價值已累積達 980 萬元。

圖2 投資報酬率若為5%，64歲可累積1761萬

——自製投資型保單利益分析表範例（以投資報酬率5%試算）

利益分析表

	A	B	C	D	E	F	G	H
17	年度初	年齡	危險保費	年繳目標保費	定期壽險保額	投資收益	帳戶價值	總保額
18	1	30	17,800	96,000	6,000,000	0	78,200	6,078,200
19	2	31	17,800	96,000	6,000,000	3,910	160,310	6,160,310
20	3	32	17,800	96,000	6,000,000	8,016	246,526	6,246,526
21	4	33	17,800	96,000	6,000,000	12,326	337,052	6,337,052
22	5	34	17,800	96,000	6,000,000	16,853	432,104	6,432,104
23	6	35	17,800	216,000	6,000,000	21,605	651,910	6,651,910
42	25	54	6,600	300,000	2,000,000	399,370	8,680,178	10,680,178
43	26	55	0	300,000	0	434,009	9,414,187	9,414,187
44	27	56	0	300,000	0	470,709	10,184,896	10,184,896
45	28	57	0	300,000	0	509,245	10,994,141	10,994,141
46	29	58	0	300,000	0	549,707	11,843,848	11,843,848
47	30	59	0	300,000	0	592,192	12,736,041	12,736,041
48	31	60	0	300,000	0	636,802	13,672,843	13,672,843
49	32	61	0	300,000	0	683,642	14,656,485	14,656,485
50	33	62	0	300,000	0	732,824	15,689,309	15,689,309
51	34	63	0	300,000	0	784,465	16,773,774	16,773,774
52	35	64	0	0	0	838,689	17,612,463	17,612,463

整理：怪老子

如果 Kevin 想知道投資報酬率 5% 的分析結果，只要將查詢欄位「投資報酬率」從 1.5% 改為 5%，可看到第 26 年初（55 歲）帳戶價值可累積到 941 萬元，到了 35 年初（64 歲）更高達 1,761 萬元（詳見圖 2）。想製作如 Kevin 的利益分析表，詳見第 348 頁實作練習。

實作練習

打開新的試算表檔案，❶將工作表命名為「投資型保單」，並建立3張表格：

1. 查詢欄位：「A1:A3」分別輸入「保險年齡」、「性別」、「投資報酬率」，並將儲存格「B1：B3」名稱重新定義為「A1：A3」的名稱。其中，❷將性別「B3」欄位設定為清單模式，選項為男、女兩種選擇，點選❸「資料」索引頁標籤→❹「資料驗證」→❺「資料驗證」，小視窗的「設定」頁中，❻儲存格內允許「清單」、來源輸入「男, 女」，再按下❼「確定」即可。

2. 目標保費規畫表：❽輸入自己在不同年齡期間的每月「目標保費」，並將儲存格範圍「A7：B12」定義成表格，命名為「目標保費規畫表」。

3. 利益分析表：❾儲存格「A17：H17」依序建立「年度初」、「年齡」、「危險保費」、「年繳目標保費」、「定期壽險保額」、「投資收益」、「帳戶價值」、「總保額」共8欄，並將儲存格範圍「A17：H102」定義成表格，命名為「利益分析表」。

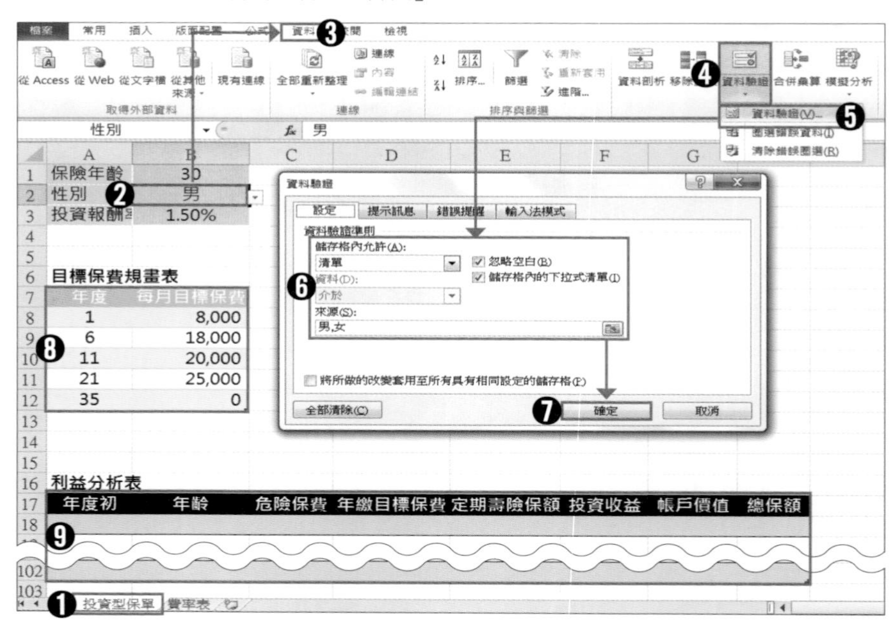

同一個試算表檔案中，再❶新增另一張新工作表，命名為「費率表」，共要建立 3 張表格：壽險費率表、保單類別表、保障需求表。以下先介紹壽險費率表、保單類別表：

1. **壽險費率表：**將欲購買的定期壽險保單費率，❷依序按年期、性別、年期性別對應的欄位數、年齡，建立如下圖的表格。❸年期、性別不要選取，只選取從欄位數到所有年齡的儲存格範圍「A3：K49」定義成表格，命名為「壽險費率表」。

表內的數字，代表「每萬元保額的保費」，例如 30 歲男性的 10 年期保費，就會對應到儲存格「B19」的「25」，100 萬元保額的保單，保費就是 2,500 元（25×100）。15 年期為「D19」的「27」，150 萬元保額的保費就是 4,050 元（27×150），依此類推。

2. **保單類別表：**❹儲存格範圍「M4：N9」定義成表格，命名為「保單類別表」。共有 2 欄，第 1 欄是輸入費率表中的「保單年期」，共有 10、15、20、25、30 這 5 種年期。第 2 欄是「欄位數」，自行輸入費率表中，該年期「男性」所在的欄位數。例如 10 年期保單、男性的所在欄位數為「2」，15 年期保單、男性的欄位數為「4」，依此類推。

	A	B	C	D	E	F	G	H	I	J	K
1		10		15		20		25		30	
2	年齡	男性	女性	男性	女性	男性	女性	男性	女性	男性	女性
3	欄1	欄2	欄3	欄4	欄5	欄6	欄7	欄8	欄9	欄10	欄11
4	15	17	7	17	7	17	8	16	6	17	7
5	16	17	7	17	7	17	8	17	6	17	8
6	17	18	7	18	7	18	8	17	7	18	8
7	18	18	8	18	8	19	8	18	7	19	8
8	19	18	8	20	8	20	10	18	8	20	10
9	20	20	8	20	8	21	10	19	9	22	10
19	30	25	11	27	15	31	17	33	17	40	22
20	31	26	13	29	15	33	18	35	18	42	23
45	[illegible]	[illegible]	84	175	[illegible]	-	-			-	-
46	57	179	94	191	104	-	-	-	-	-	-
47	58	197	104	208	115	-	-	-	-	-	-
48	59	217	115	227	126	-	-	-	-	-	-
49	60	239	129	248	140	-	-	-	-	-	-

保單類別表

保單年期	欄位數
10	2
15	4
20	6
25	8
30	10

保障需求表

年期	保障金額	欄位數
10	1,000,000	
15	1,500,000	
20	1,500,000	
25	2,000,000	

投資型 ❶ 費率表

STEP 3

繼續在「費率表」工作表製作「保障需求表」。

在❶儲存格「P4：S4」輸入「年期」、「保障金額」、「欄位數」、「危險保費」，並將「P4：S9」定義成表格，命名為「保障需求表」。「年期」、「保障金額」為自己規畫的保單組合。以 Kevin 為例，他共要買 4 張保單，分別為 10 年期保額 100 萬元，15 年期保額 150 萬元，20 年期保額 150 萬元，25 年期保額 200 萬元。

「年期」欄位使用清單輸入，❷點選「P5」儲存格→❸「資料」索引頁標籤→❹「資料驗證」→❺「資料驗證」，於資料驗證小視窗的❻「設定」頁→❼「儲存格內允許」選取「清單」、「來源」欄位輸入儲存格範圍「= $M$5：$M$9」，❽按下「確定」按鈕，並將「P5」儲存格複製至「P6：P9」。

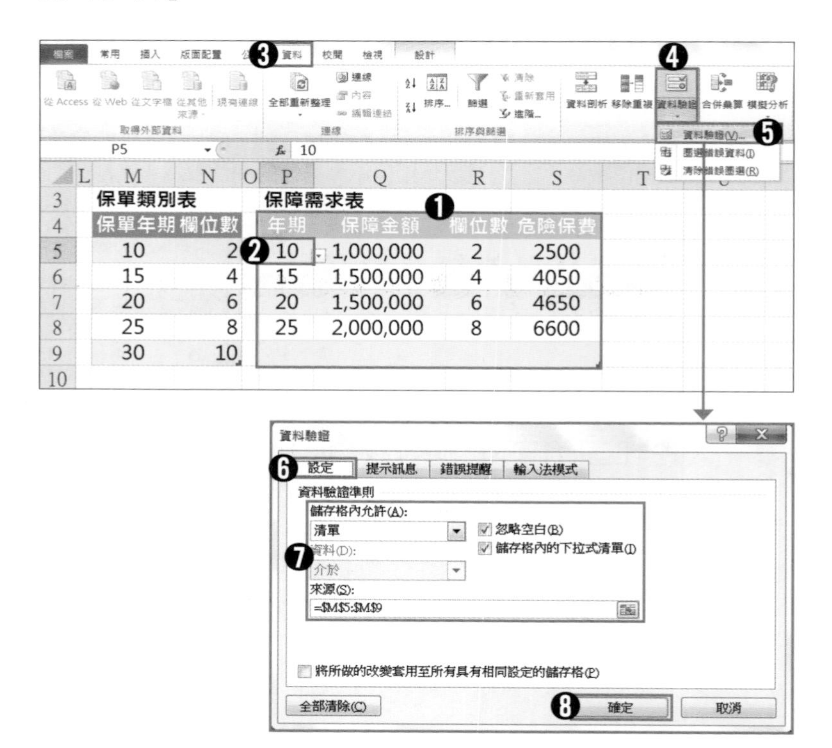

❶「欄位數」第 1 列儲存格「R5」輸入公式「**＝IFERROR（IF（性別＝"男",VLOOKUP（[@年期],保單類別表,2,FALSE）,VLOOKUP（[@年期],保單類別表,2,FALSE）＋1）,""）**」，接著將公式往下複製「R6：R9」。

這公式共有 3 層，第 2 層與最內層公式為：
IF（性別＝"男",VLOOKUP（[@年期],保單類別表,2,FALSE）,VLOOKUP（[@年期],保單類別表,2,FALSE）＋1）

意思是，當輸入的值為「男」條件成立，就用 VLOOKUP 函數，以「期間」那一欄的數字，到「保單類別表」第 1 欄區間查詢符合的列數，並傳回該列第 2 欄的值。否則，就傳回「該列第 2 欄的值＋1」。例如，若「性別」儲存格是男性，那麼 10 年期保單欄位數（R5）就會傳回「2」，若不是男性，就傳回「3」。這一欄是為了要當作隔壁欄「危險保費」的參照值。

最外層使用的「IFERROR」函數，則是當第 2 層「VLOOKUP」函數出現錯誤值時，用空白字串取代（若要省略 IFERROR 函數也可以，只是使用者輸入的年期找不到時，會出現「N/A」錯誤訊息）。

	A	F	G	H	I	J	K	L	M	N	O	P	Q	R	S
1		20		25		30									
2	年齡	男性	女性	男性	女性	男性	女性								
3	欄1	欄6	欄7	欄8	欄9	欄10	欄11		保單類別表			保障需求表			
4	15	17	8	16	6	17	7		保單年期	欄位數		年期	保障金額	欄位數	危險保費
5	16	17	8	17	6	17	8		10	2		10	1,000,000	2	2500
6	17	18	8	17	7	18	8		15	4		15	1,500,000	4	4050
7	18	19	8	18	7	19	8		20	6		20	1,500,000	6	4650
8	19	20	10	18	8	20	10		25	8		25	2,000,000	8	6600
9	20	21	10	19	9	22	10		30	10					

❶ ＝IFERROR（IF（性別＝"男",VLOOKUP（[@年期],保單類別表,2,FALSE）, VLOOKUP（[@年期],保單類別表,2,FALSE）＋1）,""）
◎內部公式（白色字部分）：若為「男」則傳回保單類別表第2欄；若不是則傳回第2欄數值＋1
◎外部公式（黑色字部分）：當內部公式出現錯誤，則以空白字串取代

接著輸入「危險保費」公式。❶第 1 列儲存格「S5」輸入公式「=IFERROR（VLOOKUP（**保險年齡**,**壽險費率表**,[@ **欄位數**],FALSE）*[@ **保障金額**]/10000,""）」，接著將公式往下複製「S6：S9」。

內層公式為：
VLOOKUP（保險年齡 , 壽險費率表 ,[@ 欄位數],FALSE）*[@ 保障金額]/10000

意思是，以投資型保單工作表的「保險年齡」儲存格「B1」當作查詢值，到「壽險費率表」的第 1 欄搜尋符合該年齡的列數，並根據相對應的欄位數（R 欄），傳回符合「保險年齡」的對應年期及性別的費率。由於費率表的費率是每萬元保額的保費，因此要再將費率乘以保障金額再除以 1 萬元。

例如 Kevin 在保險年齡儲存格輸入「30」，性別儲存格輸入「男」。那麼保障需求表年期 10 那一列的「欄位數」「R5」，就會顯示「2」；「保費」則會回傳費率表 30 歲、第 2 欄（10 年期男性）的值 25，並且乘以保障金額 100 萬元再除以 1 萬元，顯示為「2500」元。

=IFERROR（VLOOKUP（保險年齡,壽險費率表,[@欄位數],FALSE）*[@保障金額]/10000,""）
◎內部公式（白色字部分）：於「欄1」找到正確年齡數，並根據保單類別表的欄位數，傳回符合年齡的對應年期、性別與費率，計算出每萬元保費，並傳回危險保費欄位（S 欄）
◎外部公式（黑色字部分）：當內部公式出現錯誤，則以空白字串取代

	A	B	C	D	E	F	G	H	I	J	K
1		10		15		20		25		30	
2	年齡	男性	女性	男性	女性	男性	女性	男性	女性	男性	女性
3	欄1	欄2	欄3	欄4	欄5	欄6	欄7	欄8	欄9	欄10	欄11
4	15	17	7	17	7	17	8	16	6	17	7
5	16	17	7	17	7	17	8	17	6	17	8
6	17	18	7	18	7	18	8	17	7	18	8
7	18	18	8	18	8	19	8	18	7	19	8
8	19	18	8	20	8	20	10	18	8	20	10
9	20	20	8	20	8	21	10	19	9	22	10
19	30	25	11	27	15	31	17	33	17	40	22
20	31	26	13	29	15	33	18	35	18	42	23

保單類別表

保單年期	欄位數
10	2
15	4
20	6
25	8
30	10

保障需求表

年期	保障金額	欄位數	危險保費
10	1,000,000	2	❶ 2500
15	1,500,000	4	4650
20	1,500,000	6	4650
25	2,000,000	8	6600

回到第一張「投資型保單」工作表，為「利益分析表」輸入公式：

1. **年度初：**年度順序，每一年度的現金流量以該年度的期初為基準。❶第 1 列儲存格「A18」鍵入數字「1」，❷第 2 列儲存格「A19」輸入公式「= IF（B18 >= 100,"",A18 + 1）」，並將公式往下複製「A20：A102」。使用 IF 公式是當保險年齡輸入 100 歲以上時，就會顯示空白，可避免錯誤。

2. **年齡：**該年度的年齡。❸第 1 列儲存格「B18」鍵入公式「=保險年齡」，❹第 2 列儲存格「B19」輸入公式「**= IF（[@ 年度初] = "","",B18 + 1）**」，並將公式往下複製「B20：B102」。如此一來，當查詢欄位的保險年齡「B1」輸入 30，這張表格就會從 30 歲開始顯示。

3. **危險保費：**該年度需要支付的定期壽險保費支出。❺第 1 列儲存格「C18」輸入公式「**= IF（ISNUMBER（[@ 年度初]）,SUMIF（保障需求 [年期]," >= "&[@ 年度初], 保障需求 [危險保費]）,""）**」，然後將公式往下複製「C19：C102」。「ISNUMBER （[@ 年度初]）」的意思，是要判斷同列的「年度初」是否為數字，如果是數字，IF 函數才會執行以下的 SUMIF 函數，以計算出危險保費；若同列的「年度初」不是數字，就填入空白。

SUMIF 函數則是用來加總符合條件的某區域儲存格，以第 1 年度初的危險保費為例「C18」，「SUMIF（保障需求 [年期]," >= "&[@ 年度初], 保障需求 [危險保費]）」，這列的年度初為 1，公式就會將保障需求表所有大於「1」的年期保費加總，為 1 萬 7,800 元。到了年度初為 11，公式只會加總保障需求表 11 年期以上的保費，為 1 萬 5,300 元。

	A	B	C
1	保險年齡	30	
2	性別	男	
3	投資報酬率	1.50%	
4			
5			
16	利益分析表		
17	年度初	年齡	危險保費
18	❶ 1	❸ 30	❺ 17,800
19	❷ 2	❹ 31	17,800
20	3	32	17,800
21	4	33	17,800
22	5	34	17,800
23	6	35	17,800

保障需求表

年期	保障金額	欄位數	危險保費
10	1,000,000	2	2500
15	1,500,000	4	4050
20	1,500,000	6	4650
25	2,000,000	8	6600

=IF（ISNUMBER（[@年度初]）,SUMIF（保障需求[年期],">="&[@年度初],保障需求[危險保費]）,""）

◎內部公式（白色字部分）：將保障需求表所有大於「年度數」的年期保費加總

◎外部公式（黑色字部分）：判斷「年度初」是否為數字，如果是數字才計算出危險保費，否則為空白

繼續輸入其他欄位公式：

1. **年繳目標保費**：該年度的保費收入，也是該年度投入金額。❶第 1 列儲存格「D18」輸入公式「**= IF（ISNUMBER（[@ 年度初]）,VLOOKUP（[@ 年度初], 每月目標保費 ,2）*12,""）**」，並將公式往下複製「D19：D102」。這是利用「年度初」欄位當查詢值，到目標保費規畫表區間搜尋，將該年度的每月目標保費乘以 12，即為當年的年繳目標保費。

2. **定期壽險保額**：該年度受定期險保障之金額。❷第 1 列儲存格「E18」輸入公式「**= IF（ISNUMBER（[@ 年度初]）,SUMIF（保障需求 [年期],">= "&[@ 年度初], 保障需求 [保障金額]）,""）**」，並將公式往下複製「E19：E102」。公式意思是判斷同列的「年度初」是否為數字，如果是數字，IF 函數才會執行 SUMIF 函數，到保障需求表計算出該年所需的保障金額；若同列的「年度初」不是數字，就填入空白。

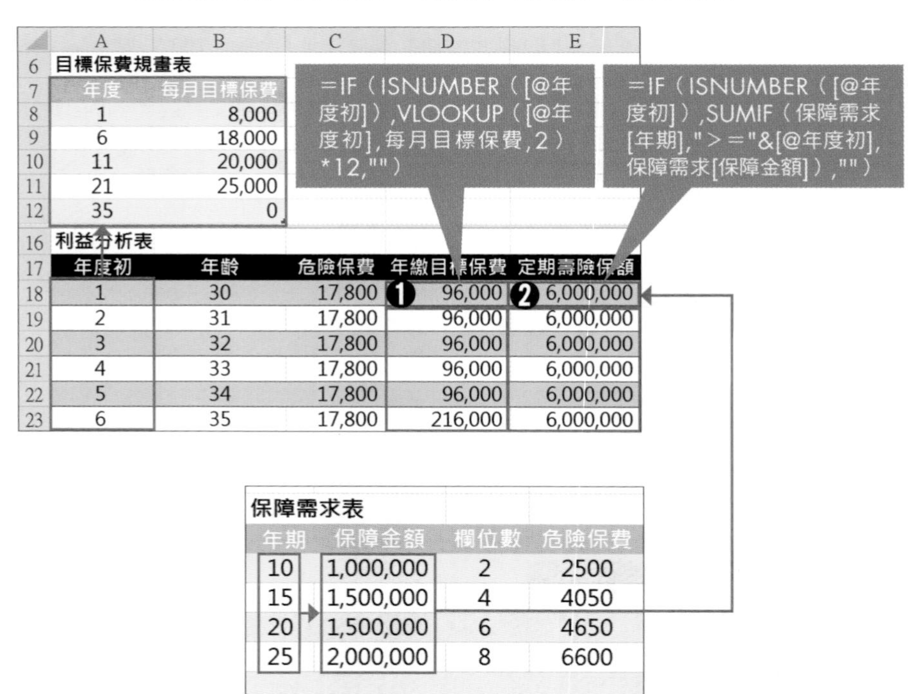

繼續輸入其他欄位公式：

1. **投資收益**：該年度投資的收益金額，等於上年度帳戶價值乘上投資報酬率。❶第 1 列儲存格「F18」鍵入數字「0」，❷第 2 列儲存格「F19」輸入公式「＝IF（ISNUMBER（**[@年度初]**）,G18***投資報酬率**,""）」，並將「F19」公式往下複製至「F20：F102」。

2. **帳戶價值**：上年度「帳戶價值」加上該年度的「年繳目標保費」，扣除該年度的「危險保費」，再加上該年度的「投資收益」，就是該年度的帳戶價值。❸第 1 列儲存格「G18」輸入公式「＝IF（ISNUMBER（**[@年度初]**）,**[@年繳目標保費]**＋**[@投資收益]**－**[@危險保費]**,""）」，❹第 2 列儲存格「G19」輸入公式「＝IF（ISNUMBER（**[@年度初]**）,G18＋**[@年繳目標保費]**＋**[@投資收益]**－**[@危險保費]**,""）」，並將「G19」公式往下複製至「G20：G102」。

3. **總保額**：「定期壽險保額」加上「帳戶價值」。❺第 1 列儲存格「H18」鍵入公式「＝IF（ISNUMBER（**[@年度初]**）,**[@定期壽險保額]**＋**[@帳戶價值]**,""）」，並將公式往下複製至「H19：H102」。

＝IF（ISNUMBER（[@年度初]）,[@年繳目標保費]＋[@投資收益]－[@危險保費],""）

	A	E	F	G	H
16	利益分析表				
17	年度初	期壽險保額	投資收益	帳戶價值	總保額
18	1	6,000,000	❶ 0	❸ 78,200	❺ 6,078,200
19	2	6,000,000	❷ 1,173	❹ 157,573	6,157,573
20	3	6,000,000	2,364	238,137	6,238,137
21			3,572		
22			4,799		
23	6	6,000,000	6,044		
41	24			5,567,375	7,567,375
42	25			5,944,285	7,944,285
43	26			6,333,450	6,333,450
44	27	0	95,002	6,728,451	6,728,451
45	28	0	100,927	7,129,378	7,129,378
46	29	0	106,941	7,536,319	7,536,319
47	30	0	113,045	7,949,363	7,949,363

＝IF（ISNUMBER（[@年度初]）,G18*投資報酬率,""）

＝IF（ISNUMBER（[@年度初]）,[@定期壽險保額]＋[@帳戶價值],""）

＝IF（ISNUMBER（[@年度初]）,G18＋[@年繳目標保費]＋[@投資收益]－[@危險保費],""）

以上步驟完成後已經大功告成，若想觀察定期壽險保額及帳戶價值欄位變化，只要將這兩個欄位以堆疊直條圖畫出即可。

❶選取資料範圍「A17：H102」，點選❷「插入」索引頁標籤→❸「直條圖」→❹「平面直條圖」的「堆疊直條圖」，會出現含有所有資料的直條圖。此時滑鼠在直條圖按右鍵，選擇❺「選取資料」，出現「選取資料來源」小視窗，在❻「圖例項目（數列）」將「定期壽險保額」與「帳戶價值」之外的選項移除，並在❼「水平（類別）座標軸標籤」先點選「編輯」，再選取年齡欄範圍「B18：B102」，按下❽「確定」鈕即完成。

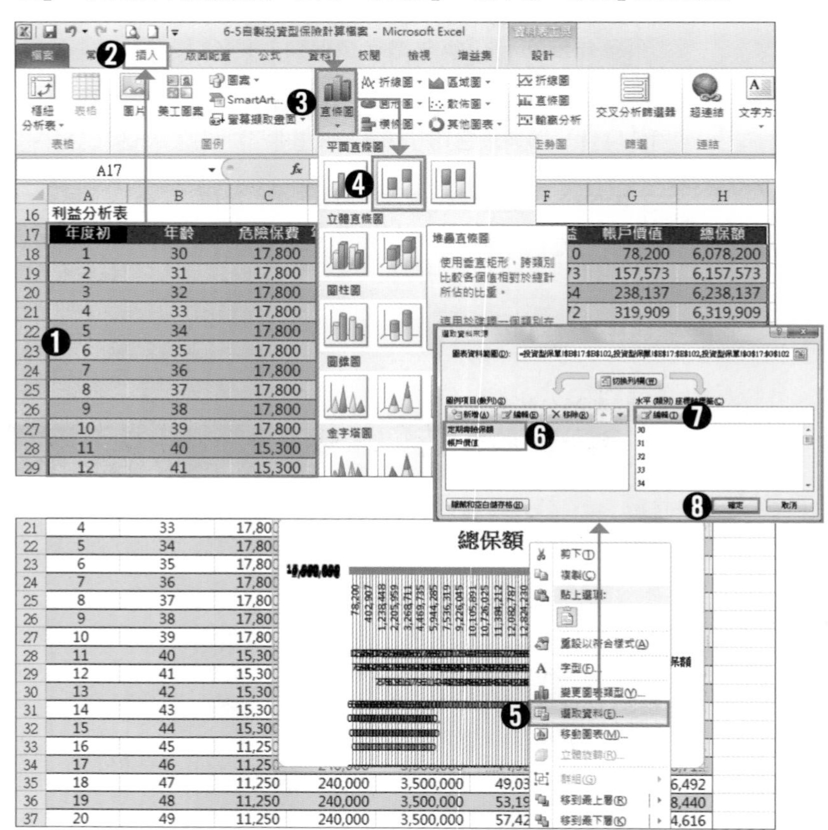

貸款評估篇

壓低利息
無痛清償債務

7

7-1

善用5技巧
挑最有利貸款方案

對於一般的受薪階級，不管是購買新屋或者是換屋，通常得依賴銀行的房屋貸款，才有能力買得起房子。然而房貸的期間都很長，有的甚至長達 30 年，如果沒有好好評估貸款條件，可能錯估自己的繳款能力，或是多付不少利息，那就不妙了。

貸款要考量的條件，最重要的當然是利率；不過，貸款期間、攤還方式、繳款方式也非常重要。如果能對貸款有多一分的了解，就比較容易找到最適合自己的貸款方案。

貸款期間長短比較容易理解，借錢的時間愈長，總利息就愈多。至於貸款攤還方式、月繳或雙週繳、寬限期等問題就比較複雜，需要試算工具幫忙分析。以下先來認識貸款的攤還方式，再學習 5 個技巧，挑出最有利的方案。

按還款方式，貸款分為「本息均攤」、「本金均攤」2種

貸款攤還方式分為「本息平均攤還」、「本金平均攤還」兩種，一般

較為常用的還款方式為本息平均攤還。這兩種攤還方式又有何不同？哪一種對貸款者比較有利呢？

1.本息平均攤還：總繳金額固定、本金償還金額遞增

每一期繳納金額包含應繳利息及償還本金，兩者相加的金額必須每期一樣。但是繳納金額當中的本金與利息比率並不相同，每一期繳款金額扣除利息後，剩下的才拿來償還本金。

可以說，剛開始還款時，利息占的比重較高；隨著本金每期償還，貸款餘額就會每期減少，利息也會跟著遞減。而因為每期繳款的金額不變，所以利息的比重每期愈來愈少，償還本金的比重則呈現每期遞增的現象。到了最後一期，貸款全部還清，貸款餘額為 0。

2.本金平均攤還：總繳金額遞減、本金償還金額固定

每一期繳納金額同樣包含利息及本金，不過，由於償還本金的部位是以貸款金額除以總期數，所以每期償還本金的金額固定，最後一期一定還清。例如，貸款 480 萬元，還 240 期，每期就是固定償還本金 2 萬元。

每期的利息仍是以貸款餘額計息，第 1 期 480 萬元計息，還了 2 萬元本金後，第 2 期就以 478 萬元計息，第 3 期以 476 萬元計息，依此類推。因為貸款餘額遞減，所以每一期的繳納金額以及利息也會逐漸遞減；第一期最高，最後一期最少。

這兩種還款方式，對每期繳款金額及總利息又有何影響？根據公式（詳見表 1），以貸款金額 100 萬元、年利率 2.2%，1 個月為 1 期，貸款 240 期（20 年）為例，本息平均攤還的每月繳款金額為 5,154

表1 善用公式計算每期繳款金額、總繳利息

——2種還款方式的每期繳款金額與總繳利息公式

還款方式	每期繳款金額	總繳利息
本息平均攤還	＝PMT（年利率/12,總期數,貸款金額）	＝每期繳款金額*總期數－貸款金額
本金平均攤還	第n期繳款金額＝（貸款總金額/總期數）*（1＋（總期數－n＋1）*年利率/12）	＝貸款總金額*（年利率/12）*（（總期數＋1）/2）

註：1 期為 1 個月，每期利率為年利率 /12；本息平均攤還的每期繳款金額 PMT 函數，計算出來為負值，代表現金流出
整理：怪老子

表2 相同貸款條件下，本金均攤總繳利息較少

——2種還款方式的月繳款金額與總繳利息

年數（年）	本息平均攤還		本金平均攤還	
	每月繳款（元）	總繳利息（元）	首月繳款（元）	總繳利息（元）
5	17,615	56,924	18,500	55,917
10	9,291	114,943	10,167	110,917
15	6,528	174,967	7,389	165,917
20	5,154	236,983	6,000	220,917
25	4,337	300,976	5,167	275,917
30	3,797	366,923	4,611	330,917

註：以貸款金額 100 萬元、年利率 2.2% 為例；本金均攤月繳款僅列出第 1 期繳款金額　整理：怪老子

元，20 年總利息 23 萬 6,983 元；若是本金平均攤還，第 1 期月繳款金額為 6,000 元，而後逐月遞減，20 年總利息 22 萬 917 元（詳見表 2）。

技巧1》評估可負擔還款金額，以本息均攤方式還款

從總利息來看，本金均攤所繳的總利息比本息均攤還要少，這也是有人主張貸款應該選擇本金均攤的原因。那麼貸款者究竟該如何選擇呢？

其實，不管是哪種攤還方式，只要本金還得早、還得多，總利息就會少。本金平均攤還開始時，償還本金的部位比利息多，所以本金還得比較多、比較快，總利息當然少了。而本息均攤方式，一開始幾乎都在還利息，償還本金的部位較少，所以總利息就比較多。

本金均攤的總利息雖然較少，但是每期繳款金額，卻跟上班族的收入趨勢相反。因為第 1 期金額最高，然後依序遞減；而上班族的收入通常是固定的，而且隨著年紀經驗的增長，收入通常是愈來愈多。

對本金均攤貸款者而言，如果繳得起第 1 期的金額，為何不持續用這金額繼續繳款，讓繳款期間縮短。也就是用第 1 期的金額作為本息均攤的每月繳款，這樣總利息就更少了。

以表 2 為例，貸款 100 萬元，年利率 2.2%、20 年期，本息平均攤

還每期繳款 5,154 元，本金平均攤還的第一期繳款 6,000 元。既然每期繳得起6,000元，乾脆以本息攤還來還款，未來每一期都還6,000元。我們來試算這樣的條件下，多少期可以還清？總利息是多少？

還款期數
＝NPER（期利率 ,－每期繳款金額 , 貸款金額）
＝NPER（2.2%/12,-6000,1000000）
→可得到答案為 199.08 期，相當於 16.59 年

總利息
＝每期繳款金額 * 總期數－貸款金額
＝6000*199.08 － 1000000→可得到答案為 19 萬 4,480 元

上述條件套入公式，可算出只需要約 200 個月，不到 17 年就能還清貸款，總繳利息 19 萬 4,480 元。比起本金平均攤還 20 年的總繳利息 22 萬 917 元還要低。

技巧2》選擇雙週繳款，還款期與總利息比月繳少

雙週繳的總利息會比月繳還要少，也是因為提早還款的道理。用原本月繳款金額的一半，當成雙週繳的金額，就足以提前還款。採取每月繳款，一年共繳本息 12 次；雙週繳款，一年則繳了 26 次（52 週/2），相當於月繳13次，多繳了1個月的錢，本金當然還得比較快囉！

用本息均攤、貸款 100 萬元、年利率 2.2%、貸款 20 年的例子，原本月繳本息 5,154 元，總利息 23 萬 6,983 元，如果改成雙週為一

期，每期付款金額為月繳金額的一半 2,577 元，需要幾期能還清？總利息是多少？

還款期數
= NPER（2.2%/26,-2577,1000000）
→可得到答案為 470.6 期，相當於 18.1 年

總利息
= 2577*470.6 − 1000000
→可得到答案為 21 萬 2,736 元，比起月繳方式的總利息 23 萬 6,983 元更低

技巧3》評估個人還款能力，找出最短貸款年數

若是想要省下利息錢，貸款的年數愈短愈有利，只是貸款年數愈短，每期繳款金額就愈高，怎麼挑選才比較折衷呢？

我們將表 1 中兩種還款方式，畫出不同貸款年數的月繳款金額及總利息的變化圖（詳見圖 1），更可以清楚知道該如何規畫貸款。可以看出，隨著貸款年數變長，總利息幾乎是等比例地增加；每期繳款金額剛好相反，貸款年數愈短，繳款金額愈高。年數剛開始增加時，每月繳款金額下降得很快，但是超過 15 年後，每月繳款金額的下降幅度就不顯著了。

以本息平均攤還為例，貸款 100 萬元、年利率 2.2%，貸款期間從 5 年增加到 10 年，只不過多了 5 年期間，月繳款從 1 萬 7,615 元，

大幅降到 9,291 元，總繳利息增加了 5 萬 8,019 元。但是當貸款期間從 15 年增加到 20 年，同樣差了 5 年期間，月繳款卻只從 6,528 元降到 5,154 元，總利息增加了 6 萬 2,017 元。

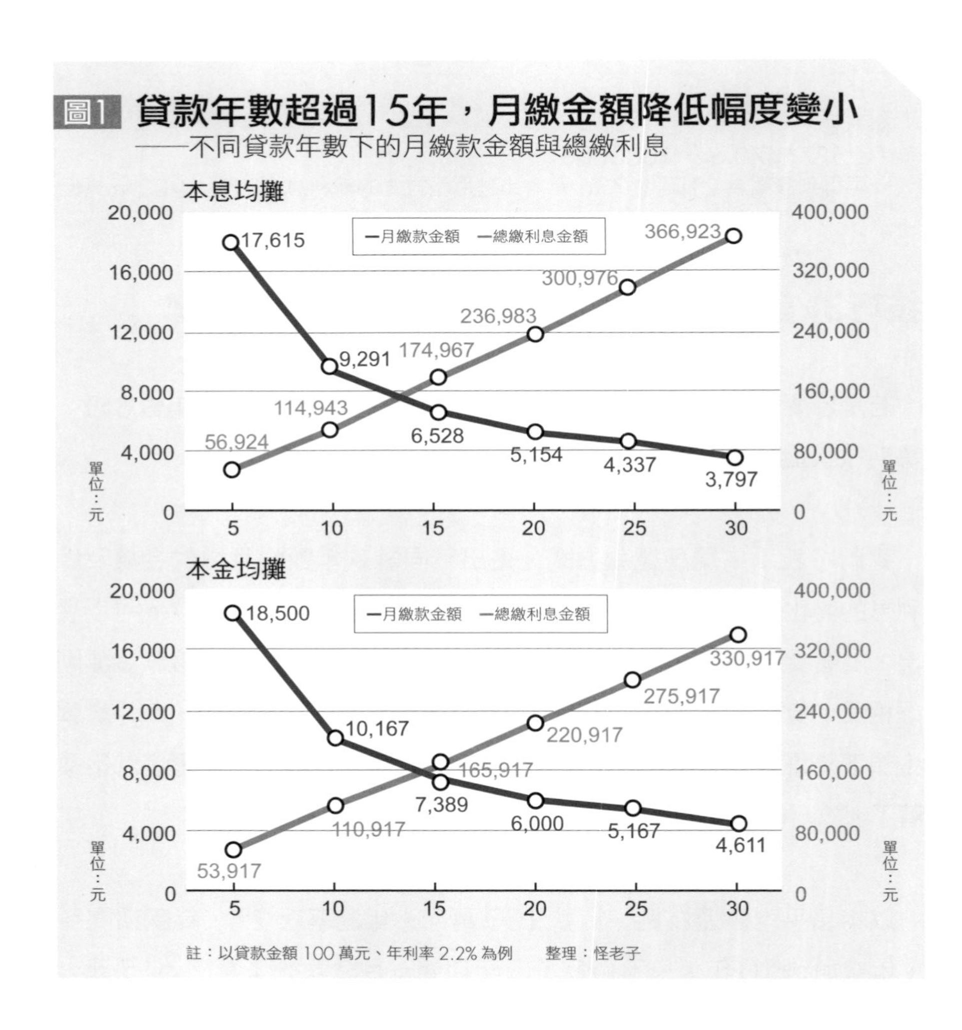

圖1 貸款年數超過15年，月繳金額降低幅度變小
——不同貸款年數下的月繳款金額與總繳利息

註：以貸款金額 100 萬元、年利率 2.2% 為例　　整理：怪老子

如果選擇貸 15 年，每期只要比貸款 20 年多繳 1,000 多元，就可以省下大約 5 年的總利息。也就是說，貸款年數大於 15 年時，對於降低繳款壓力幫助不大，可是總利息卻增加許多。

很清楚，如果想減低總繳利息，貸款年數就要減少；但貸款年數太短，每月繳款金額高，貸款壓力也大，恐會降低生活品質。因此，若要找最佳貸款年數，應該是落於 10 至 15 年之間。

當然，還是要根據個人實際還款能力而定，在不影響生活品質的狀況下，找出最短的貸款年數，是較為折衷的方法（表 2 及圖 1 製作方式，詳見第 369 頁實作練習）。

技巧4》避免使用寬限期，減少總繳利息

貸款者在試算房貸時，會看到「寬限期」的選項，而且寬限期內的繳款金額特別少。這是因為寬限期內繳的錢，都是利息，而非本金；但是本金終究得償還，因此寬限期數愈長，只是將本金還款時間往後延，總利息當然就會較多。

例如 100 萬元貸款，年利率 2.2%，貸款年數 20 年，寬限期內因為只繳利息，所以每期利息都以本金 100 萬元計算，一樣都是 1,833 元（= 1000000*2.2%/12）。直到開始還本金，就恢復正常的月繳款金額（詳見表 3）。若沒有使用寬限期，總利息最低，為 23 萬

6,983 元；寬限期 24 個月，總利息 25 萬 5,938 元；寬限期 36 個月更高達 26 萬 5,535 元。

結論是，想要省利息，就不要用寬限期，應該第 1 期就開始還本金。但是善於投資者，資金留在手中所創造的報酬率勝過貸款利率，反而可以運用寬限期，延長償還本金的時間，將資金做更高報酬率的規畫，只是就得付出總利息較高的代價。

表3 寬限期愈長，總繳利息愈高
——使用寬限期的總繳利息金額

寬限期（月）	寬限期月繳款金額（元）	正常月繳款金額（元）	總利息（元）
0	1,833	5,154	236,983
12	1,833	5,370	246,421
24	1,833	5,611	255,938
36	1,833	5,880	265,535
48	1,833	6,183	275,211
60	1,833	6,528	284,967
72	1,833	6,921	294,802
84	1,833	7,376	304,717
96	1,833	7,908	314,712
108	1,833	8,536	324,788
120	1,833	9,291	334,943

註：以貸款金額 100 萬元、年利率 2.2%、貸款年數 20 年為例；實務上，房貸的寬限期多在 1 到 3 年（12 ～ 36 個月），5 年（60 個月）已屬少見；寬限期內每月只繳交利息，公式：「＝貸款金額 *（年利率 /12）」；非寬限期每月繳款金額公式：「＝ PMT（年利率 /12, 貸款年數 *12 －寬限期數, 貸款金額）」；總繳利息為寬限期利息＋非寬限期的利息，公式：「＝貸款金額 * 寬限期數 *（年利率 /12）＋（總期數－寬限期數）* 非寬限期月繳款－貸款金額」　整理：怪老子

技巧5》將貸款相關費用納入計算，找出最佳貸款利率

一般人在試算貸款時，通常會專注於每月本息繳款金額，以及總利息是多少，但是鮮少人會注意到「總費用年百分率」這件事；因為大部分人不知道這是什麼，甚至誤以為是費用占貸款的百分比。

其實，總費用年百分率就代表貸款的「實質年利率」，是貸款重要的評估項目之一，也就是用「貸款淨額」（貸款金額扣除相關費用）所計算的利率。只是不知金管會為何規定銀行使用這不易理解的詞彙，如果可以改成「實質年利率」，不是一看就懂了嗎？

舉一個簡單的例子來說明，就可以知道為何總費用年百分率那麼重要。下表分別列出兩家銀行的貸款條件，來看看哪家銀行的貸款比較划算呢？

銀行	貸款金額（元）	貸款利率（%）	期數	相關費用（元）	每月應付本息（元）
A銀行	100,000	2.5	36	3,000	2,886
B銀行	100,000	3.5	36	0	2,930

許多人都會選擇 A 銀行，因為 A 銀行的貸款利率明顯較低。然而 A 銀行真的較划算嗎？貸款 10 萬元、2.5% 貸款利率、36 期每月應繳本息 2,886 元，的確比 B 銀行低。可是，如果將 A 銀行 3,000 元的開辦費用考慮進來，貸款者實際到手的淨額只有 9 萬 7,000 元，實質年利率如下：

＝RATE（期數，－每月本息金額，貸款金額－相關費用）*12
＝RATE（36,-2886,97000）*12
→可得到答案為 4.51%，A 銀行實質貸款年利率為 4.51%，比 B 銀行還高！

將 B 銀行的條件輸入公式，因為 B 銀行不需要開辦費用，貸款淨額就是 10 萬元，實質年利率還是 3.5%：
＝RATE（36, -2930,100000）*12→可得到答案為 3.5%

對貸款者而言，真正在意的是貸款金額實際拿到多少，以及每月得支付多少。所以在比較銀行間貸款利率時，就得將相關費用的影響考慮進來，這樣計算出來的結果才有意義。

懂得這些關於貸款的觀念及工具之後，不只是房貸，還有車貸、信用貸款都能用得上；未來面對貸款方案的選擇時，就不再徬徨無助了。

實作練習

對貸款者而言，每月得繳多少金額，以及總共必須繳出多少利息，這兩件事非常重要。如果能學會製作每月繳款金額及總利息變化圖表（詳見表 2 及圖 1），對貸款規畫將有很大的幫助。

若選擇本息均攤還款方式，只要知道貸款金額、期數及年利率，每月繳款金額就可以用 PMT 函數計算出來。算出每月的繳款金額，也可以知道總繳利息為多少（總利息＝每月繳款金額＊期數－貸款金額）。

❶儲存格「A1：A5」鍵入文字：「貸款金額」、「年利率」、「年數」、「本息均攤月繳款」、「本息均攤總利息」，並將❷儲存格「B1：B5」定義為「A1：A5」的名稱 。

	❶A	❷B
1	貸款金額	1,000,000
2	年利率	2.20%
3	年數	10
4	本息均攤月繳款	
5	本息均攤總利息	

由於「貸款金額」（B1）、「年利率」（B2）、「年數」（B3）為可以更改的變數，以黃底色標明。

接著，於❶「本息均攤月繳款」儲存格「B4」填入公式：「＝ -PMT（**年利率 /12, 年數 *12, 貸款金額**）」（PMT 計算結果應為負值，代表現金流出，這裡在函數前面加一個負號，只是為了讓顯示數值轉為正值），❷「本息均攤總利息」儲存格「B5」填入公式：「**＝每月繳款 * 年數 *12－貸款金額**」。

	A	B
1	貸款金額	1,000,000
2	年利率	2.20%
3	年數	10
4	本息均攤月繳款❶	9,291
5	本息均攤總利息❷	114,943

＝-PMT（年利率/12, 年數*12, 貸款金額）

＝每月繳款*年數*12－貸款金額

完成後，只要輸入不同貸款金額、年利率、年數條件，公式就能自動算出本息均攤月繳款金額及總利息。

接著在儲存格「A8：C15」製作運算列表，❶第 1 欄的「A10：A15」按列由上而下輸入「5、10、15、20、25、30」代表繳款年數（也可使用數列填滿功能快速完成），以每 5 年為間隔，亦可按自身需求輸入更多年數。

於❷儲存格「B9」輸入：「**＝本息均攤月繳款**」，❸儲存格「C9」輸入：「**＝本息均攤總利息**」。

設定「年數」為運算列表變數。❹選擇運算列表為儲存格範圍「A9：C15」後，❺點選「資料」索引標籤→❻「模擬分析」→❼「運算列表」。在「運算列表」小視窗，❽「欄變數儲存格」點選「年數」數值所在儲存格「B3」（或直接填入「$B$3」），並按下❾「確定」按鈕即可。

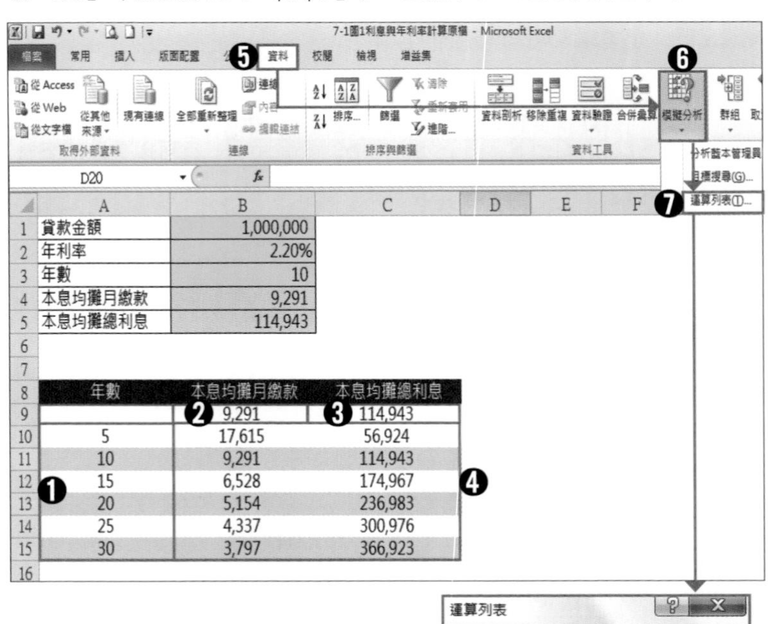

最後，畫出折線圖。❶選擇儲存格範圍「A8：C15」，點選❷「插入」索引頁標籤→❸「折線圖」→❹「含有資料標記的折線圖」，即會出現一張含有所有資料的折線圖。在圖上按右鍵，點選❺「選取資料」，出現「選取資料來源」的小視窗。

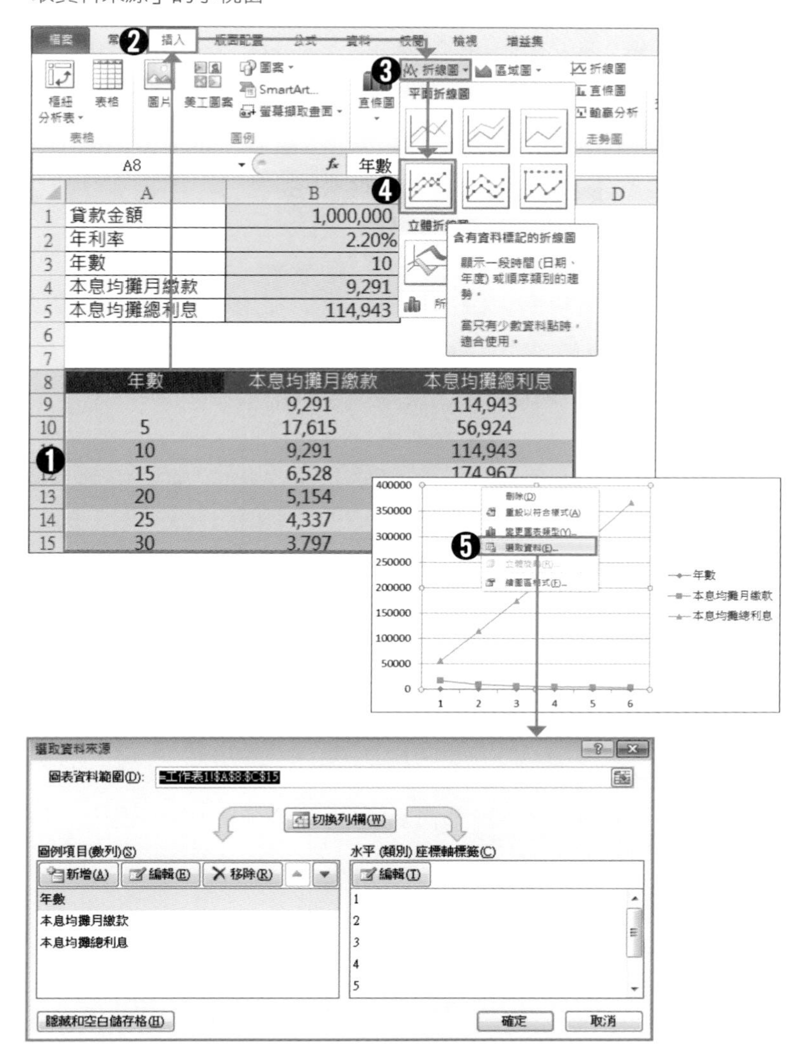

接著，❶點選「圖例項目（數列）」中的「本息均攤月繳款」並按下❷「編輯」，會出現「編輯數列」小視窗，將❸「數列值」範圍當中的「$B$9」改為「$B$10」。「本息均攤總利息」照做一次，❹數列值範圍則從「$C$9」改為「$C$10」。

回到「選取資料來源」的小視窗，點選❺「年數」並選擇❻「移除」後，點選「水平（類別）座標軸標籤」下的❼「編輯」，將❽「座標軸標籤範圍」改為「年數」那一欄的「$A$10:$A$15」，點選❾「確認」後，再回到「選取資料來源」小視窗按下❿「確認」鍵。

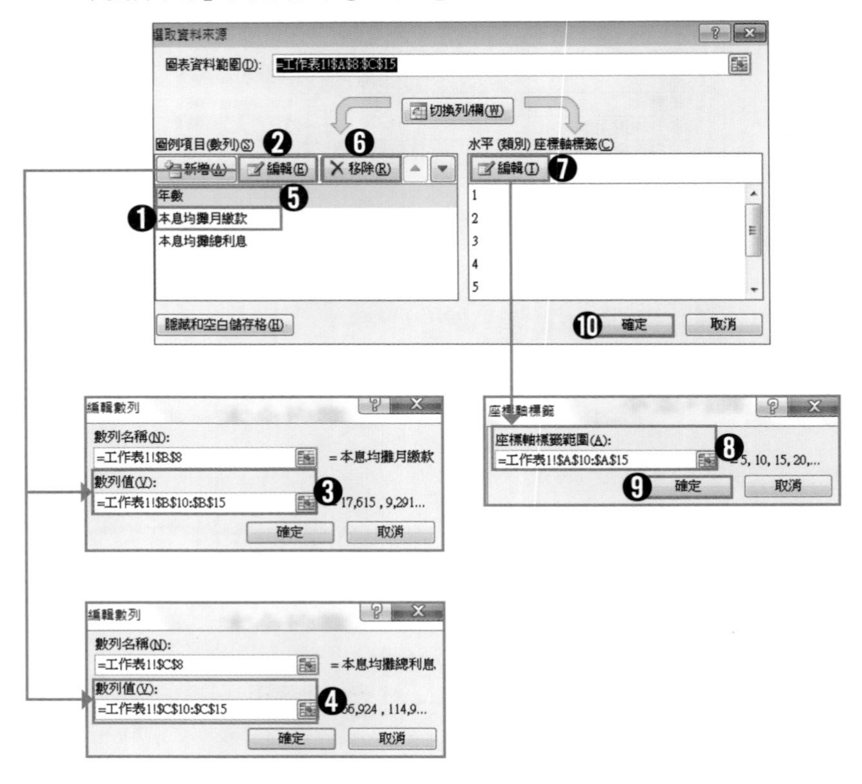

完成後會出現下圖，因為兩組資料共用一個垂直座標軸，看不出兩者的關係。可先點選折線圖任一處，再點選❶「格式」索引頁標籤，於左上角下拉選單點選❷「數列 " 本息均攤月繳款 "」→❸「格式化選取範圍」，於跳出的「資料數列格式」小視窗選擇❹「數列選項」，且於「數列資料繪製於」下選❺「副座標軸」，再按下❻「關閉」鈕，就完成如下圖的成果。

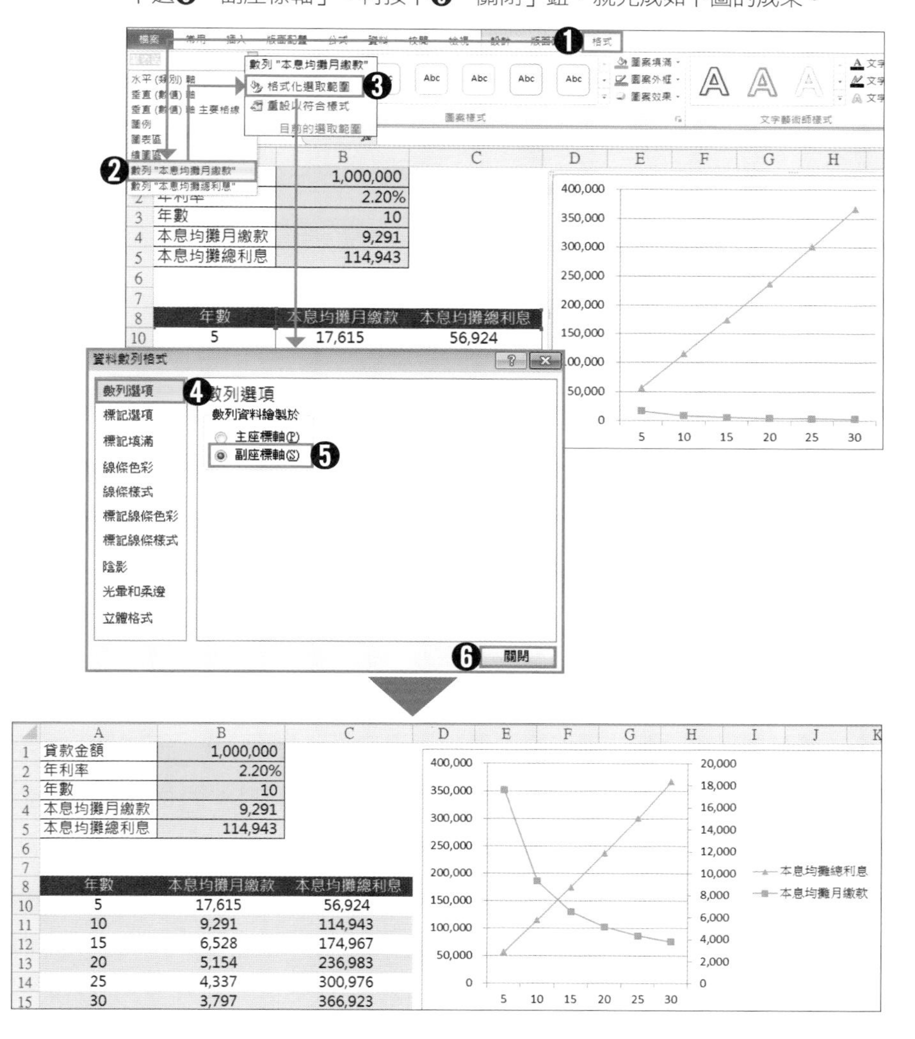

7-2

自製貸款攤還表 了解每期本金、利息繳款比率

如果想知道每期繳款金額中，本金與利息各占多少，只要試著自己做出攤還表就很清楚了。攤還表也是銀行貸款的明細，自己做完一遍，就更明白銀行是如何計息的。

本息平均攤還》每期繳納金額固定，利息占比遞減

先看「本息平均攤還」，會先根據貸款條件算出每期要繳納的金額，例如貸款 300 萬元，年利率 2%，貸 120 期，1 個月為 1 期，每期利率就是月利率（2%/12）；利用 PMT 函數，可快速算出每期應繳納金額為 2 萬 7,604 元。

有了每期繳納金額，就能輕鬆做出攤還表（詳見圖 1），每期期初（等同上期期末）的貸款餘額乘上期利率，就是當期利息；而每期應繳納金額減去當期利息，就是當期償付的本金。

例如，第 1 期的期初貸款餘額是 300 萬元，當期的利息為 5,000 元（300 萬元 *2%/12），所以當期償還的本金則為 2 萬 2,604 元

（2 萬 7,604 元－ 5,000 元）。因為第 1 期繳了 2 萬 2,604 元本金，第 2 期的期初貸款餘額就剩下 297 萬 7,396 元，可再算出第 2 期利息是 4,962 元（297 萬 7,396 元 *2%/12），當期償還的本金則為 2 萬 2,642 元，依此類推。也因為每期應繳納金額是固定的，當利息

圖1 以本息均攤方式還款，每期繳納金額相同

——本息平均攤還表、每月繳款分布圖

本息平均攤還表

	A	B	C	D	E
1	貸款金額	3,000,000			
2	年利率	2%			
3	期數(月數)	120			
4	每月繳款	27,604			
5	總利息	312484			
8	期數	貸款餘額	本金	利息	每月繳款
9	0	3,000,000			
10	1	2,977,396	22,604	5,000	27,604
11	2	2,954,754	22,642	4,962	27,604
127	118	55,070	27,466	138	27,604
128	119	27,558	27,512	92	27,604
129	120	0	27,558	46	27,604

每一期繳納的本金加利息，金額都是2萬7,604元

每月繳款分布圖

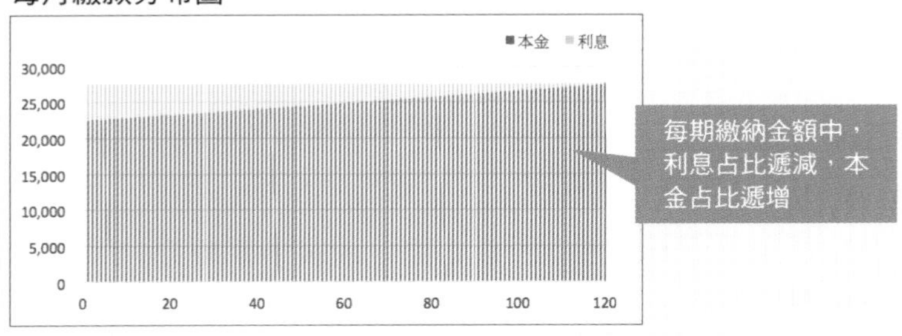

整理：怪老子

隨著貸款餘額逐漸減少，每期固定繳納金額當中所償付本金的比重也會愈來愈高，直到最後一期將貸款全數還清。

本金平均攤還》本金繳納金額固定，利息逐期遞減

「本金平均攤還」的攤還表就不一樣了（詳見圖 2），每期攤還金額是由高而低遞減；其中，貸款本金由每一期平均分攤，所以每期本金的金額都一樣是貸款金額除上總期數；而每一期利息就是期初貸款餘額乘上期利率，所以利息會隨著貸款餘額每期遞減。

例如，同樣是貸款 300 萬元，年利率 2%，貸 120 期，1 個月為 1 期。第 1 個月要償付的本金為 2 萬 5,000 元（300 萬元 /120 期），外加利息 5,000 元（300 萬元 *2%/12），一共得繳納 3 萬元。到了第 2 個月，同樣要償付 2 萬 5,000 元本金；但因為期初貸款餘額剩下 297 萬 5,000 元，所以第 2 期利息降低為 4,958 元（297 萬 5,000 元 *2%/12），一共得繳納 2 萬 9,958 元，依此類推。

觀察本金平均攤還的每月繳款金額分布圖，第 1 期利息因為本金都還沒還，所以期初貸款餘額最高，繳納金額也最高，之後每一期的貸款餘額遞減，所以利息也會遞減，只是應還本金每一期都一樣。所以每一期的繳款金額都不一樣，第 1 期最高、最後一期最低，那麼評估本金攤還貸款時，除了總繳利息之外，還要看繳款能力，是否能負擔初期比較高的繳款金額。

圖2 以本金均攤方式還款，每期繳納金額遞減
——本金平均攤還表、每月繳款分布圖

本金平均攤還表

	A	B	C	D	E
1	貸款金額	3,000,000			
2	年利率	2.00%			
3	期數(月數)	120			
4	每月攤還本金	25,000			
5	首月繳款	30,000			
6	總利息	302,500			
7					
8	期數	貸款餘額	本金	利息	每月繳款
9	0	3,000,000			
10	1	2,975,000	25,000	5,000	30,000
11	2	2,950,000	25,000	4,958	29,958
127	118	50,000	25,000	125	25,125
128	119	25,000	25,000	83	25,083
129	120	0	25,000	42	25,042

每期繳納金額逐期遞減

每月繳款分布圖

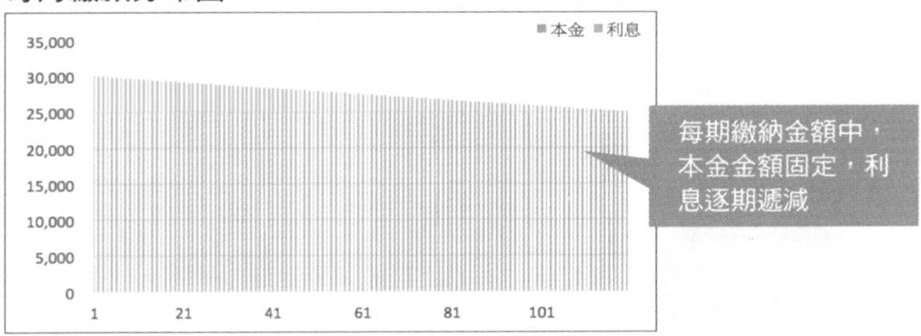

整理：怪老子

實作練習

貸款攤還表必須考慮可以變動的部分，包括貸款金額、年利率、期數，都是將來可能會變動的參數，所以製作一份通用的攤還表時，這些參數最好使用儲存格代替，將來可以任意改變數值。

製作本息平均攤還表

❶儲存格「A1：A5」鍵入文字：「貸款金額」、「年利率」、「期數（月數）」、「每月繳款」、「總利息」，並將❷儲存格「B1：B5」定義為「A1：A5」的名稱。其中，貸款金額、年利率以及期數為可以任意變更的參數。

假設 1 期為 1 個月，於❸「每月繳款」儲存格「B4」輸入公式：「**＝–PMT（年利率 /12, 期數 , 貸款金額）**」。 若想計算總利息，則於❹儲存格 B5 輸入公式「**＝期數 * 每月繳款－貸款金額**」。

❺儲存格「A8：E8」輸入「期數」、「貸款餘額」、「本金」、「利息」、「每月繳款」。假設要計算的期數為 120，在❻「期數」儲存格「A9：A129」以數列填滿 0 ～ 120（可使用數列填滿功能快速完成）。❼並選取儲存格「A8：E129」，定義為表格，命名為「本息攤還表」。

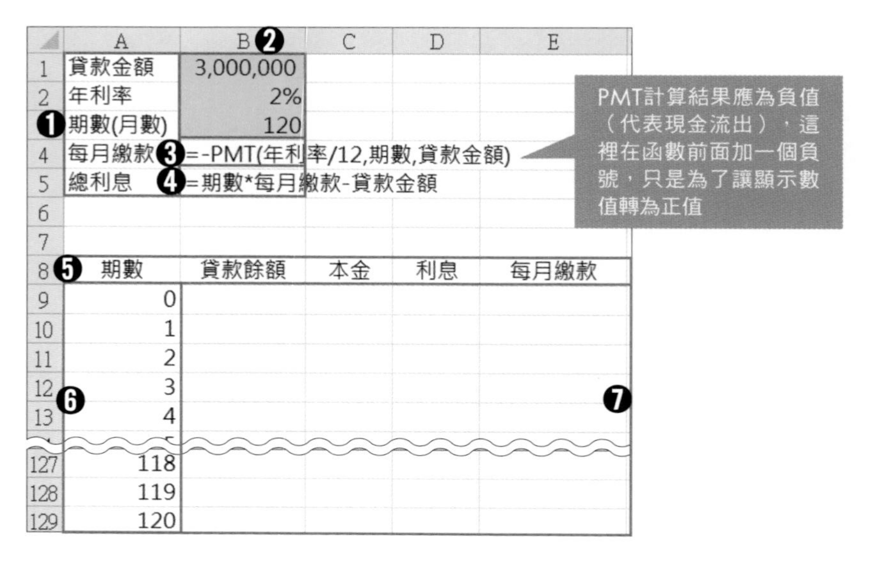

	A	B	C	D	E
1	貸款金額	3,000,000			
2	年利率	2%			
3	期數(月數)	120			
4	每月繳款	=-PMT(年利率/12,期數,貸款金額)			
5	總利息	=期數*每月繳款-貸款金額			
6					
7					
8	期數	貸款餘額	本金	利息	每月繳款
9	0				
10	1				
11	2				
12	3				
13	4				
127	118				
128	119				
129	120				

於❶第 0 期貸款餘額儲存格「B9」輸入：「＝**貸款金額**」，第 0 期「本金」、「利息」、「每月繳款」「C9：E9」則保持空白。

利息等於上一期的期末（等同本期期初）貸款餘額乘上月利率，於❷第 1 期利息儲存格「D10」輸入公式：「**＝ B9* 年利率 /12**」。

本金等於每月繳款金額減掉本期所繳利息，於❸第 1 期本金儲存格「C10」輸入公式：「**＝每月繳款－ [@ 利息]**」。

貸款餘額等於上期期末貸款餘額減掉本期歸還本金，於❹第 1 期貸款餘額儲存格「B10」輸入公式：「**＝ B9 － [@ 本金]**」。

每月繳款金額相同，可省略不輸入。若想要驗算，則於❺第 1 期每月繳款儲存格「E10」輸入公式：「**＝ [@ 本金] ＋ [@ 利息]** 」

選取本息攤還表第 1 期儲存格範圍「B10：E10」，在右下角填滿控點快速點 2 下，即可快速往下複製至下方儲存格。完成後如下圖，想要知道是否輸入正確，只要看❻最後一期的貸款餘額是否為 0 就知道。

	A	B	C	D	E
1	貸款金額	3,000,000			
2	年利率	2%			
3	期數(月數)	120			
4	每月繳款	27,604			
5	總利息	312484			
8	期數	貸款餘額	本金	利息	每月繳款
9	0	❶ 3,000,000	❸	❷	❺
10	1	❹ 2,977,396	22,604	5,000	27,604
11	2	2,954,754	22,642	4,962	27,604
12	3	2,932,075	22,679	4,925	27,604
13	4	2,909,358	22,717	4,887	27,604
14	5	2,886,602	22,755	4,849	27,604
127	118	55,070	27,466	138	27,604
128	119	27,558	27,512	92	27,604
129	120	❻ 0	27,558	46	27,604

雖然本息攤還每一期的繳款金額都一樣，但如果能夠畫出每一期所繳的金額中，本金及利息的比重各是多少，就可以更了解銀行是如何收取利息的。

選取❶本金欄與利息欄「C8：D129」，點選❷「插入」索引頁標籤→「平面直條圖」中的❸「堆疊直線圖」，就會出現每月繳款分布圖。

為了讓直條圖的水平座標軸按期數排列，可在圖上按右鍵，點選❹「選取資料」。出現「選取資料來源」小視窗後，❺點選「水平（類別）座標軸標籤」下的「編輯」按鈕，將❻「座標軸標籤範圍」改為「期數」那一欄「A9：A129」，按下❼「確定」關閉設定視窗就完成了。

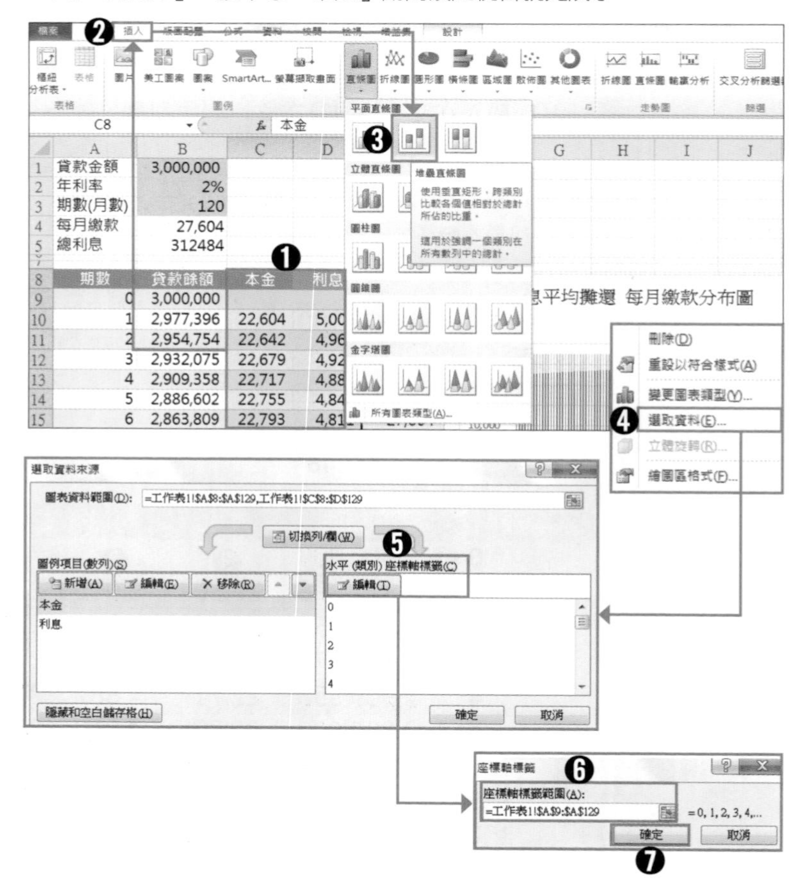

製作本金平均攤還表

❶儲存格「A1：A6」鍵入文字：「貸款金額」、「年利率」、「期數（月數）」、「每月攤還本金」、「首月繳款」、「總利息」，並將❷儲存格「B1：B6」定義為「A1：A6」的名稱。其中，貸款金額、年利率以及期數為可以任意變更的參數。

假設 1 期為 1 個月，於❸「每月攤還本金」儲存格「B4」輸入公式：「＝**貸款金額／期數**」。 於❹「首月繳款」儲存格「B5」輸入公式：「＝**每月本金＋貸款金額＊年利率／12**」。 於❺「總利息」儲存格「B6」輸入公式：「＝**貸款金額＊（年利率／12）＊（（期數＋1）／2）**」。

❻儲存格「A8：E8」輸入「期數」、「貸款餘額」、「本金」、「利息」、「每月繳款」。假設要計算的期數為 120，在❼「期數」儲存格「A9：A129」以數列填滿 0 ～ 120（可使用數列填滿功能快速完成）。並❽選取儲存格「A8：E129」，定義為表格，命名為「本金攤還表」。

	A	B❷	C	D	E	F
1	貸款金額	3,000,000				
2	年利率	2.00%				
3	期數(月數)	120				
4	❶每月攤還本金	❸=貸款金額/期數				
5	首月繳款	❹=每月本金+貸款金額*年利率/12				
6	總利息	❺=貸款金額*(年利率/12)*((期數+1)/2)				
7						
8	❻期數	貸款餘額	本金	利息	每月繳款	
9	0					
10	1					
11	2					
12	3					
13	❼4					❽
14	5					
126	117					
127	118					
128	119					
129	120					

於❶第 0 期貸款餘額儲存格「B9」輸入公式「**＝貸款金額**」，本金、利息、每月繳款第 0 期「C9：E9」則保持空白。

利息等於上一期期末（等同本期期初）貸款餘額乘上月利率，於❷第一期利息儲存格「D10」輸入公式：「**＝ B9* 年利率 /12**」。

本金等於每月攤還本金，於❸第 1 期本金儲存格「C10」輸入公式：「**＝每月攤還本金**」。

貸款餘額等於上期貸款餘額減掉本期歸還本金，於❹第 1 期貸款餘額儲存格「B10」輸入公式：「**＝ B9 － [@ 本金]**」。

每月繳款等於每月攤還本金加當期利息，於❺第 1 期每月繳款儲存格「E10」輸入公式：「**＝ [@ 本金] ＋ [@ 利息]** 」。

選取本金攤還表第 1 期儲存格「B10：E10」，在右下角填滿控點快速點 2 下，即可快速往下複製至下方儲存格。以上步驟完成後，本金攤還表就完成了。最後可參考製作本息攤還表的步驟 3，畫出堆疊直條圖。

	A	B	C	D	E
1	貸款金額	3,000,000			
2	年利率	2.00%			
3	期數(月數)	120			
4	每月攤還本金	25,000			
5	首月繳款	30,000			
6	總利息	302,500			
7					
8	期數	貸款餘額	本金	利息	每月繳款
9	0	❶ 3,000,000	❸	❷	❺
10	1	❹ 2,975,000	25,000	5,000	30,000
11	2	2,950,000	25,000	4,958	29,958
12	3	2,925,000	25,000	4,917	29,917
13	4	2,900,000	25,000	4,875	29,875
14	5	2,875,000	25,000	4,833	29,833
15	6	2,850,000	25,000	4,792	29,792
16	7	2,825,000	25,000	4,750	29,750
17	8	2,800,000	25,000	4,708	29,708
128	119	25,000	25,000	83	25,083
129	120	0	25,000	42	25,042
130					
131					

7-3

善用IRR函數 還原分段式貸款年利率

因為銀行貸款競爭激烈，許多奇怪的行銷手法就出籠了，例如貸款前幾個月期間用低於正常利率吸引客戶，剩下的再用較高的利率計息，讓客戶誤以為占到了便宜；這種分段式貸款（貸款期間各階段利率不同）該怎麼跟一段式貸款（貸款期間利率都相同）比較呢？只要把現金流量金額列出來，用 IRR 函數一算，就知道是吃虧還是占便宜。

例如 A 銀行提供的本息攤還一段式貸款方案為貸款 10 萬元，年利率 4.5% 分 12 期繳款，1 期為 1 個月，每月繳款金額為 8,538 元。將現金流量表列出來，期初（第 0 期）輸入貸款金額「100000」（正值代表現金流入）；而後 12 期分別輸入繳款金額「-8538」（負值代表現金流出），用 IRR 函數就能驗證 A 銀行貸款利率是 4.50%。

而 B 銀行推出的方案是兩段式貸款，同樣本息攤還，貸款 10 萬元，分 12 期。首期適用較低的利率 3%，之後 11 期的貸款利率為 4.8%，所以第 1 個月的繳款金額只有 8,469 元，其他 11 個月的繳款金額為 8,545 元（分段式貸款的每期繳款金額算法詳見 7-4），這樣有比 A 銀行划算嗎？同樣只要將現金流量列出來，IRR 函數就能算出這相當於

圖1 分段式貸款方案的貸款利率可能較一段式高

——一段式和分段式貸款方案IRR試算表

A 銀行的一段式貸款方案

	A	B
1	期數	現金流量
2	0	100000
3	1	-8538
4	2	-8538
5	3	-8538
6	4	-8538
13	11	-8538
14	12	-8538
15		
16	IRR	4.50%

=IRR（B2：B14）*12

B 銀行的兩段式貸款方案

	A	B
1	期數	現金流量
2	0	100000
3	1	-8469
4	2	-8545
5	3	-8545
6	4	-8545
13	11	-8545
14	12	-8545
15		
16	IRR	4.51%

=IRR（B2：B14）*12

註：因為現金流量表 1 期為 1 個月，所以 IRR 計算出來為月利率，必須乘上 12 才是年利率　　整理：怪老子

一段式貸款年利率 4.51%，比 A 銀行高了一些（詳見圖 1）。

製作通用貸款利率試算表，自動填入現金流量

當貸款利率是分段式，若要用 IRR 函數計算等效的一段式貸款利率，就得將現金流量一筆一筆手動輸入。期數一多時就很煩人，當貸款年數長達 20 年、30 年，就高達 240 期、360 期，光是輸入這些數字就令人頭疼。

這時我們可以自製一張「通用貸款利率試算表」檔案，使用者先製作一張「繳款表」，將每一段繳款金額，按年度由小而大整理在一張表格內；例如兩段式利率，前 6 個月每月繳款金額 4,872 元，第 7 期之後每月繳款金額 5,091 元，整理如下表：

起始期數	每月繳款
1	4,872
7	5,091

再利用幾個簡單的 Excel 功能，設計好查詢欄位以及空白的現金流量

圖2 利用VLOOKUP函數，自動填入現金流量
——通用貸款利率試算表

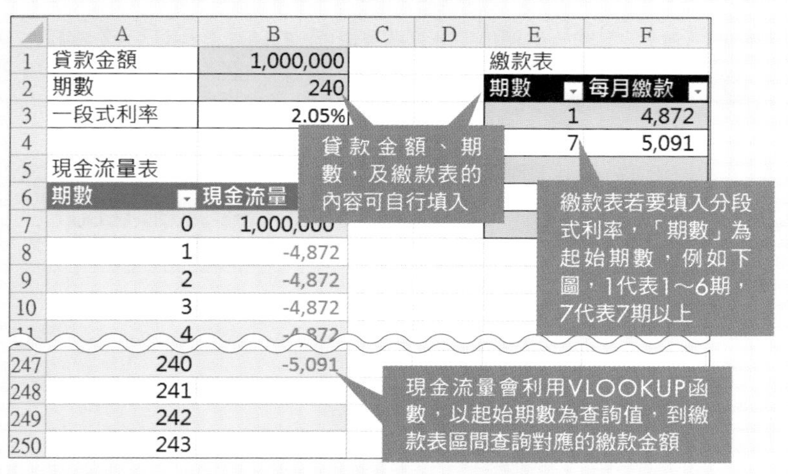

整理：怪老子

表，完成後，使用者只要在查詢欄位填入貸款金額、期數，Excel 就會自動去查詢繳款表，為現金流量表填入每一期的現金流量欄位，再根據這些現金流量算出等效的一段式貸款利率。

圖 2 就是做好的通用貸款利率試算表，例如使用者輸入貸款金額 100 萬元，1 期為 1 個月，期數 240 期（20 年）；繳款表內的貸款利率為兩段式，第 1 到 6 期年利率 1.6%，每期繳款金額 4,872 元，第 7 ~ 240 期年利率 2.08%，每期繳款金額 5,091 元，試算表會自動算出一段式等效利率為 2.05%。以下就透過實作練習，說明通用貸款利率試算表的製作方法。

實作練習

首先，製作查詢欄位與計算結果欄位。❶儲存格「A1：A3」鍵入文字：「貸款金額」、「期數」、「一段式利率」，並將❷儲存格「B1：B3」定義為「A1：A3」的名稱。其中，貸款金額與期數為變數，此處以貸款 100 萬元、240 期為例，儲存格「B3」則為計算結果。

	❶A	❷B
1	貸款金額	1,000,000
2	期數	240
3	一段式利率	
4		

STEP 2

接著，建立空白現金流量表。❶儲存格「A5」、「A6」和「B6」鍵入文字：「現金流量表」、「期數」、「現金流量」。在❷「期數」儲存格「A7：A367」以數列填滿 0～360（可讓期數顯示到 360），並選取❸儲存格「A6：B367」，定義為表格，命名為「現金流量表」。

	A	B
1	貸款金額	1,000,000
2	期數	240
3	一段式利率	
4	❶	
5	現金流量表	
6	期數	現金流量
7	0	
8	1	
	❷	❸
366	359	
367	360	

STEP 3

再來，建立繳款表。❶儲存格「E1」、「E2」和「F2」鍵入文字：「繳款表」、「期數」、「每月繳款」。選取繳款表範圍「E2：F7」，定義為表格，命名為「繳款表」。以第 1 到第 6 期的月繳款金額 4,872 元，第 7 期之後每月繳款金額 5,091 元為例，於❷第 1 列期數「E3」儲存格輸入「1」，❸第 1 列每月繳款「F3」儲存格輸入「4872」；❹第 2 列期數「E4」儲存格輸入「7」，❺第 2 列每月繳款「F4」儲存格輸入「5091」。

回到現金流量表，於❻第 0 期現金流量儲存格「B7」輸入：「**＝貸款金額**」，於❼第 1 期現金流量儲存格「B8」輸入公式：「**＝ IF（[@ 期數] ＞期數," ",–VLOOKUP（[@ 期數], 繳款表 ,2））**」。這個 IF 公式的意義是，如果同列期數欄位的值，大於使用者輸入的期數「B2」，則填上空白字串；否則填上用這列的期數至繳款表找出的每月繳款金額。

❽將第 1 期現金流量儲存格「B8」公式往下複製「B9：B367」，即可看到現金流量表第 1 到第 6 期自動填入「-4872」，第 7 期之後自動填入「–5091」。

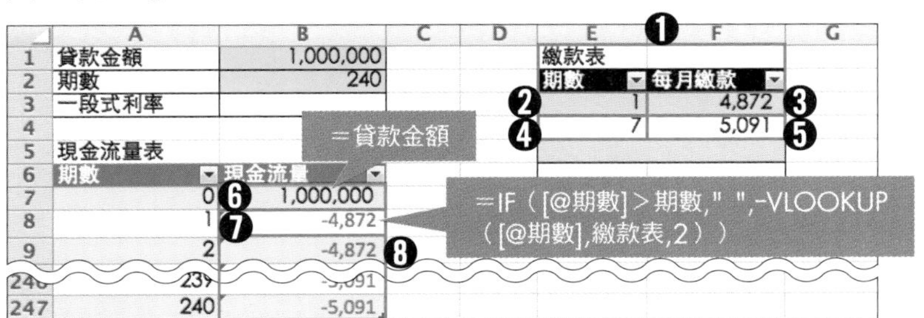

	A	B	C	D	E	F	G
1	貸款金額	1,000,000			繳款表		
2	期數	240			期數	每月繳款	
3	一段式利率				1	4,872	
4					7	5,091	
5	現金流量表						
6	期數	現金流量					
7	0	1,000,000					
8	1	-4,872					
9	2	-4,872					
246	239	-5,091					
247	240	-5,091					

最後，於❶「一段式利率」儲存格「B3」輸入公式：**「＝IRR（現金流量表[現金流量]）*12」**，最後將儲存格格式整理好，就大功告成！

	A	B	C	D	E	F
1	貸款金額	1,000,000			繳款表	
2	期數	240			期數	每月繳款
3	一段式利率 ❶	2.05%			1	4,872
4					7	5,091
5	現金流量表					
6	期數	現金流量				
7	0	1,000,000				
8	1	-4,872				
9	2	-4,872				
10	3	-4,872				
11	4	-4,872				
12	5	-4,872				
13	6	-4,872				
14	7	-5,091				
245	238	-5,091				
246	239	-5,091				
247	240	-5,091				
248	241					
249	242					
250	243					

=IRR（現金流量表[現金流量]）*12

7-4

看懂銀行貸款方案 衡量未來繳款能力

對於分段式貸款的利率有了基本概念後，直接來看看，如何從銀行公布的貸款方式，評估未來的繳款能力。畢竟銀行的貸款方案，只會公布利率是多少，但貸款者卻通常搞不太清楚以下幾件事：

1. 每月要繳的金額為多少？
2. 總繳利息是多少？
3. 利率如何比較，一段式划算還是分段式划算？
4. 未來指標利率變化時，月繳款以及總利息的變化如何？

指數型房貸利率會隨著「指標利率」浮動

以土地銀行的「優質房貸方案」為例，有兩種利率方式可選：一段式、分段式，都是以「公告指數型房貸指標利率（月調）」再加碼，機動計息。前 6 個月是指標利率加碼 0.62 個百分點，7 ～ 12 個月加碼 0.68 個百分點，第 2 年起加碼 0.95 個百分點（詳見圖 1），採取本息均攤。

可別看到這一串名詞就嚇到了，其實，指數型房貸就是以某個「指標

圖1 指數型房貸會依據指標利率採分段方式加碼
——以土地銀行「優質房貸方案」為例

房貸方案細目

一、優質房貸方案

一、商品名稱：優質房貸方案

(一) 貸款對象：

1、有固定職業，且提供文件證明借款人年所得80萬元以上或夫妻合併年所得120萬元以上者。

2、有固定職業，並經本行客戶行銷系統查詢，近6個月平均資產達200萬元以上者。（平均資產定義：客戶在本行台外幣存款/定存、國內外基金、債票券等業務之餘額月平均值）。

(二) 貸款期間：最長30年。

(三) 貸款利率：

1、分段式:

(1)前6個月：依本行公告指數型房貸指標利率（月調）加0.62%起，機動計息。
(2)7~12個月：依本行公告指數型房貸指標利率（月調）加0.68%起，機動計息。
(3)第2年起：依本行公告指數型房貸指標利率（月調）加0.95%起，機動計息。

新台幣存／放款利率表

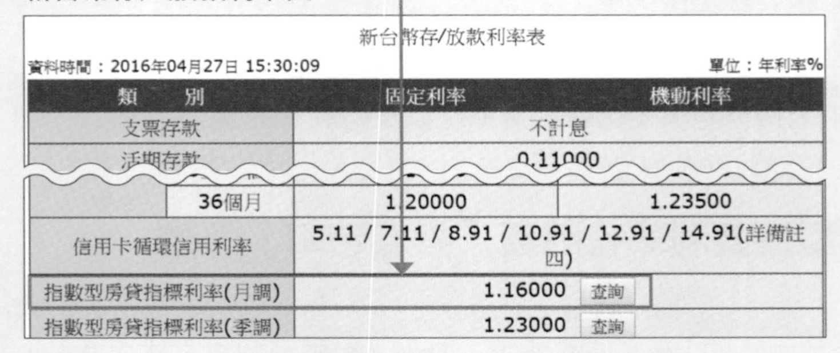

新台幣存/放款利率表

資料時間：2016年04月27日 15:30:09　　單位：年利率%

類別		固定利率	機動利率
支票存款		不計息	
活期存款		0.11000	
	36個月	1.20000	1.23500
信用卡循環信用利率		5.11 / 7.11 / 8.91 / 10.91 / 12.91 / 14.91(詳備註四)	
指數型房貸指標利率(月調)		1.16000 查詢	
指數型房貸指標利率(季調)		1.23000 查詢	

註：資料日期至 2016.04.27　　資料來源：土地銀行　　整理：怪老子

利率」為基準，再往上加幾個百分點；而土地銀行用的指標利率，就是6家大型銀行一年期定期儲蓄存款機動利率的平均值。因此當這些銀行的一年期定儲利率調升或下降時，土銀這項房貸利率也會跟著變動。

想知道土地銀行的「公告指數型房貸指標利率（月調）」是多少，只要到銀行網站查詢就能看到。例如 2016 年 4 月 27 日為 1.16%，若在這天簽約，適用的利率如下表：

起始期數	終止期數	指標利率	加碼利率	適用利率
1	6	1.16%	0.62%	**1.78%**
7	12	1.16%	0.68%	**1.84%**
13	240	1.16%	0.95%	**2.11%**

製作「分段式貸款試算表」，解答貸款4疑問

貸款者可以設計如圖 2 的分段式貸款試算表，使用者輸入貸款條件、指標利率、總期數、預估的開辦費，並在「月繳款分析表」填好各段的貸款利率加碼方式，試算表就會自動算出每一段的月繳款金額、總繳利息是多少，並換算成等效的一段式利率。同時還可以列出指標利率變動時，月繳款及總利息會有何改變。

例如，貸款金額 100 萬元，指標利率 1.16%，總期數 240 期（1 期為 1 個月），開辦費 5,500 元。按照圖 1 土銀的分段式利率，可以自動算出 4 項貸款者想知道的答案：

1. 每月要繳的金額？

前 6 個月的繳款金額為 4,955 元，7 ～ 12 個月的繳款金額為 4,983 元，第 13 個月開始為 5,104 元。這樣的繳款金額，對生活是否會造

成衝擊，一看就知道。

2. 總繳利息是多少？

總利息共被銀行賺走了 22 萬 3,435 元。

3. 一段式划算還是分段式划算？

土銀此項分段式貸款，等效的一段式利率（總費用年百分率）為 2.14%。若是採取土銀的一段式貸款方案，是指標利率加上 0.85 個百分點，若也算進開辦費 5,500 元，實質年利率（總費用年百分率）也只不過 2.07%。比較起來，似乎直接選一段式利率較為划算。

圖2 從貸款試算表看出不同指標利率的月繳金額
——分段式貸款試算表

使用者可自行輸入貸款條件

項目	數值
貸款金額	1,000,000
指標利率	1.16%
總期數	240
開辦費	5,500
等效一段式利率	2.14%
總利息	223,435

月繳款分析表

起始期數	適用期數	尚餘期數	利率加碼	年利率	月繳款	貸款餘額	繳款小計
0						1,000,000	
1	6	234	0.62%	1.78%	4,955	979,091	29,732
7	6	228	0.68%	1.84%	4,983	958,122	29,896
13	228	0	0.95%	2.11%	5,104	0	1,163,806

指標利率變動分析表

指標利率	第一段	第二段	第三段	一段式利率	總利息
	4,955	4,983	5,104	2.14%	223,435
1.00%	4,881	4,908	5,029	1.98%	205,238
1.20%	4,974	5,002	5,123	2.18%	228,010
1.40%	5,068	5,096	5,220	2.38%	251,044
1.60%	5,164	5,192	5,317	2.58%	274,338
1.80%	5,260	5,289	5,415	2.78%	297,892
2.00%	5,358	5,386	5,514	2.98%	321,705
2.20%	5,456	5,485	5,615	3.18%	345,774
2.40%	5,556	5,585	5,716	3.38%	370,100
2.60%	5,657	5,687	5,819	3.58%	394,680

現金流量表

期數	現金流量
8	-4,983
358	
359	
360	

試算表會自動算出等效的一段式利率、總利息

可看出當指標利率變動時，未來可能的月繳款金額變化

註：本圖金額欄位顯示方式，皆以四捨五入至整數　　整理：怪老子

4. 未來指標利率變化時，月繳款以及總利息的變化如何？

透過運算列表功能可以一眼看出，若 1 年後指標利率從 1.16% 提高為 2% 時，第 3 段的月繳款金額會變成 5,514 元，提高至 3% 時，則變成 6,027 元。貸款者就能明白自己是否具備利率調升後的繳款能力。

如果覺得 240 期（20 年）的利息太高，想要省利息，也可以將「總期數」降低，試算得知，如果只貸 180 期（15 年），3 段繳款金額分別為 6,334 元、6,361 元、6,477 元，總利息減少成 16 萬 4,319 元；若是一年後指標利率調升成 2%，月繳款金額就會升高到 6,873 元。透過這樣的試算表，貸款者就能評估哪種繳款方式最適合自己（分段式貸款試算表製作方式，詳見第 396 頁實作練習）。

拆解計算每段月繳款金額、期末貸款餘額

分段式貸款好像很複雜，其實原理跟一段式貸款相同。例如，一段式機動計息的指數型房貸，年利率也會跟著基準利率調整。而當貸款利率調升時，剩餘期數的月繳款金額就會提高，利率調降時每月繳款也會變少。月繳款金額會根據尚未償還的貸款餘額（上一期的期末貸款餘額，也就是當期的期初貸款餘額）、尚餘期數，並以新的利率重新計算出來。

而分段式貸款利率只是先講好，未來的利率什麼時候會調升、調到多少而已，計算方式就跟一段式貸款調整利率一樣。所以，若是 3 段式貸款利率，計算步驟如下：

1. 第 1 段：因為都還沒開始償還，所以上一期的期末（等同第 1 段期初）貸款餘額就是「貸款總金額」，再利用第 1 段年利率及總期數，就能計算月繳款金額及本段期末貸款餘額（等同第 2 段的期初貸款餘額）。以下以貸款餘額 100 萬元、尚餘期數 240 期、年利率 1.78% 為例：

> 月繳款金額
> ＝ PMT（年利率 /12, 尚餘期數 , 前段期末貸款餘額）
> ＝ PMT（1.78%/12,240,1000000）
> →可得到答案為 -4,955.3 元（負值代表現金流出，以下同）

> 第 1 段預計繳 6 期，期末貸款餘額
> ＝ FV（年利率 /12, 適用期數 , - 月繳款 , 前段期末貸款餘額）
> ＝ FV（1.78%/12,6,-4955.3,1000000）→可得到答案為 97 萬 9,091 元

2. 第 2 段：利用第 1 段期末貸款餘額、第 2 段年利率、尚餘期數，計算第 2 段的月繳款金額及期末貸款餘額。以下以貸款餘額剩下 97 萬 9,091 元、尚餘期數 234 期、年利率 1.84% 為例：

> 月繳款金額＝ PMT（1.84%/12,234,979091）
> →可得到答案為 -4,982.7 元

> 第 2 段預計繳 6 期，期末貸款餘額
> ＝ FV（1.84%/12,6,-4982.7,979091）→可得到答案為 95 萬 8,122 元

3. 第 3 段：利用第 2 段期末貸款餘額、第 3 段年利率、尚餘期數，計算第 3 段的月繳款金額及期末貸款餘額。以下以貸款餘額剩下 95 萬 8,122 元、尚餘期數 228 期、年利率 2.11% 為例：

月繳款金額 ＝ PMT（2.11%/12,228,958122）
→可得到答案為 -5,104.4 元

第 3 段預計繳 228 期，期末貸款餘額
＝ FV（2.11%/12,228,-5104.4,958122）→可得到答案為接近 0 元

以IRR函數，將分段式利率換算成一段式利率

那麼分段式利率轉換成等效的一段式利率，又是怎麼算出來的呢？可以列出未來每期的現金流量，然後用內部報酬率 IRR 函數計算。圖 2 的現金流量表（A9：B370），就是根據每一段月繳款金額，將整個貸款的現金流量列出來，然後在「等效一段式利率」儲存格（B5）寫入公

表1 用PMT、FV函數計算月繳款金額、期末貸款餘額
——土銀3段式貸款的月繳款金額計算表

階段	適用期數	尚餘期數	年利率	月繳款	期末貸款餘額
1	6期	240期	1.78%	=PMT（1.78%/12, 240, 1000000）=-4,955.3元	=FV（1.78%/12,6, -4955.3,1000000）=97萬9,091元
2	6期	234期	1.84%	=PMT（1.84%/12, 234, 979091）=-4,982.7元	=FV（1.84%/12,6, -4982.7,979091）=95萬8,122元
3	228期	228期	2.11%	=PMT（2.11%/12, 228, 958122）=-5,104.4元	=FV（2.11%/12,228, -5104.4,958122）=0元

註：1. 本表月繳款、貸款餘額是利用 Excel 函數，以儲存格參照方式所試算的精確結果；2. 讀者若直接以數字套入函數，計算結果可能會因小數點影響，而出現些許誤差；3. 負值代表現金流出　整理：怪老子

式：「＝ IRR（現金流量表 [現金流量]）*12」，就能計算出土銀這個 2 段式貸款方案，實質年利率為 2.14%。以下就透過實作練習，說明分段式貸款試算表的製作方法。

實作練習

「分段式貸款試算表」分成 4 大部分，黃色儲存格都是使用者可以變更的參數：

❶**共同參數及分析結果**：貸款金額「B1」、指標利率「B2」、總期數「B3」以及開辦費用「B4」是可以變更的參數；等效一段式利率「B5」及總利息「B6」為計算結果。

❷**月繳款分析表**：可自行輸入不同階段的起始期數及利率加碼；試算表會自動計算月繳款金額。

❸**現金流量表**：根據月繳款分析表中各階段之月繳款，列出貸款全期的現金流量。

❹**指標利率變動分析表**：列出不同指標利率的月繳款及總利息變化。

❶

項目	數值
貸款金額	1,000,000
指標利率	1.16%
總期數	240
開辦費	5,500
等效一段式利率	2.14%
總利息	223,435

❷ 月繳款分析表

起始期數	適用期數	尚餘期數	利率加碼	年利率	月繳款	貸款餘額	繳款小計
0						1,000,000	
1	6	234	0.62%	1.78%	4,955	979,091	29,732
7	6	228	0.68%	1.84%	4,983	958,122	29,896
13	228	0	0.95%	2.11%	5,104	0	1,163,806

❸ 現金流量表

期數	現金流量
0	994,500
1	-4,955
2	-4,955
3	-4,955
4	-4,955
5	-4,955
6	-4,955
7	-4,983
8	-4,983
9	-4,983
10	-4,983
238	-5,104
239	-5,104

❹ 指標利率變動分析表

指標利率	第一段	第二段	第三段	一段式利率	總利息
	4,955	4,983	5,104	2.14%	223,435
1.00%	4,881	4,908	5,029	1.98%	205,238
1.20%	4,974	5,002	5,123	2.18%	228,010
1.40%	5,068	5,096	5,220	2.38%	251,044
1.60%	5,164	5,192	5,317	2.58%	274,338
1.80%	5,260	5,289	5,415	2.78%	297,892
2.00%	5,358	5,386	5,514	2.98%	321,705
2.20%	5,456	5,485	5,615	3.18%	345,774
2.40%	5,556	5,585	5,716	3.38%	370,100
2.60%	5,657	5,687	5,819	3.58%	394,680
2.80%	5,759	5,789	5,922	3.78%	419,513
3.00%	5,861	5,892	6,027	3.98%	444,598

製作共同參數、月繳款分析表

❶儲存格「A1：A6」鍵入文字：「貸款金額」、「指標利率」、「總期數」、「開辦費」、「等效一段式利率」、「總利息」，並將❷儲存格「B1：B6」定義為「A1：A6」的名稱。

	❶A	❷B
1	貸款金額	1,000,000
2	指標利率	1.16%
3	總期數	240
4	開辦費	5,500
5	等效一段式利率	
6	總利息	

貸款金額、年利率、總期數以及開辦費為可以任意變更的參數，改為黃底色。

❶儲存格「D2：K2」鍵入文字：「起始期數」、「適用期數」、「尚餘期數」、「利率加碼」、「年利率」、「月繳款」、「貸款餘額」、「繳款小計」。❷選取儲存格範圍「D2：K6」，定義為表格，命名為「月繳款分析表」；並將可變動參數的儲存格改為黃底色。

	D	E	F	G	H	I	J	K
1	月繳款分析表							
2	起始期數	適用期數	尚餘期數	利率加碼	年利率	月繳款	貸款餘額	繳款小計
3	0							
4	1			0.62%				
5	7			0.68%				
6	13			0.95%				

❶於第 1 期適用期數儲存格「E4」，輸入公式：「**＝IF（ISNUMBER（D5）,D5 －［@ 起始期數］, 總期數－［@ 起始期數］＋ 1）**」，並將公式下拉複製至「E5：E6」。這個 IF 公式是用 ISNUMBER 函數檢查下個階段的起始期數是數字或空白：若是數字，就不是最後一個階段，會傳回「下階段的起始期數－這一階段的起始期數」；若不是數字，就代表這是最後階段，並傳回「總期數（$B$3）－這階段的起始期數＋ 1」。

為何這麼麻煩呢？用下一段減去這一段的期數不就好了嗎？沒錯，如果利率都只有 3 個階段，這樣做比較簡單，卻很沒有彈性。例如，如果月繳款分析表想再加一個階段，使用者必須手動增加一列，若 3 個階段的公式不一樣，使用者就無法直接複製，必須更改公式才行，且容易造成錯誤。使用這個檢查函數可自動判斷是否為最後一列，讓每一列的公式都一樣，未來要複製就很輕鬆。

❷於第 1 期尚餘期數儲存格「F4」，輸入公式：「＝IF（ISNUMBER（D5）,**總期數**－D5＋1,0）」，並將公式下拉複製至「F5：F6」。公式的意義是：如果下一階段的起始期數空白（代表最後一期）就傳回 0，否則傳回總期數（$B$3）減去這階段的起始期數＋ 1。

❸於第 1 期年利率儲存格「H4」，輸入公式：「＝**指標利率**＋ [@ **利率加碼**]」，並將公式下拉複製至「H5：H6」。

❹於第 0 期貸款餘額儲存格「J3」，輸入「＝**貸款金額**」。

❺於第 1 期月繳款儲存格「I4」，輸入公式：「＝-PMT（[@ **年利率**]/12, **總期數**－ [@ **起始期數**] ＋ 1,J3）」並將公式下拉複製至「I5：I6」。

❻於第 1 期貸款餘額儲存格「J4」，輸入公式：「＝-FV（[@ **年利率**]/12,[@ **適用期數**],-[@ **月繳款**],J3）」，並將公式下拉複製至「J5：J6」。

❼於第 1 期繳款小計儲存格「K4」，輸入公式：「＝ [@ **月繳款**]*[@ **適用期數**]」，並將公式下拉複製至「K5：K6」。

	D	E	F	G	H	I	J	K
1	月繳款分析表							
2	起始期數	適用期數	尚餘期數	利率加碼	年利率	月繳款	貸款餘額	繳款小計
3	0						❹ 1,000,000	
4	1	❶ 6	❷ 234	0.62%	❸ 1.78%	❺ 4,955	❻ 979,091	❼ 29,732
5	7	6	228	0.68%	1.84%	4,983	958,122	29,896
6	13	228	0	0.95%	2.11%	5,104	0	1,163,806

製作現金流量表、輸入分析結果公式

❶儲存格「A8」、「A9」、「B9」鍵入文字：「現金流量表」、「期數」、「現金流量」，在❷「期數」儲存格「A10：A370」以數列功能填滿 0 ～ 360。❸再選取現金流量表範圍「A9：B370」定義為表格，命名為「現金流量表」。

於❹儲存格「B10」輸入公式：「＝ IF（**[@ 期數] ＝ 0, 貸款金額－開辦費 ,IF（[@ 期數] ＜＝總期數 ,-VLOOKUP（[@ 期數], 月繳款分析表 ,6）,""））**」，並將公式往下複製至「B11：B370」。

公式的意思是，如果期數為 0，該儲存格填入「貸款金額－開辦費」即銀行實際撥出的貸款淨額。如果期數不為 0，就以該列的期數，到「月繳款分析表」找出該期的月繳款金額；因為繳款為現金流出，以負值表示。

	A ❶	B
8	現金流量表	
9	期數	現金流量
10	0	❹
11	1	
12	2	
13	3	
14	4	
15	5	
16	6	
17	7	
18 ❷	8	
19	9	❸
364	354	
365	355	
366	356	
367	357	
368	358	
369	359	
370	360	

STEP 2

於❶「等效一段式利率」儲存格「B5」輸入公式：「= IRR（**現金流量表 [現金流量]**）*12」。

於❷「總利息」儲存格「B6」輸入公式：「= SUM（**月繳款分析表 [繳款小計]**）－**貸款金額**」。

	A	B	C	D	E
1	貸款金額	1,000,000		月繳款分析表	
2	指標利率	1.16%		起始期數	適用期數
3	總期數	240		0	
4	開辦費	5,500		1	6
5	等效一段式利率	2.14% ❶		7	6
6	總利息	223,435 ❷		13	228

製作指標利率變動分析表

❶儲存格「D8：I8」鍵入文字：「指標利率」、「第一段」、「第二段」、「第三段」、「一段式利率」、「總利息」。❷「指標利率」欄位第 1 列為空白，第 2 列之後輸入想要運算的利率。

	D	E	F	G	H	I
7	指標利率變動分析表		❶			
8	指標利率	第一段	第二段	第三段	一段式利率	總利息
9		4,955	4,983	5,104	2.14%	223,435
10	1.00%					
11	1.20%					
12	1.40%					
13	1.60%					
14	1.80%					
15	2.00%					
16	2.20%					
17	2.40%	❷				
18	2.60%					
19	2.80%					
20	3.00%					
21	3.20%					
22	3.40%					
23	3.60%					
24	3.80%					
25	4.00%					

於❶「第一段」欄位第 1 列儲存格「E9」，輸入公式：「＝ I4」，也就是月繳款分析表第 1 期的月繳款金額。

於❷「第二段」欄位第 1 列儲存格「F9」，輸入公式：「＝ I5」，也就是月繳款分析表第 2 期的月繳款金額。

於❸「第三段」欄位第 1 列儲存格「G9」，輸入公式：「＝ I6」，也就是月繳款分析表第 3 期的月繳款金額。

於❹「一段式利率」欄位第 1 列儲存格「H9」，輸入公式：「＝ B5」，或「**＝等效一段式利率**」。

於❺「總利息」欄位第 1 列儲存格「I9」，輸入公式：「**＝總利息**」（B6）。

選取❻儲存格範圍「D9：I25」，點選❼「資料」索引頁標籤，選擇❽「模擬分析」→❾「運算列表」後，出現運算列表小視窗，將❿「欄變數儲存格」填入共用參數指標利率所在儲存格「$B$2」，按下⓫「確定」就完成了。

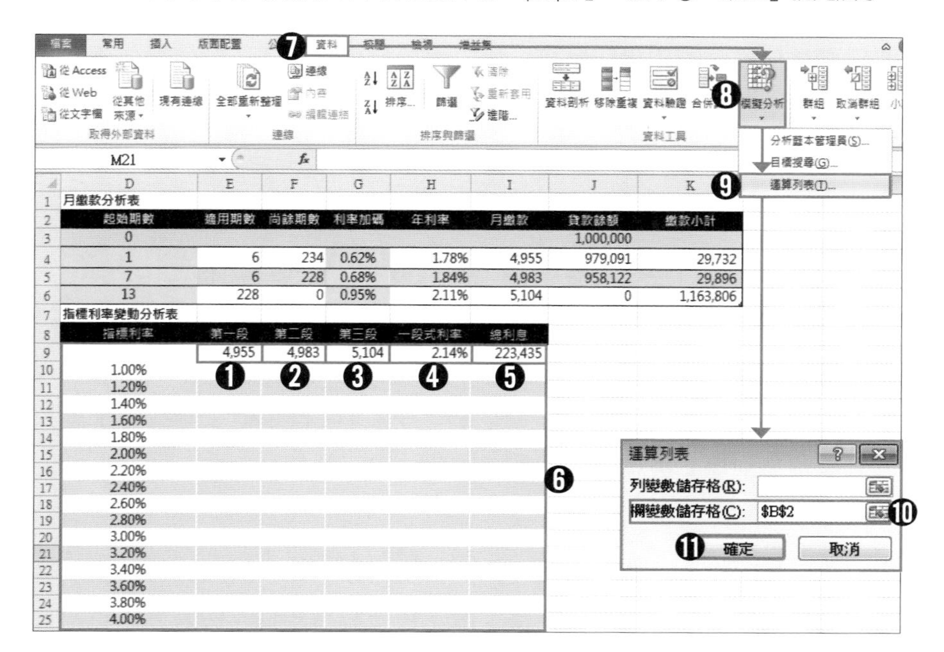

7-5

轉貸是否划算 用一道公式就能簡單評估

開始貸款之後，很容易遇到兩大問題，第一，許多有房貸的讀者，手上多了一筆閒錢，例如業務獎金及年終獎金等，就會思考：這筆錢該拿去還房貸還是投資好呢？這問題並沒有標準答案，端賴投資者自己的投資功力如何。

只要自己投資的年化報酬率，可以大於貸款的利率，就值得先不還房貸，將這筆錢拿去做其他運用。所以說該不該先還房貸，先決條件就是看自己多會投資了。

閒錢投資報酬率若低於貸款利率，可考慮先還房貸

若自己只會將錢放銀行定存，其他的投資項目統統不會，每年的投資報酬率只有 1% 左右，相較於貸款利率 2%，確實是低了一些，那就只好乖乖地先把錢拿去還房貸，至少還能省下一些貸款利息。

另外，有一些人確實很會投資，每年可創造 6%、10% 的投資報酬率；顯然這種人當有了一筆閒錢之後，就不會急著還銀行，因為利用這筆錢

所能創造出來的利益，會比省下的貸款利息還要多。

例如，善於投資的陳小姐，領到年終獎金 30 萬元，這筆錢假若先拿去還貸款，以房屋貸款利率為 2% 計算，每年只不過省下 6,000 元的利息錢。但是若拿去投資，年報酬率 10%，每年可以賺得 3 萬元，扣除繳交利息的 6,000 元，每年還多出了 2 萬 4,000 元資金。

評估轉貸條件時，應將轉貸費用納入計算

第二，當貸款一段時間之後，可能會發現，有其他銀行推出的貸款年利率較低，可是目前貸款的銀行又不願意降低利率，這時就會興起轉貸的念頭。

一般說來，若轉貸沒有其他的相關費用，只要評估貸款利率高低就可以。但是現實生活中，只要是轉貸，一定會有額外費用發生。所以，就應該將轉貸會產生的費用考慮進來，進而評估值得轉貸的利率是多少。

我們可以將原貸款未償還期數、原貸款每月繳款金額列出來（可請原貸款銀行提供對帳單，就能看到貸款餘額、未償還期數、每月繳款金額），再加入轉貸所需的費用，算出一個新利率，這個利率就是值得轉貸的最低門檻，公式如下：

＝RATE（未償還期數 ,- 目前每月繳款金額 , 貸款餘額＋相關費用）*12

舉個實際的例子，貸款200萬元，貸款年限為20年，年利率為2.35%，採取本息平均攤還，每月繳款金額為1萬453元。繳了5年之後，貸款餘額為158萬4,312元，剩餘期數還有180期。這時若要轉貸，新的開辦費用如果是1萬5,000元，新銀行的貸款利率應該低到多少才值得呢？

＝RATE（180, -10453,1584312＋15000）*12
→可得到答案為2.218%

結果是轉貸利率必須低於2.218%才划算。簡單說，若新銀行只是維持利率2.35%，轉貸者實際上會損失開辦費用1萬5,000元。若新的銀行可以提供2.218%的利率，那未來每月要付的本息，就會跟原貸款銀行一模一樣。但若是一模一樣的話，也只是白忙一場，所以必須比2.218%更低，才會划算。

我們可以驗算一下，如果新銀行提供2.218%的年利率，那麼從新銀行貸款到的金額必須可以償還現有的貸款餘額158萬4,312元，再加上開辦費用1萬5,000元，總共159萬9,312元，且每月本息不可以超過原來的1萬453元。用PMT函數驗算一下，答案剛好就是每月繳款1萬453元，新舊銀行剛好打平。

＝PMT（2.218%/12,180,1599312）
→可得到答案為-1萬453元（負值代表現金流出）

假若新銀行提供1.8%的利率，那麼每月支付的本息就能降低到1

萬 145 元，180 期總共節省利息 5 萬 5,440 元。

> ＝PMT（1.8%/12,180,1599312）
> →可得到答案為 -1 萬 145 元（負值代表現金流出）
>
> 轉貸後利息＝1 萬 145 元 *180 期－貸款餘額 158 萬 4,312 元
> ＝24 萬 1,788 元
> 原貸款利息＝1 萬 453 元 *180 期－貸款餘額 158 萬 4,312 元
> ＝29 萬 7,228 元
> 轉貸後利息－原貸款利息＝-5 萬 5,440 元（省下的利息金額）

建議讀者可以自行利用運算列表功能，列出不同的年利率，就能一眼看出怎樣的利率能節省多少利息。

貸款本來就應該將會發生的費用考慮進來，這就是金管會當初要求銀行列出總費用年百分率的意義，只是一般大眾對財務金融不熟悉，也不知道這數字的真正意義。學會了這樣的評估方法，相信對大家做貸款決策很有幫助。

退休籌備篇

提前準備
老年安心樂活

8-1

規畫退休金 準備到100歲才安心

退休金規畫主要目的，是要確定退休後每年可花費的金額，可以滿足自己的需求。所以退休規畫有 2 大重點：「退休時需要準備多少錢」、「從現在起，每月得投入多少金額才足夠」。

看起來好像很容易，其實還得花點心思做好詳細的規畫，因為未來可能會受到許多變數的影響。所以，要知道退休時得準備多少退休準備金金額，就得先評估幾歲退休、退休後每年的生活費需求、通貨膨脹率、退休後的投資報酬率等。

想要知道每年得投資多少錢才可達成目標，也與目前年齡、退休前投資報酬率、目前已有退休準備金等等有很大的關聯。我們先來認識基礎的規畫概念：

基礎規畫》退休準備應納入通膨因素

退休時需要準備多少錢才足夠？可以問問自己退休後希望過什麼樣的生活。可以先用現在的幣值，列出未來每年的生活費用，再用通貨膨脹率調整成未來的幣值；最後再以「退休後投資報酬率」求出這些現金流量的現值並加總，就是退休時需要準備的金額。

現代人平均餘命高，建議以100歲做規畫

退休金要準備到幾歲才足夠呢？保險公司幾乎千篇一律都使用平均餘命規畫，我一直覺得並不妥當，我們的生命有很高的機率會超過平均餘命，我通常建議準備至 100 歲才合適。

未來才會用到的生活費，可先用現在的幣值估計，但還得經通貨膨脹率調整才正確，公式如下：

通膨調整後金額＝現值 ×（1 ＋通貨膨脹率）^{年數}
Excel 公式＝現值 *（1 ＋通貨膨脹率）^ 年數

例如 Peter 目前 40 歲，打算 60 歲退休，退休以後希望每月可以有相當目前 4 萬元的生活費，等於每年 48 萬元。這 48 萬元可是 20 年後才會用到，若以未來通貨膨脹率每年 2% 估算，計算方式如下：

60 歲那年的生活費，未來第 20 年才會用到，計入通貨膨脹調整後的金額為：

＝ 480000*（1 ＋ 2%）^20
→答案為 71 萬 3,255 元（60 歲的這筆錢，等同於現在 40 歲時的 48 萬元）

61 歲那年的生活費，未來第 21 年才會用到，通膨調整後金額為：

= 480000*（1 + 2%）^21
→答案為 72 萬 7,520 元（61 歲的這筆錢，等同於現在 40 歲時的 48 萬元）

每過 1 年，就要再多算 1 年的通膨，依此類推，持續至 100 歲。

利用費用需求表，計算未來的退休準備金

為了利於規畫，可以製作一張如圖 1 的試算表，其中的「費用需求表」，列出了 Peter 退休後每年的生活費，以及經通膨調整後的生活費。只要將每年通膨調整後的生活費現金流量，利用 NPV 函數，以「退休後投資報酬率」折算回 60 歲那年年初的現值，再全部加總起來，就是 Peter 在 60 歲前必須備齊的退休準備金（儲存格 B6），公式如下：

退休準備金
= NPV（退休後投資報酬率，通膨調整後現金流量）*（1 +退休後投資報酬率）

淨現值函數NPV用於計算一系列現金流量的現值，因為生活費於每年初就得付出，屬於期初年金，所以NPV函數的回傳值得再乘上（1＋投資報酬率）才正確。雖然我提過，計算退休後生活費最恰當方式應視為期中年金，也就是乘上「（1＋投資報酬率）^0.5」，但本篇為了利於計算，故採取期初年金

因為退休準備金是「退休後投資報酬率」計算的現值，意義等同於退休時將這筆金額拿去投資，若可以達到預設的投資報酬率，那麼靠著本金及投資收益，剛好足夠支付未來的生活費至 100 歲用完為止。以 Peter 為例，當他設定退休後投資報酬率為 5%，退休準備金則為 1,735

圖1 利用PMT函數計算目前每年需投入多少金額
——退休準備金基礎規畫表

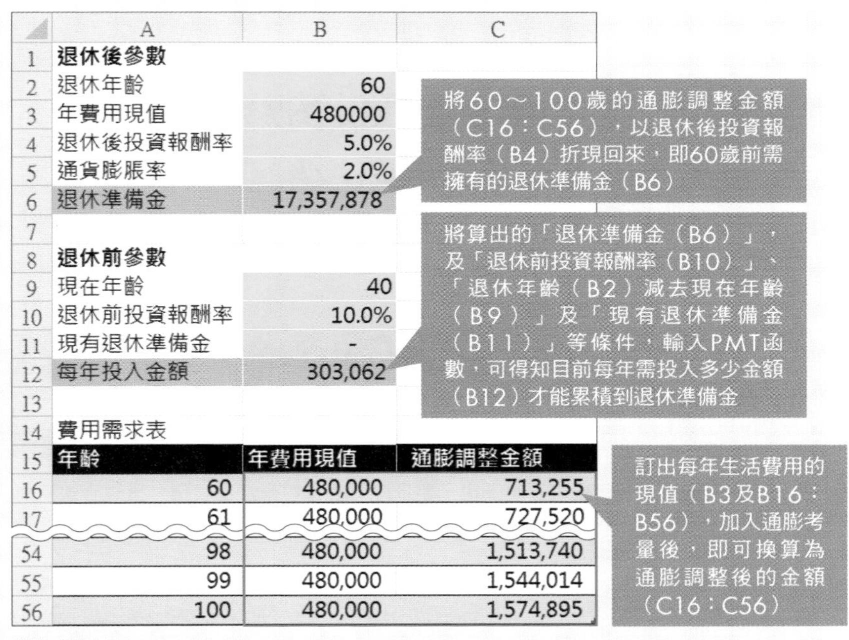

	A	B	C
1	**退休後參數**		
2	退休年齡	60	
3	年費用現值	480000	
4	退休後投資報酬率	5.0%	
5	通貨膨脹率	2.0%	
6	退休準備金	17,357,878	
7			
8	**退休前參數**		
9	現在年齡	40	
10	退休前投資報酬率	10.0%	
11	現有退休準備金	-	
12	每年投入金額	303,062	
13			
14	費用需求表		
15	年齡	年費用現值	通膨調整金額
16	60	480,000	713,255
17	61	480,000	727,520
54	98	480,000	1,513,740
55	99	480,000	1,544,014
56	100	480,000	1,574,895

整理：怪老子

萬 7,878 元。

退休後投資報酬率愈高，所需要的退休準備金就愈少，但是所需金額的波動範圍也愈大。既然是用於退休後投資，估算投資報酬率必須保守一些。如果退休金預備投資定存，那麼投資報酬率就只能設定 1.5%；如果積極一些，一部分放定存，另一部分投資股票及債券，隨著股債的比重可以調高投資報酬率，退休準備金的金額就不需要那麼多了。合理的投資報酬率，應該落在 2% ～ 6% 之間，不管再如何積極，都不該超過 8%。

估算報酬率，退休前應積極、退休後應保守

Peter 算出 60 歲時要有退休準備金 1,735 萬 7,878 元，但是這還不夠，因為距離 Peter 60 歲還有 20 年，所以得用距離退休年數及退休前投資報酬率，算出現在起每年得準備多少錢。公式如下：

每年應備金額
＝ -PMT（退休前投資報酬率 , 退休年齡－現在年齡 ,- 現有退休準備金 , 退休準備金）

PMT得到的數字為負數代表現金流出，所以PMT回傳結果加個負值，讓現金流量成為正值，沒有別的意義，只是讓使用者容易了解而已

如果 Peter 有信心從現在起到 60 歲時，可達成年投資報酬率 10%，那麼他現在每年得準備的錢即為：

＝ -PMT（10%,20,0,17357878）
→可得到答案為 30 萬 3,062 元

假設到了 60 歲時的現有退休準備金為 0 元，那麼 Peter 從 40 歲起，每年得準備 30 萬 3,062 元（圖 1 儲存格「B12」）、年投資報酬率 10%（圖 1 儲存格「B10」），60 歲時才能擁有 1,735 萬 7,878 元

的退休準備金。要注意，退休前及退休後的投資報酬率不一樣，退休前的投資報酬率是籌措退休金用的，退休後的投資報酬率是退休金餘額投資用。所以退休後的投資報酬率必須要保守，而退休前的投資報酬率則可以積極一些，但還是要根據自己的能力謹慎評估。

進階規畫》將年金、生活費變化納入考量

上述的規畫只是基礎觀念，主要為了讓讀者容易理解。實際上，退休規畫還得考慮退休時可以拿到的單筆或年金退休金，也有可能兩種都有，例如勞工保險的老年一次金或老年給付等，尤其老年給付還會隨著消費者物價指數調整。除此之外，退休後每年所需的生活費用並不是每年都一樣，例如 60 歲時跟 80 歲時，每年所需費用應會有差異，將這些因素全部加進來，才是一個完整的規畫。

準備退休後生活費，記得納入老年年金給付

完整規畫的退休金試算表如圖 2，也就是圖 1 的進階版，增加了幾個欄位，以及一張階梯式費用表格，說明如下：

退休後參數》需考慮退休時會有的勞保給付

跟圖 1 的基礎版規畫一樣，有「退休年齡」、「退休後投資報酬率」、「通貨膨脹率」欄位；此外還多了「一次領退休金」以及「年金」兩個欄位，前者是退休時可能有的勞保老年一次金，後者是退休後每年可領取的勞保老年年金給付（暫不考慮勞退新制的勞工退休金）。

階梯式費用》描述退休後不同年齡層的年度生活費

主要描述不同年齡層的生活費用，圖 2 左欄「年齡」為該年齡層的起始歲數，必須由小而大排列；右欄「年費用現值」敘述該年齡層的年費用。圖中所示代表 60 ～ 69 歲的年費用現值為 60 萬元，70 ～ 79 歲為 48 萬元，80 歲以上為 38 萬 4,000 元。

費用需求表》列出退休後每年的生活費現金流量

1. **費用現值：**會根據該列的「年齡」為查詢值，讓 VLOOKUP 函數到階梯式費用表，區間搜尋該年齡的費用現值。

2. **通膨調整金額：**「費用現值」欄位的數值按照通貨膨脹率調整，計算公式跟基本規畫表一樣為「現值 *（1 ＋通貨膨脹率）^ 年數」。

3. **年金：**將每月的勞保老年年金參數（圖 2 儲存格「B6」）換算成年收入，並經通膨調整。不過根據《勞工保險條例》規定，從請領年度當年開始計算，當物價指數累計成長率（即通貨膨脹率）達正負 5% 時，則依該成長率調整。而在調整的隔年，又會以上一年度為基期重新計算。所以在估算請領年度第 2 年後的年金金額時，就會根據使用者在退休後參數所設定的「通貨膨脹率」，考慮 2 個變數（詳見第 417 頁）：

變數 1》通膨調整年數（圖 2 儲存格「E11」）：根據使用者設定的通貨膨脹率，推算幾年會達到累積 5% 的幅度（物價指數從 100 成長至 105）。例如當通貨膨脹率 2% 時，第 3 年一定會累積超過 5%。

圖2 詳列退休費用需求，估算年度缺額
——退休準備金進階規畫表

	A	B	C	D	E
1	**退休後參數**			**階梯式費用**	
2	退休年齡	60		年齡	年費用現值
3	退休後投資報酬率	5.00%		60	600,000
4	通貨膨脹率	2.00%		70	480,000
5	一次領退休金	500,000		80	384,000
6	年金	22,000	元/月		-
7	退休準備金	16,955,612			
8					
9					
10	**退休前參數**				
11	現在年齡	25		通膨調整年數	3
12	退休前投資報酬率	8.50%		通膨調整比例	1.0612
13	現有退休準備金	200,000			
14	每年投入金額	69,951			
15					
16	**費用需求表**				
17	年齡	費用現值	通膨調整金額	年金	年度缺額
18	60	600,000	1,199,934	264,000	935,934
19	61	600,000	1,223,932	264,000	959,932
55	97	384,000	1,597,878	538,530	1,059,348
56	98	384,000	1,629,835	538,530	1,091,305
57	99	384,000	1,662,432	571,493	1,090,940
58	100	384,000	1,695,681	571,493	1,124,188

整理：怪老子

變數 2》通膨調整比例（圖 2 儲存格「E12」）：當累積通貨膨脹率到達 5% 時的累積通膨率，公式為「＝（1 ＋通貨膨脹率）^ 通膨調整年數」。例如當通貨膨脹率 2%，第 3 年累積成長就會超過 5%，調整幅度為「（1 ＋ 2%）^3」，等於 1.0612。因此，圖 2 是假設通貨膨脹率 2%，請領年度第 2 年後的年金金額，每 3 年就得調整一次，通膨調整比例為 1.0612，當年的年金金額就以去年的年金乘上 1.0612。

4. 年度缺額：該退休年度的「通膨調整金額」減掉該年可領到的「年金」數值，也就是未來退休時，所需要的生活費現金流量。

將通膨調整生活費扣除年金的年度缺額，換算回退休時的現值

有了每一年的「年度缺額」，就能以「退休後投資報酬率」折現回退休那年的現值，即為退休準備金（圖 2 儲存格「B7」），公式如下：

> 退休準備金＝ NPV（退休後投資報酬率，費用需求表 [年度缺額]）
> *（1 ＋退休後投資報酬率）－一次領退休金

算出了退休準備金，接著要知道每年得要投入多少錢，退休時才能達

圖3 先規畫退休準備金，再估算投入年數與金額
——退休準備金現金流量圖

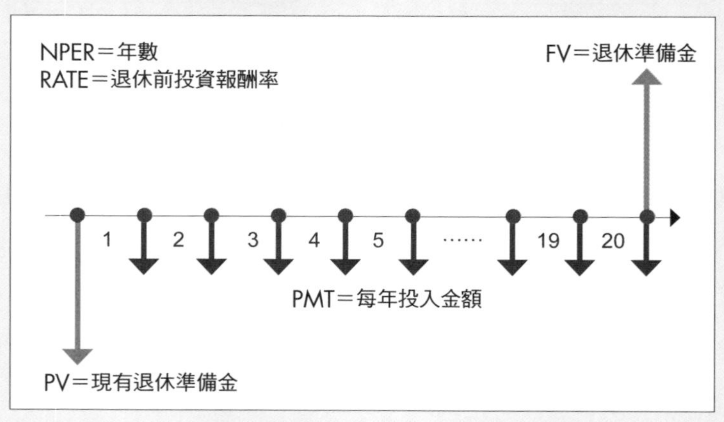

整理：怪老子

到這目標。可以使用 PMT 函數計算（現金流量圖詳見圖 3）：

每年投入金額＝ –PMT（退休前投資報酬率，退休年齡－現在年齡，–現有退休準備金，退休準備金）

通膨調整年數、年金金額公式說明

公式說明 1：通膨調整年數

通膨調整年數（圖 2 儲存格「E11」）的公式共有 2 層：

＝ROUNDUP（LN（1.05）／LN（1＋通貨膨脹率）,0）

◎內層公式（紅色框標示部分）
LN（1.05）／LN（1＋通貨膨脹率）
是要計算通膨率到達 5% 需要的年數。當通貨膨脹率 2%，公式如下：
＝ LN（1.05）／ LN（1 ＋ 2%）＝ 2.46

◎外層公式（藍色框標示部分）
＝ ROUNDUP（LN（1.05）／ LN（1＋通貨膨脹率）,0）
使用 ROUNDUP 函數，功能為無條件進位，第 1 個參數是數值，第 2 個參數是位數，0 代表個位數，就是將任何小數無條件進位至整數。所以當內層公式計算出 2.46 年，此函數就會進位為 3 年，也就是第 3 年一定累積超過 5%。

公式說明 2：年金金額

圖 2 的費用需求表，「年金」欄第 2 列儲存格「D19」公式，共有 3 層：

＝IF（ISNUMBER（[@ 年齡]），IF（MOD（[@ 年齡] －退休年齡 , 通膨調整年數）＝0,D18* 通膨調整比例 ,D18），""）

◎內層公式（紅色框標示部分）

MOD（[@ 年齡] －退休年齡 , 通膨調整年數）

MOD 函數的功能是傳回餘數，第 1 個參數為被除數，第 2 個參數為除數。假設退休後通貨膨脹率 2%，通膨調整年數就是 3 年。那麼以 60 歲退休為例，63 歲時，此 MOD 函數讀取的參數就是「63 － 60,3」，並以「3 除以 3」計算，餘數為 0。64 歲時，MOD 函數讀取「64 － 60,3」，以「4 除以 3」計算，餘數為 1。所以每當 MOD 傳回 0 時，就可以知道到了「通膨調整年數」的年度。

◎第 2 層公式（藍色框標示部分）

IF（MOD（[@ 年齡] －退休年齡 , 通膨調整年數）＝ 0,D18* 通膨調整比例 ,D18）

當 IF 公式讀到內層公式為 0 時，代表這年是通膨調整年度，就會傳回去年的年金乘上「通膨調整比例」。若內層公式不為 0，就不是通膨調整年度，所以年金金額會與去年相同。

◎最外層公式：使用 IF 函數

同列的年齡若為數字，就會執行第 2 層公式；若同列的年齡不是數字，則顯示空白。

實作練習

製作進階版退休金規畫表

先製作退休後參數、退休前參數欄位。❶儲存格「A1：A14」依下圖輸入欄位名稱，並將❷「B2：B7」儲存格定義為「A2：A7」的名稱、❸「B11：B14」儲存格定義為「A11：A14」的名稱，並輸入相關數值。

❹於儲存格「D1：E5」輸入「階梯式費用」的欄位名稱及數值，並選取該儲存格範圍「D2：E6」，定義成表格，命名為「階梯式費用」。

於❺儲存格「D11」輸入文字「通膨調整年數」，❻儲存格「E11」輸入公式「＝ROUNDUP（LN（1.05）/LN（1＋**通貨膨脹率**）,0）」；於❼儲存格「D12」輸入文字「通膨調整比例」、❽儲存格「E12」輸入公式「＝（1＋**通貨膨脹率**）^ **通膨調整年數**」。

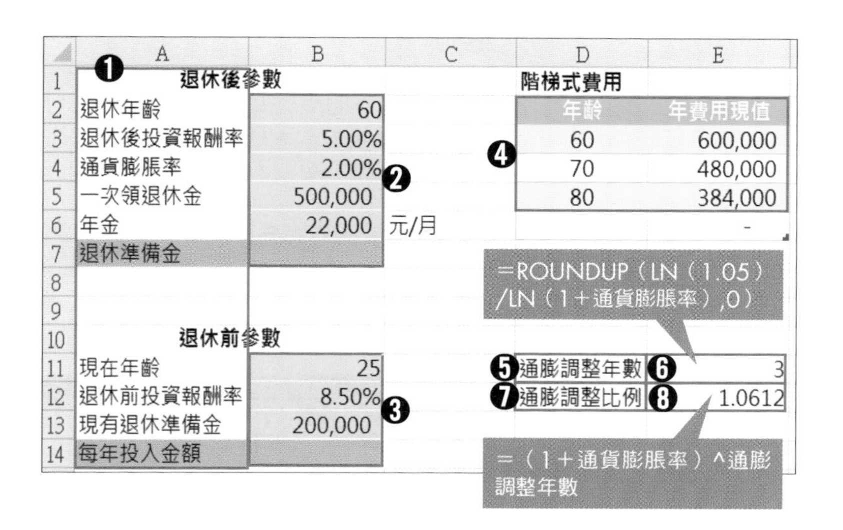

	A	B	C	D	E
1	退休後參數			階梯式費用	
2	退休年齡	60		年齡	年費用現值
3	退休後投資報酬率	5.00%		60	600,000
4	通貨膨脹率	2.00%		70	480,000
5	一次領退休金	500,000		80	384,000
6	年金	22,000	元/月		-
7	退休準備金				
8					
9					
10	退休前參數				
11	現在年齡	25		通膨調整年數	3
12	退休前投資報酬率	8.50%		通膨調整比例	1.0612
13	現有退休準備金	200,000			
14	每年投入金額				

輸入❶「費用需求表」各欄位名稱，並選取該儲存格範圍「A17：E88」，定義成表格，命名為「費用需求表」。本張試算表統一計算到 100 歲，若 60 歲退休就要 40 列，50 歲退休要 50 列才足夠。為解決這問題，在此將費用需求表固定成 71 列，即允許最低退休年齡為 30 歲。

接著，分別輸入「費用需求表」公式：

1. **年齡**：第 1 列❷儲存格「A18」輸入「＝退休年齡」；第 2 列❸儲存格「A19」輸入「**＝ IF（A18 ＜ 99,A18 ＋ 1,""）**」，並將公式往下複製至「A20：A88」。

2. **費用現值**：第 1 列❹儲存格「B18」輸入「**＝ IF（ISNUMBER（[@ 年齡]）,VLOOKUP（[@ 年齡], 階梯式費用 ,2）,""）**」，並將公式往下複製至「B19：B88」。

3. **通膨調整金額**：第 1 列❺儲存格「C18」輸入「**＝ IF（ISNUMBER（[@ 年齡]）,[@ 費用現值]*（1 ＋通貨膨脹率）^（[@ 年齡] －現在年齡）,""）**」，並將公式往下複製至「C19：C88」。

4. **年金**：第 1 列❻儲存格「D18」輸入「＝年金 *12」，第 2 列❼儲存格「D19」輸入「**＝ IF（ISNUMBER（[@ 年齡]）,IF（MOD（[@ 年齡] －退休年齡 , 通膨調整年數）＝ 0,D18* 通膨調整比例 ,D18）,""）**」，並將 D19 公式往下複製至「D20：D88」。

5. **年度缺額**：❽儲存格「E18」輸入「**＝ IF（ISNUMBER（[@ 年齡]）,[@ 通膨調整金額] － [@ 年金],""）**」，並將公式往下複製至「E19：E88」。

	A	B	❶ C	D	E
16	費用需求表				
17	年齡	費用現值	通膨調整金額	年金	年度缺額
18	❷ 60	❹ 600,000	❺ 1,199,934	❻ 264,000	❽ 935,934
19	❸ 61	600,000	1,223,932	❼ 264,000	959,932
20	62	600,000	1,248,411	264,000	984,411
21	63	600,000	1,273,379	280,159	993,220
22	64			59	1,018,688
23	65			59	1,044,665
86					
87					
88					

「年齡」欄第2列後的儲存格，使用IF公式的目的在於，當使用者輸入退休年齡（儲存格B2）為60歲，費用需求表的「年齡」欄只會列出60～100的歲數，其他都填入空白字串

STEP 3

接著，於退休準備金❶儲存格「B7」輸入公式「= NPV（**退休後投資報酬率,費用需求表[年度缺額]）*（1 +退休後投資報酬率）−一次領退休金** 」；於每年投入金額❷儲存格「B14」輸入公式「= -PMT（**退休前投資報酬率,退休年齡−現在年齡,−現有退休準備金,退休準備金**）」，完成圖如下。

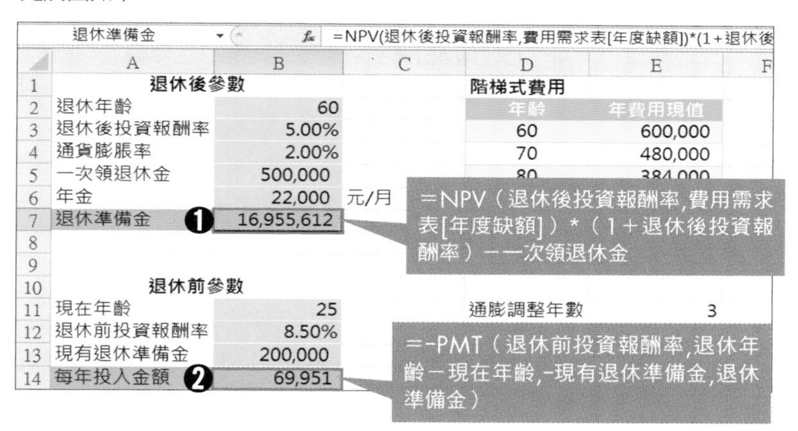

退休準備金 | =NPV(退休後投資報酬率,費用需求表[年度缺額])*(1+退休後

	A	B	C	D	E	F
1	退休後參數			階梯式費用		
2	退休年齡	60		年齡	年費用現值	
3	退休後投資報酬率	5.00%		60	600,000	
4	通貨膨脹率	2.00%		70	480,000	
5	一次領退休金	500,000		80	384,000	
6	年金	22,000	元/月			
7	退休準備金 ❶	16,955,612				
8						
9						
10	退休前參數					
11	現在年齡	25		通膨調整年數	3	
12	退休前投資報酬率	8.50%				
13	現有退休準備金	200,000				
14	每年投入金額 ❷	69,951				

建立收支明細表與帳戶餘額走勢圖

接下來，還可以運用剛剛做好的進階版退休規畫表，製作退休後的收支明細表。從現有年齡開始，直到退休後，計算每年的帳戶餘額變化，同時也可以驗證上述之規畫是否正確。

首先，輸入❶「收支明細表」欄位名稱，並選取該儲存格範圍「G17：L98」，定義成表格，命名為「收支明細表」。

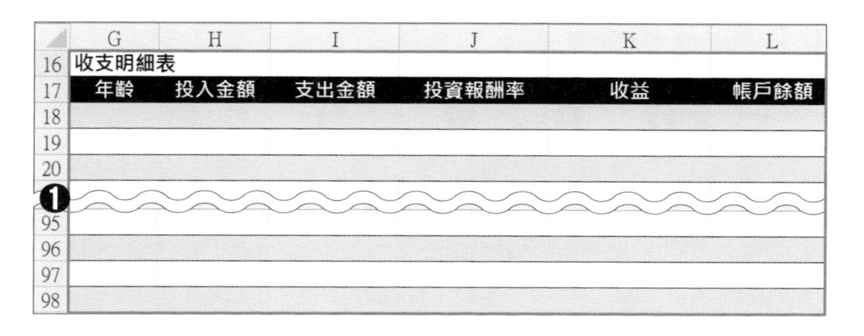

	G	H	I	J	K	L
16	收支明細表					
17	年齡	投入金額	支出金額	投資報酬率	收益	帳戶餘額
18						
19						
20						
❶						
95						
96						
97						
98						

STEP 2

分別輸入「收支明細表」公式：

1. **年齡**：❶儲存格「G18」輸入「期初」；❷儲存格「G19」輸入「＝現在年齡」；❸儲存格「G20」 輸入「**＝IF（G19 < 99,G19 + 1,""）**」，並將公式往下複製至「G21：G98」。

2. **投入金額**：第 1 列❹儲存格「H18」空白；第 2 列❺儲存格「H19」輸入「**＝IF（ISNUMBER（[@ 年齡]）,IF（[@ 年齡] <退休年齡 ,IF（[@ 年齡]＝退休年齡－ 1, 每年投入金額＋一次領退休金 , 每年投入金額）,0）,""）**」，並將公式往下複製至「H20：H98」。

3. **支出金額**：第 1 列❻儲存格「I18」空白；第 2 列❼儲存格「I19」輸入「**＝IF（ISNUMBER（[@ 年齡]）,IF（[@ 年齡] >＝退休年齡－ 1,VLOOKUP（[@ 年齡] + 1, 費用需求表 ,5,1）,0）,""）**」，並將公式往下複製至「I20：I98」。

4. **投資報酬率**：第 1 列❽儲存格「J18」空白；第 2 列❾儲存格「J19」輸入「**＝IF（ISNUMBER（[@ 年齡]）,IF（[@ 年齡] >＝退休年齡 , 退休後投資報酬率 , 退休前投資報酬率）,""）**」，並將公式往下複製至「J20：J98」。

5. **收益**：第 1 列❿儲存格「K18」空白；第 2 列⓫儲存格「K19」輸入「**＝IF（ISNUMBER（[@ 年齡]）,L18*[@ 投資報酬率],""）**」，並將公式往下複製至「K20：K98」。

6. **帳戶餘額**：第 1 列⓬儲存格「L18」輸入「＝現有退休準備金」；第 2 列⓭儲存格「L19」輸入「**＝ L18 + [@ 投入金額] + [@ 收益] － [@ 支出金額]**」，並將公式往下複製至「L20：L 98」。

退休前：從現在年齡的帳戶餘額，以退休前投資報酬率估算，直到退休那年可累積多少金額

退休後：從退休那年算起，扣除每年的生活費支出（已考慮通膨調整和年金收入後的年度缺額），並以退休後投資報酬率計算每年的帳戶餘額

	G	H	I	J	K	L
16	收支明細表					
17	年齡	投入金額	支出金額	投資報酬率	收益	帳戶餘額
18	❶ 期初	❹	❻	❽	❿	⓬ 200,000
19	❷ 25	❺ 69,950	❼ 0	❾ 8.5%	⓫ 17,000	⓭ 286,950
20	❸ 26	69,950	0	8.5%	24,391	381,291
21	27	69,950	0	8.5%	32,410	483,651
22	28	69,950	0	8.5%	41,110	594,712
23	29	69,950	0	8.5%	50,551	715,213
24	30	69,950	0	8.5%	60,793	845,956
92	98	0	1,094,832	5.0%	102,696	1,061,791
93	99	0	1,114,881	5.0%	53,090	0

STEP 3

選取收支明細表中的儲存格「G17：L98」，點選❶「插入」索引頁標籤，選擇❷「直條圖」項目下「平面直條圖」中的❸「群組直條圖」，會出現包含所有數列資料的直條圖。

在圖上按右鍵點選❹「選取資料」，並於「選取資料來源」小視窗當中的「圖例項目（數列）」窗格，只留下❺「帳戶餘額」，其餘項目刪除；於「水平（類別）座標軸標籤」窗格，點選❻「編輯」，於「座標軸標籤」小視窗中，以滑鼠選取❼「年齡」欄從期初到資料最後一列的範圍（儲存格「G18：G98」），按❽「確定」關閉座標軸標籤小視窗後，回到「選取資料來源」小視窗按❾「確定」，即可畫出所需的直條圖，並可看到從目前至 100 歲帳戶餘額的變化情形——退休前累積退休金，60 歲退休後，帳戶餘額遞減至 100 歲的 0 元，代表 100 歲時把帳戶的錢都花光。

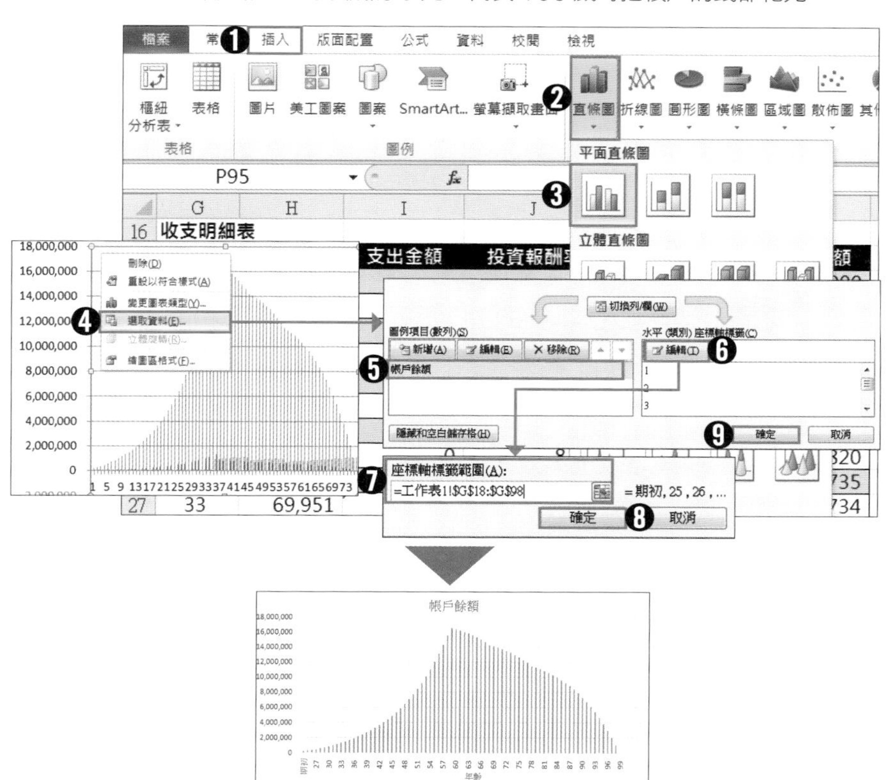

8-2
妥善分配資產投資比重 打造永續現金流

記得在退休前，曾跟一位同事討論退休金得準備多少金額才夠，那位同事回答說必須 2,560 萬元。我有些訝異為何需要那麼多？便請他算給我看。原來他們夫妻兩人，希望退休以後可以維持每年 80 萬元的生活品質。他當時 50 歲，若以 82 歲的平均壽命計算，還有 32 年要活，所以說總計需要 2,560 萬元。

這樣的算法讓我有些替他擔心，首先是他沒有考量到通貨膨脹率的問題，也就是 10 年、20 年後的 80 萬元，將不再只是 80 萬元，而是比 80 萬元多很多的數目。然而更要命的是，這位仁兄竟然以平均壽命來計算退休需求年數，萬一自己比較幸運，壽命高於 82 歲，那以後的生活費又該如何是好？平均壽命意味著，有很多的機會高於平均壽命，光是從路上或公園看到高於 82 歲的老年人數就知道了。

通貨膨脹率的問題較好解決，只要把每年通貨膨脹率考慮進來就好。倒是自己可以活幾歲、該準備多少年的生活費，相信沒有人可準確預估。所以我們在 8-1 介紹的退休金規畫，才會以「退休後到 100 歲，把退休金花光」為目的，同時也考慮到通膨問題。

不過，如果能夠有一筆退休金，不論年紀多大都永遠花不完，身故之後還可以傳給後代，那該有多好！不要以為這得要準備很大的一筆錢才可以辦得到。其實不然，跟「退休後到 100 歲，把退休金花光」的金額差不多。

善用退休本金，讓獲利成為每年年金來源

「花不完的退休金」，其實就是「永續年金」的概念，用一筆單筆金額，創造出未來無限多筆的現金流量（詳見圖 1），公式如下：

$$PV = \frac{PMT}{R}$$

簡單說，當現在有一筆退休準備金（PV），只要達到正值的投資報酬率（R），就可以產生未來無限多筆的生活費用（PMT）。

在不考慮通膨的狀況下，假設每年需要生活費 80 萬元，若投資報酬率可以達到每年 10%，那麼只要 800 萬元（＝ 80/10%）的退休金，第 1 年就可以創造出 80 萬元的獲利，年底本金加獲利就有 880 萬元，若在年底將 80 萬元生活費提走，第 2 年年初的本金依然剩 800 萬元，完全沒有短少；到了第 2 年底，還可以維持 80 萬元的獲利。

依此類推，不論經過多少年，每年提出 80 萬元之後，800 萬元的

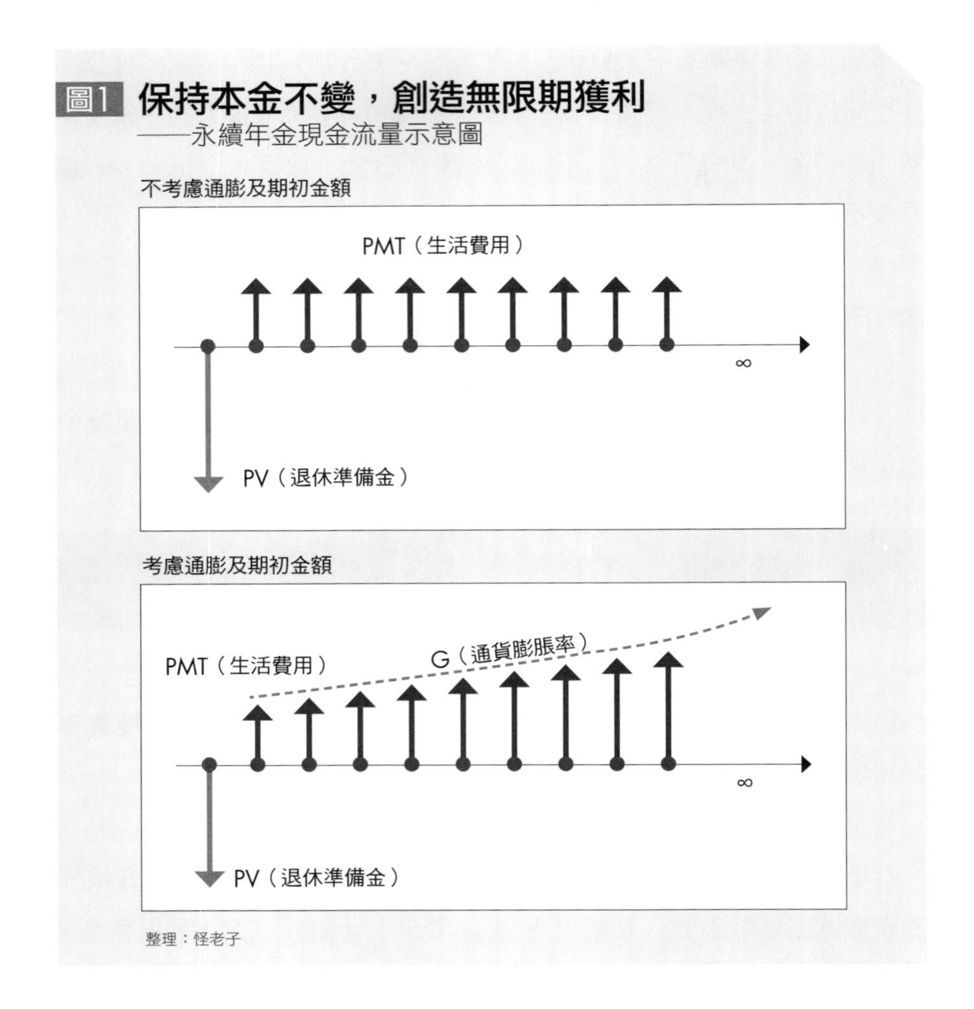

本金保持不變，每年就會產出無限多筆 80 萬元。

不過，現實生活還是會受通貨膨脹的影響，所以在實際規畫退休準備金時，未來的每筆生活費用，要以通貨膨脹率（G）往上升， 公式如下：

$$PV = \frac{PMT}{R - G}$$

例如投資報酬率 10%，通貨膨脹率為 2% 的情況下，每年生活費現值 80 萬元，退休準備金就得有 1,000 萬元，才可以永遠花不完：

退休準備金
＝ 800000／（10% － 2%）→可得到答案為 1,000 萬元

然而，從現金流量圖來看，生活費都在年度末支出，並不是很合理，這樣退休第 1 年的年初就沒有錢可以花。因此，如果要在年度初就有錢可以使用，金額就得再乘上（1 ＋ R）才符合，計算出來的結果為 1,100 萬元。

退休準備金
＝ 10000000×（1 ＋ 10%）→可得到答案為 1,100 萬元

此處的期初年金現值等於期末年金現值乘上（1＋R）

適當報酬率與資產配置是規畫關鍵

用永續年金概念規畫的退休準備金，金額大小與投資報酬率息息相關。例如每年生活費 80 萬元，通貨膨脹率 2%，當投資報酬率 10%，只需要 1,100 萬元退休準備金；若投資報酬率只有 4%，就得準備 4,160 萬元才夠。也就是投資報酬率愈高，所需要的退休準備金就愈少（詳見表 1）。

既然投資報酬率那麼重要，就得將投資報酬率盡可能提高；只是愈高的投資報酬率，伴隨而來的就是波動度的增高，這時資產配置就更顯重要了。退休金的資產配置，我建議債券型基金比重 70%、股票型基金比重 30%。以債券型基金平均年報酬率 6.5%、股票型基金 12% 計算，資產配置後的平均報酬率等於 8.15%（＝ 6.5%×0.7 ＋ 12%×0.3）；在這樣的配置下，約 1,406 萬元就能配置出用不完的退休金：

退休準備金
＝ 800000 ／（8.15% － 2%）×（1 ＋ 8.15%）
→可得到答案為 1,406 萬 8,292 元

表1 投資報酬率愈高，所需退休準備金額愈少
——以每年生活費80萬元、通膨率2%為例

投資報酬率（%）	退休準備金（萬元）	投資報酬率（%）	退休準備金（萬元）
3	8,240	7	1,712
4	4,160	8	1,440
5	2,800	9	1,246
6	2,120	10	1,100

整理：怪老子

以這種方式規畫的退休金，因為花不完，所以不論活多久都足夠。也因為如此，不論多年輕，只要累積到所規畫的金額，就具備退休條件，可說是十分恰當的一種資產配置組合。

用試算表規畫「用不完的退休準備金」

我們可以製作一張如圖 2 的試算表，使用者只需輸入每年需要多少生活費（以現值估計）、預設退休後的投資報酬率及通貨膨脹率，就能算出「用不完的退休準備金」需要多少金額；同時列出「驗算表」，可看到未來每年經過通膨調整後的生活費是多少，及每年結餘的狀況。

例如圖 2 的設定是：每年生活費現值為 80 萬元（儲存格 B1），投資報酬率 6%（儲存格 B2），通貨膨脹率 2%（儲存格 B3），可計算出「用不完退休準備金」得有 2,120 萬元（儲存格 B4）才足夠。

而下方的「驗算表」總共有 4 個欄位，第 1 欄「年度」皆以期末為基準，第 0 年期末等同第 1 年期初；共列出 100 個年度，能使用 100 年應該也夠了。

第 2 欄「通膨調整生活費」的第 0 年期末（儲存格 B21）金額等於「每年生活費現值 80 萬元」（儲存格 B1），代表第 1 年初就會支出 1 年的生活費 80 萬元，到了第 1 年度末，生活費則是上一年度末的生活費乘上「1 ＋通貨膨脹率」，未來每一年也依此類推，代表未來每一年的生活費會隨通膨而提高。

第 3 欄「投資利益」金額，則是上一年度末的年度結餘，乘上投資報酬率（儲存格 B2）。第 0 年期末因為尚未開始投資，所以投資利益

圖2 掌握投報率、通膨率，才能估算退休準備金
——以投報率6%、通膨率2%為例

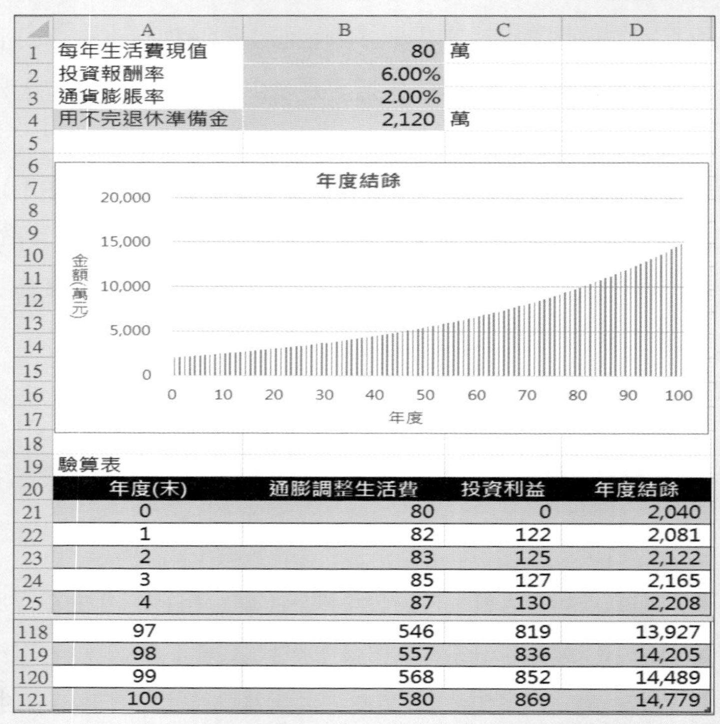

	A	B	C	D
1	每年生活費現值	80	萬	
2	投資報酬率	6.00%		
3	通貨膨脹率	2.00%		
4	用不完退休準備金	2,120	萬	
19	驗算表			
20	年度(末)	通膨調整生活費	投資利益	年度結餘
21	0	80	0	2,040
22	1	82	122	2,081
23	2	83	125	2,122
24	3	85	127	2,165
25	4	87	130	2,208
118	97	546	819	13,927
119	98	557	836	14,205
120	99	568	852	14,489
121	100	580	869	14,779

整理：怪老子

是 0（儲存格 C21）；到了第 1 年度末，就以第 0 年度末結餘 2,040 萬元乘上投資報酬率 6%，投資利益為 122 萬元。

第 4 欄是「年度結餘」，第 0 年度末金額 2,040 萬元，是以計算出的「用不完的退休金」2,120 萬元，減去第 0 年度末提出的生活費 80 萬元。到了第 1 年度末，則以上一年度末的「年度結餘」2,040 萬元，加上第 1 年度末「投資利益」約 122 萬元，再扣除同年度末「通膨調整費用」約 82 萬元，約等於 2,080 萬元（試算表計算結果為四捨五入至萬元，受小數點影響，顯示結果會有些許誤差）。

最後把歷年的年度結餘用直條圖畫出，就可看到，只要維持年報酬率 6%、通貨膨脹率 2%，年度結餘就會一年比一年還要多。以下就透過實作練習，學習製作永續退休金試算表。

實作練習

輸入❶各欄位名稱後，選取儲存格「A1:B4」，點選❷「公式」索引頁標籤，再點選❸「從選取範圍建立」，並於「以選取範圍建立名稱」小視窗中勾選❹「最左欄」並按❺「確定」，即可將儲存格「B1：B4」，用名稱定義成「A1：A4」。

在❻儲存格「B4」輸入「＝（**每年生活費現值／（投資報酬率－通貨膨脹率））＊（1＋投資報酬率）**」。

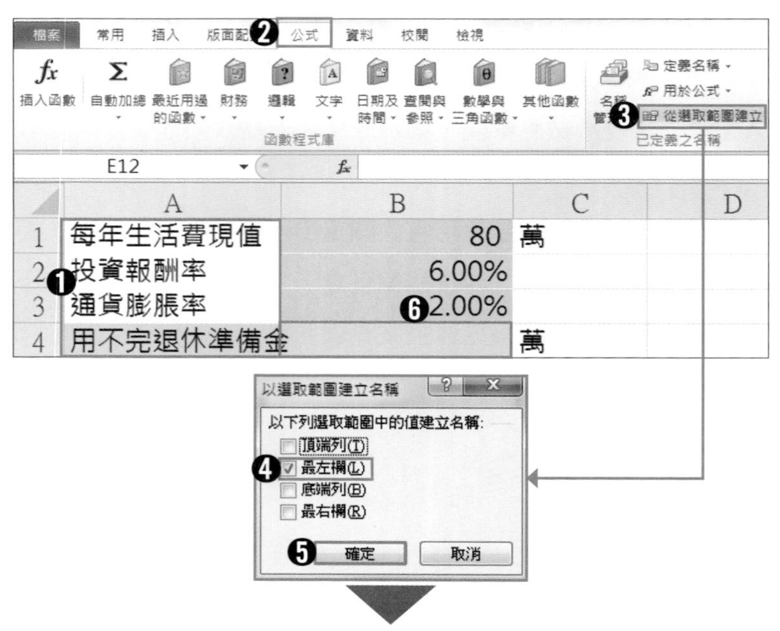

輸入❶「驗算表」各欄位名稱，在❷儲存格「A21」輸入數字「0」，❸儲存格「A22：A121」以數列填滿，輸入 1 ～ 100。選取儲存格「A20：D121」，定義成表格，命名為「驗算表」。

接著，分別輸入「驗算表」公式：

1. **通膨調整生活費：**❹儲存格「B21」輸入「＝每年生活費現值」；❺儲存格「B22」輸入「**＝ B21*（1 ＋通貨膨脹率）**」。

2. **投資利益：**❻儲存格「C21」輸入「0」；❼儲存格「C22」輸入「**＝ D21* 投資報酬率**」。

3. **年度結餘：**❽儲存格「D21」輸入「**＝用不完退休準備金－ [@ 通膨調整生活費]**」；❾儲存格「D22」輸入「**＝ D21 ＋ [@ 投資利益] － [@ 通膨調整生活費]**」。

❿選取第 1 期儲存格「B22：D22」，並將公式往下複製至「B23：D121」。

	A	B ❶	C	D
19	驗算表			
20	年度(末)	通膨調整生活費	投資利益	年度結餘
21	❷ 0	❹	❻	❽
22	1	❺	❼	❾
23	2			
24	3			
25	4			❿
26	5			
27	❸ 6			
117	96			
118	97			
119	98			
120	99			
121	100			

STEP 3

選取步驟 2 驗算表中的儲存格「A20：D121」，點選❶「插入」索引頁標籤，選擇❷「直條圖」項目下「平面直條圖」中的❸「群組直條圖」。

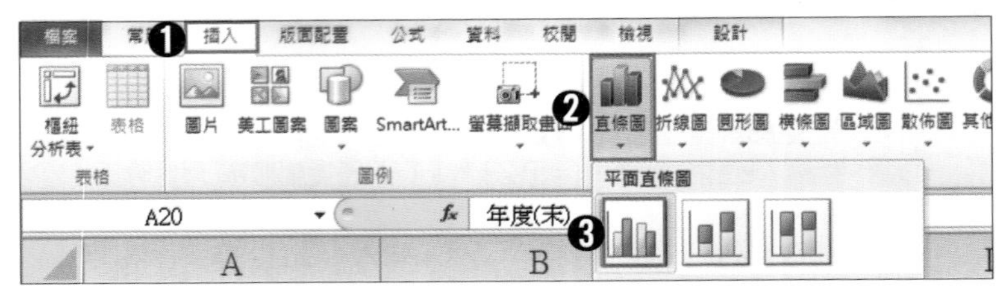

STEP 4

出現直條圖後，在圖上按右鍵點選❶「選取資料」，並於「選取資料來源」小視窗當中的「圖例項目（數列）」窗格，只留下❷「年度結餘」，其餘刪除；於「水平（類別）座標軸標籤」窗格，點選❸「編輯」，於「座標軸標籤」小視窗中，以滑鼠選取❹「年度」欄從第 0 期到最後一期的範圍「A21：A121」，按下❺「確定」關閉座標軸標籤小視窗後，回到「選取資料來源」小視窗按❻「確定」，即可畫出所需的直條圖。

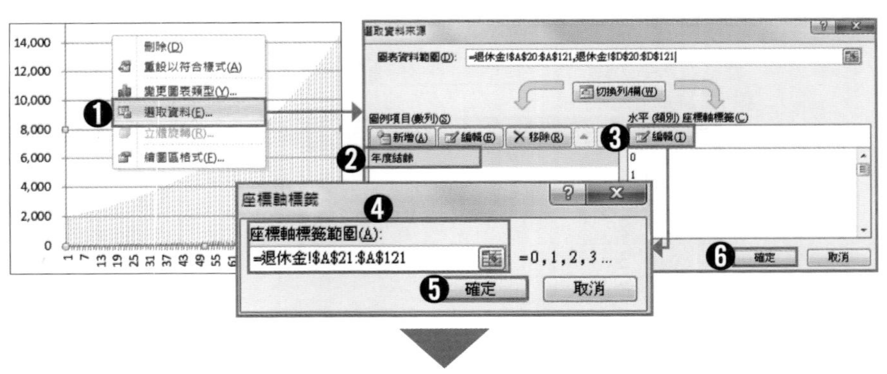

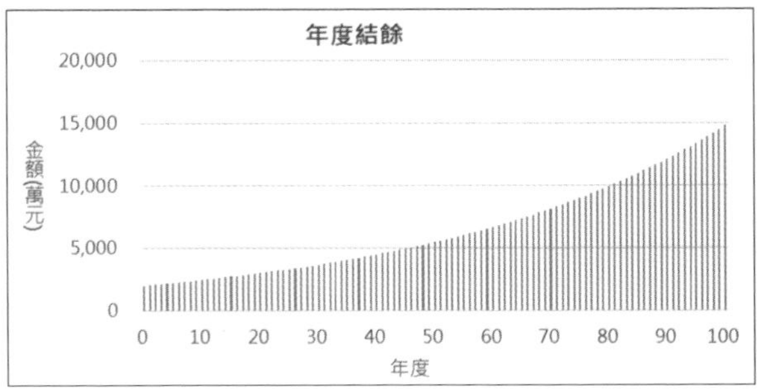

退休準備金的多寡，主要是受到投資報酬率的影響；做好以上試算表之後，可以列出運算列表，就能知道當投資報酬率變動時，用不完退休準備金的金額會變動多大。

在❶儲存格「G1」、儲存格「H1」輸入欄位名稱後，點選❷儲存格「H2」，輸入「＝用不完退休準備金」（即參照到儲存格「B4」）。

選取❸儲存格「G2：H10」，點選❹「資料」索引頁標籤，選擇❺「模擬分析」後，於「運算列表」小視窗的❻「欄變數儲存格」輸入「$B$2」，按下❼「確定」就完成了。

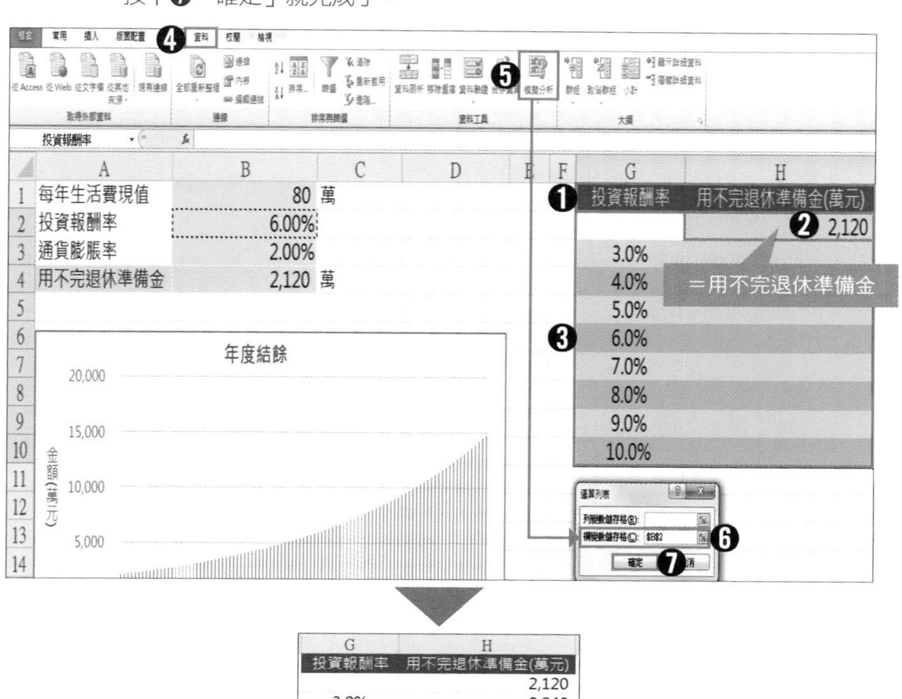

投資報酬率	用不完退休準備金(萬元)
	2,120
3.0%	8,240
4.0%	4,160
5.0%	2,800
6.0%	2,120
7.0%	1,712
8.0%	1,440
9.0%	1,246
10.0%	1,100

8-3

用平均餘命計算勞退金 月領比一次領更划算

按照現行的勞退新制（2005 年 7 月實施），雇主必須每月為勞工提繳薪資的 6% 到勞工的個人退休金專戶，勞工必須年滿 60 歲才可以提領。60 歲退休時，勞工如果年資未滿 15 年，必須領「一次退休金」；滿 15 年，只能領「月退休金」。

一次退休金就是將專戶中的金額一次全部提領，而月退休金可以領多少？就要再仔細計算了，計算公式可以在勞工保險局（簡稱勞保局）「如何計算月退休金」的網頁（www.bli.gov.tw/sub.aspx?a=hfjVyPWkxtA%3d）中找到，公式看起來很可怕，但簡單來說，其實就是由「退休金帳戶餘額」、「利率」以及「平均餘命」這 3 項因素，決定每月可提領的金額，說明如下：

1. **退休金帳戶餘額：**申請退休金時的個人專戶帳戶淨值（有自然人憑證的勞工，可以連線到勞保局網站查詢）。

2. **利率：**勞保局網站寫的是「依勞動部勞動基金運用局公告之全年平均保證收益率前 3 年平均數」，保證收益率就是 2 年期定存實質利率，例如 2015 年 11 月請領，即是 2012 年至 2014 年之平均數，為 1.3916%。

3. 平均餘命：決定月退休金可以領多久，跟申請時的年齡有關，年紀愈大，平均餘命就愈短。截至 2016 年 4 月底，是以 2013 年全國簡易生命表的平均餘命四捨五入計算（詳見表 1），例如申請時年齡 60 歲，簡易生命表的 60 歲平均餘命為 23.84 歲，勞工月退休金的平均餘命則以 24 年計算；若申請時年齡 70 歲，則以 16 年計算。

表1 將簡易生命表四捨五入即為勞退採計之平均餘命
——勞工月退休金採計之平均餘命表

年齡	2013年全國簡易生命表——兩性平均，單一年齡組平均餘命	月退採計之平均餘命
60	23.84	24
61	23.02	23
62	22.21	22
63	21.40	21
64	20.60	21
65	19.81	20
66	19.03	19
67	18.26	18
68	17.51	18
69	16.77	17
70	16.04	16

資料來源：勞工保險局

但這意思不是平均餘命愈短就會少領，而是同樣的帳戶餘額，若在 60 歲時請領，這筆錢就會分配到 24 年請領，70 歲領則是分配到 16 年請領，因此申請時的平均餘命愈短，每月領到的金額愈多。

實質利率≠名目利率，計算時別忘了先換算

勞保局的公式看起來很複雜，但是觀念其實很簡單，可以想像成將退休金帳戶中的錢借給勞保局，然後按月提領本金加利息，直到平均餘命剛好將本息全部提領完畢。

看一下現金流量圖就知道了（詳見圖 1），期初將退休金帳戶餘額放在勞保局（現金流出），以名目利率計算利息，以換取每月可領回的退休金（現金流入），一直領到平均餘命為止。

這樣的現金流量，只要利用 Excel 的 PMT 函數，就可以求出月退休金了。

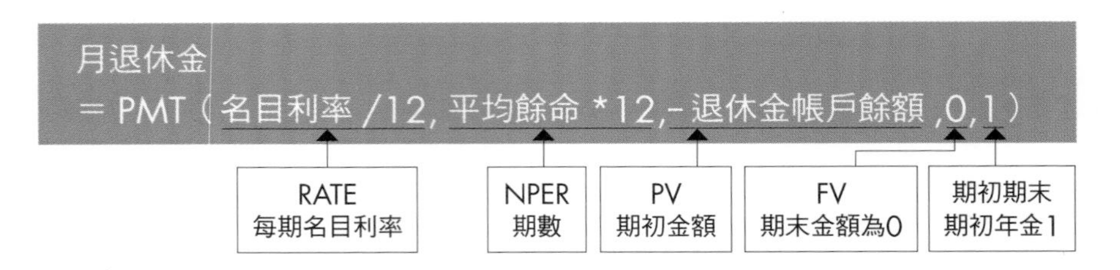

由於勞動部勞動基金運用局公告的收益率是實質利率（Effective Rate），為名目利率經過 12 個月複利之後所獲得的實質報酬率。若

圖1 將整筆退休金放在勞保局，以換取月領退休金
——勞退金現金流量圖（以60歲請領、平均餘命24年為例）

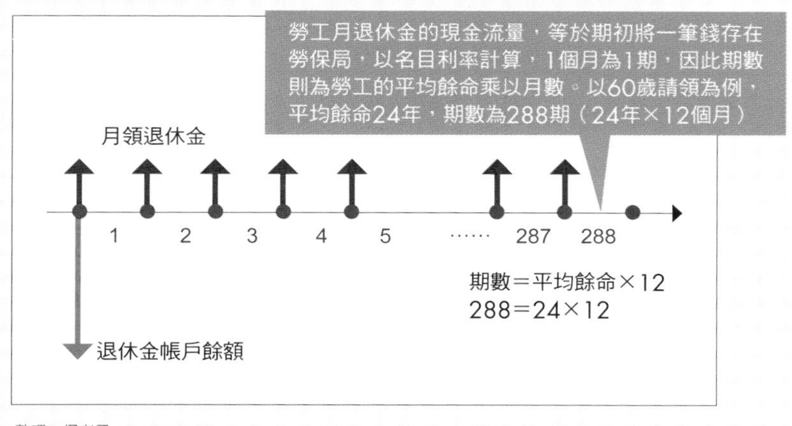

整理：怪老子

我們要用 PMT 函數計算，就必須先將公告的收益率轉換成名目利率（Nominal Rate）。

名目利率等同於銀行的掛牌利率，也是一般民眾慣用的利率；我不知道為什麼不直接用名目利率公告，這樣就不必換算一次，民眾也容易了解一些。我猜可能是收益率的數字比較高，公布出來比較好看吧！

還好，使用 Excel 的 NOMINAL 函數，即可輕易將收益率轉換成名目利率。2015 年 11 月勞動基金運用局公告的收益率是 1.3916%，所以名目利率等於 1.3828%，算式如下：

收益率（實質利率）轉換為名目利率
= NOMINAL（收益率 ,12）= NOMINAL（1.3916%,12）
→可得到答案為 1.3828%

根據勞保局計算月退休金的案例，60 歲勞工請領退休金，平均餘命 24 年，退休專戶餘額 100 萬元，2015 年 11 月的收益率是 1.3916%（名目利率 1.3828%），月退休金為 4,077 元。我們用 PMT 公式驗算一次，可以得到相同的答案：

月退休金
= PMT（1.3828% ／ 12, 24*12, -1000000, 0,1）→答案為 4,077 元

或直接用 NOMINAL（收益率 ,12）代入名目利率，也能算出答案：

月退休金
= PMT（NOMINAL（1.3916%,12）,24*12,-1000000,0,1）
→答案為 4,077 元

有了這些理論基礎，就能應用上述公式做出一張如圖 2 的通用試算表。使用者輸入「退休專戶餘額」、「申請時退休年齡」、「收益率」這 3 項參數，即能自動算出月領退休金及可以領到的總金額；還可以利用運算列表功能，看看不同退休年齡請領的金額會有什麼變化。

可以看到，退休專戶餘額都是 100 萬元，退休年齡愈早，因為平均餘命愈長，分攤到每月領的金額就會愈少，然而可以領到的總金額卻比較多；相反地，愈晚領的總金額看起來比較少，是因為愈晚拿到的錢比

圖2 愈晚退休，勞工每月可領退休金愈多

——勞工月退休金試算表

	A	B	C
1	退休專戶餘額	1,000,000	
2	申請退休年齡	60	
3	收益率	1.3916%	
4	平均餘命	24	
5	名目利率	1.3828%	
6	月領退休金	4,077	
7	總金額	1,174,315	
8			
9			
10	退休年齡	月領退休金	總金額
11		4,077	1,174,315
12	60	4,077	1,174,315
13	61	4,227	1,166,664
14	62	4,390	1,159,045
15	63	4,569	1,151,457
16	64	4,569	1,151,457
17	65	4,766	1,143,900

整理：怪老子

較不值錢的原因。其實，不管什麼時候退休，拿到總金額的現值都同樣等於退休專戶餘額的淨值，都不會吃虧。

以下就來練習製作如圖 2 的勞工退休金試算表。

實作練習

新增一個 Excel 檔案，將❶第 1 張工作表命名為「月退休金試算」，第 2 張工作表命名為「平均餘命表」。

進入「月退休金試算」工作表，❷儲存格「A1：A7」分別輸入「退休專戶餘額」、「申請退休年齡」、「收益率」、「平均餘命」、「名目利率」、「月領退休金」、「總金額」，將❸儲存格「B1：B7」定義為「A1：A7」的名稱（選取儲存格「A1：B7」，點選「公式」索引頁標籤→「從選取範圍建立」，並於「以選取範圍建立名稱」小視窗勾選「最左欄」，按「確定」即可）。

❶ 月退休金試算 / 平均餘命表 / 工作表3

	❷A	❸B
1	退休專戶餘額	1,000,000
2	申請退休年齡	60
3	收益率	1.3916%
4	平均餘命	
5	名目利率	
6	月領退休金	
7	總金額	

STEP 2

前往勞保局的月退休金網站（www.bli.gov.tw），點選❶「勞工退休金」，接著，在頁面左方點選❷「如何計算月退休金」，在「平均餘命」項目中，點選❸「附件檔」，即可下載適用的「月退休金之平均餘命」表格。表單版本可能會隨時間而更新，目前版本為 2013 年版本、2015 年 4 月 1 日起適用。

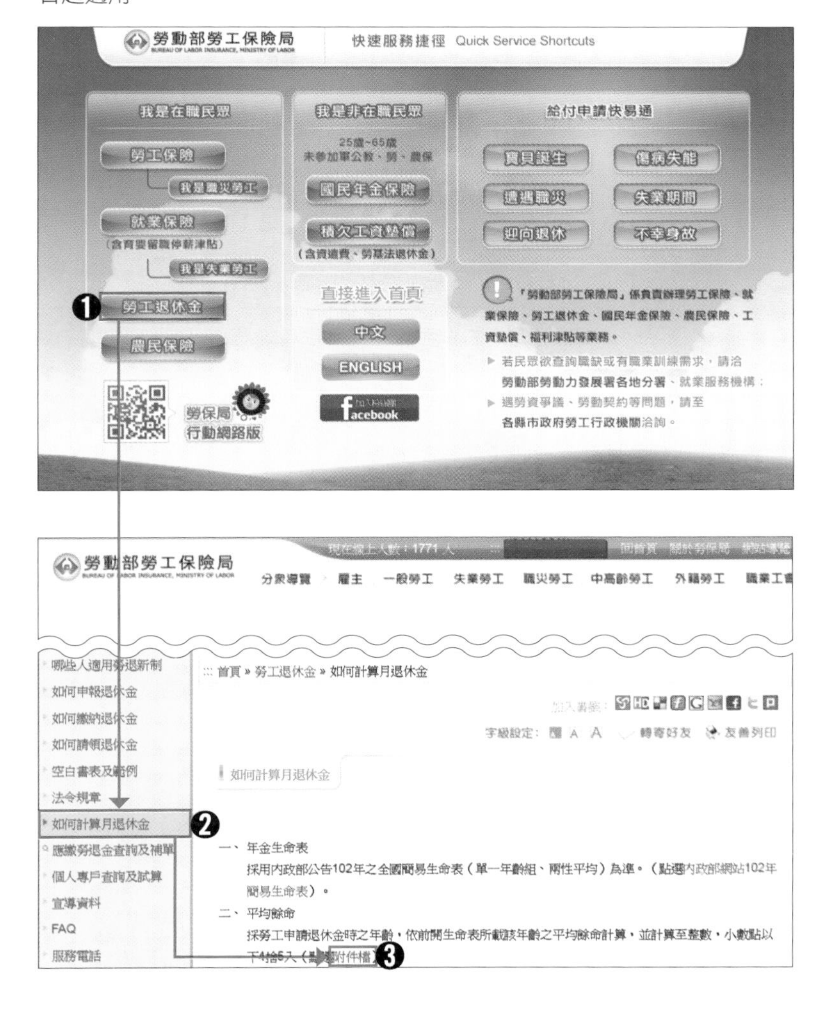

STEP 3

在「平均餘命表」工作表中，將下載好的❶「月退休金之平均餘命」表格數值複製至儲存格「A4：C29」，並將「A3：C29」定義為表格，命名為「平均餘命表」。

	A	B	C
1	102年全國簡易生命表，兩性平均，單一年齡組		
2		❶	
3	退休年齡	生命表之平均餘命	月退採計之平均餘命
4	60	23.84	24
5	61	23.02	23
26	82	8.64	9
27	83	8.14	8
28	84	7.66	8
29	85	7.19	7
30			

月退休金試算 ｜ 平均餘命表

在「月退休金試算」工作表，分別輸入公式：

1. **平均餘命**：在❶儲存格「B4」輸入「＝VLOOKUP（**申請退休年齡，平均餘命表**,3）。

2. **名目利率**：❷儲存格「B5」輸入「＝NOMINAL（**收益率**,12）」。

3. **月領退休金**：在❸儲存格「B6」輸入「＝PMT（**名目利率**/12,**平均餘命** *12,-**退休專戶餘額**,0,1）」。

4. **總金額**：在❹儲存格「B7」輸入「＝**月領退休金** * **平均餘命** *12」。

	A	B	
1	退休專戶餘額	1,000,000	
2	申請退休年齡	60	
3	收益率	1.3916%	
4	平均餘命	24	❶
5	名目利率	1.3828%	❷
6	月領退休金	4,077	❸
7	總金額	1,174,315	❹

接著，在「月退休金試算」工作表❶儲存格「A10:C17」輸入各欄位名稱。

1. **月領退休金**：在❷儲存格「B11」輸入「=月領退休金」。

2. **總金額**：在❸儲存格「C11」輸入「=總金額」。

選取❹儲存格「A11：C17」，點選❺「資料」索引頁標籤，選擇❻「模擬分析」項目下的❼「運算列表」，並於「運算列表」小視窗的❽「欄變數儲存格」輸入「$B$2」，按❾「確定」即可（可依需求隱藏第 11 列）。

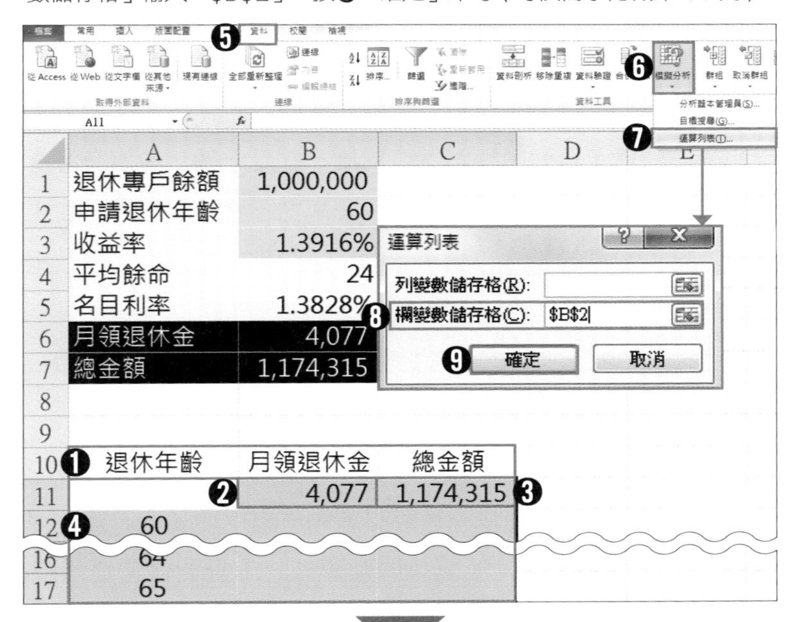

	退休年齡	月領退休金	總金額
10	退休年齡	月領退休金	總金額
11		4,077	1,174,315
12	60	4,077	1,174,315
13	61	4,227	1,166,664
14	62	4,390	1,159,045
15	63	4,569	1,151,457
16	64	4,569	1,151,457
17	65	4,766	1,143,900

8-4
模擬市場可能波動 避免錯估退休金

退休金規畫最重要的變數就是投資報酬率，當投資報酬率設定得愈高，所需的退休準備金就可以愈少。然而，退休金規畫的方式都是以平均報酬率計算，且假設每年投資報酬率都是一樣，並沒有考慮可能的報酬率變動。實務上，每年的投資報酬率並不會一樣，而是在平均報酬率上下波動；愈高的投資報酬率標的，波動程度就愈大，導致退休金可能發生過多或不足的情況。

利用「標準差」，預估未來投資報酬率

運用機率的公式，可以精確計算波動率對退休金的影響，但是一般投資大眾並不需要面對這麼繁雜的數學公式，只要懂得運用統計學上的「標準差」這項參數（詳見 5-6），再透過 Excel 的亂數，就能模擬未來可能出現的投資報酬率，實際觀察退休金可能的變動狀況。除了可以確認退休金規畫是否踏實之外，還可以看到每年的帳戶明細，體驗一下可能的波動。

一般的投資組合屬於常態分布（Normal Distribution），只要有「平

均報酬率」及「標準差」這 2 項參數，就能模擬投資報酬率出現的機率。透過 Excel 計算能力，可以清楚看到帳戶淨值的變化情況，增加投資的信心。

標準差必須和平均報酬率是一對的，兩者一起才能看到整體的全貌，只知道標準差是無法衡量退休金金額的波動程度的，因為投資組合的標準差，是描述投資報酬率可能落在平均報酬率上下的範圍。

例如，全球已開發市場的股票型基金，平均年報酬率落在 10%，標準差約 15%，雖然未來一年的投資報酬率無法準確預估，但我們可以預估可能的範圍：落在平均值正負 1 個標準差內的機率有 68%，2 個標準差以內的機率有 95%。

所以，投資者就能預估，全球已開發市場的股票型基金，未來一年的投資報酬率，有 68% 的機率落在 -5% ～ 25% 報酬率範圍內，95% 機率落在 -20% ～ 40% 報酬率範圍內。

善用Excel亂數功能，可模擬未來報酬率

使用 Excel 的「RAND」及「NORM.INV」兩個函數的組合，可以模擬出自然分配的投資報酬率，在任何一個儲存格，輸入含有平均報酬率及標準差參數的 Excel 公式，即可透過亂數模擬出投資報酬率。公式如下：

> 模擬未來投資報酬率
> = NORM.INV（RAND（）, 報酬率平均值 , 標準差）

函數 RAND 會產生 0 ～ 1 之間的亂數，而 NORM.INV 則是常態累積分布的反函數，例如在任一儲存格輸入下列公式，就會產生一個呈現平均報酬率 6%、標準差 5% 的亂數。

> 模擬未來投資報酬率
> = NORM.INV（RAND（）,6%,5%）

圖1 Excel模擬可能的報酬率，呈現常態分布
——以「FREQUENCE」函數計算出的次數分配圖

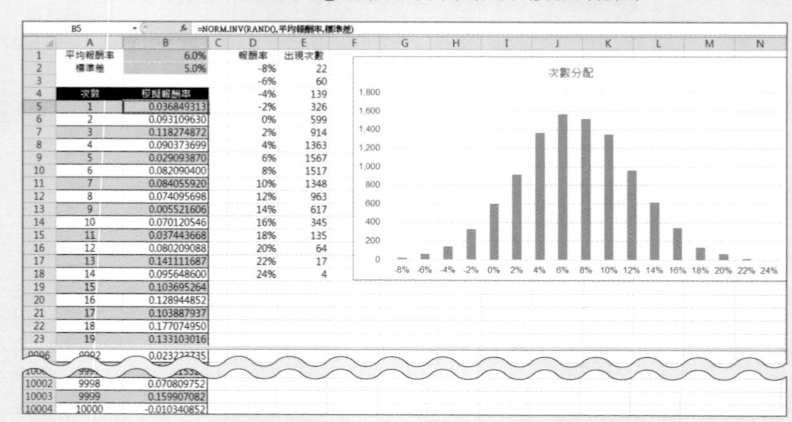
B5 =NORM.INV(RAND(),平均報酬率,標準差)

	A	B	C	D	E
1	平均報酬率	6.0%		報酬率	出現次數
2	標準差	5.0%		-8%	22
3				-6%	60
4	次數	模擬報酬率		-4%	139
5	1	0.036849313		-2%	326
6	2	0.093109630		0%	599
7	3	0.118274872		2%	914
8	4	0.090373699		4%	1363
9	5	0.029093870		6%	1567
10	6	0.082090400		8%	1517
11	7	0.084055920		10%	1348
12	8	0.074095698		12%	963
13	9	0.005521606		14%	617
14	10	0.070120546		16%	345
15	11	0.037443668		18%	135
16	12	0.080209088		20%	64
17	13	0.141111687		22%	17
18	14	0.095648600		24%	4
19	15	0.103695264			
20	16	0.128944852			
21	17	0.103887937			
22	18	0.177074950			
23	19	0.133103016			
9996	9992	0.023222735			
10002	9998	0.070809752			
10003	9999	0.159907082			
10004	10000	-0.010340852			

整理：怪老子

若想知道該亂數是否真正產生常態分布，只要產生 1 萬個亂數，然後利用「FREQUENCE」函數做出次數分配圖，用直條圖畫出，就可以清楚看到，模擬出來的報酬率，呈現自然分配的鐘型曲線（詳見圖 1，製作方式詳見第 459 頁實作練習②）；也就是愈靠近平均報酬率的出現次數最多，偏離平均報酬率愈多則出現次數愈少。

利用2步驟，模擬退休後的資產

當退休金規畫完成後，可以做一張如圖 2 的「退休金規畫模擬試算表」，觀察退休後帳戶餘額的可能變化。模擬試算表跟 8-1 的進階版試算表有點類似，同樣是使用階梯式費用表來規畫退休後的每年生活費用需求，並根據使用者輸入的退休後報酬率、通貨膨脹率來估算需要的退休準備金，同時一旁的「收支明細表」可以看出退休後每年的帳戶餘額變化。

只是，為了容易看出模擬的情形，模擬試算表簡化了許多條件，除了退休年齡固定在 60 歲，也沒有退休前報酬率、年金、一次領退休金等參數可選擇。整張試算表的規畫方式如下：

步驟1》列出不同階段的退休後生活費，計算退休準備金

「目前年齡」、「投資報酬率」、「標準差」、「通貨膨脹率」、「報酬率模式」欄位，為可變更的參數（可按自身狀況輸入）。其中較特別的是，「報酬率模式」是以清單方式呈現，可選擇「規畫」或「模擬」。

圖2 模擬退休規畫時，可選擇2種報酬率模式

——退休規畫模擬試算表

模擬模式

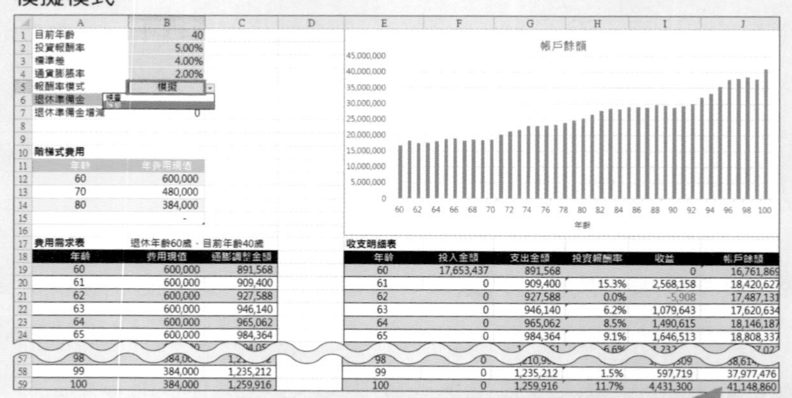

	A	B
1	目前年齡	40
2	投資報酬率	5.00%
3	標準差	4.00%
4	通貨膨脹率	2.00%
5	報酬率模式	模擬
6	退休準備金	
7	退休準備金增減	0

階梯式費用

年齡	年費用現值
60	600,000
70	480,000
80	384,000
	-

費用需求表　退休年齡60歲、目前年齡40歲

年齡	費用現值	通膨調整金額
60	600,000	891,568
61	600,000	909,400
62	600,000	927,588
63	600,000	946,140
64	600,000	965,062
65	600,000	984,364
98	384,000	[illegible]
99	384,000	1,235,212
100	384,000	1,259,916

收支明細表

年齡	投入金額	支出金額	投資報酬率	收益	帳戶餘額
60	17,653,437	891,568		0	16,761,869
61	0	909,400	15.3%	2,568,158	18,420,627
62	0	927,588	0.0%	-5,908	17,487,131
63	0	946,140	6.2%	1,079,643	17,620,634
64	0	965,062	8.5%	1,490,615	18,146,187
65	0	984,364	9.1%	1,646,513	18,808,337
98	0	[illegible]	[illegible]	[illegible]	[illegible]
99	0	1,235,212	1.5%	597,719	37,977,476
100	0	1,259,916	11.7%	4,431,300	41,148,860

退休後的投資報酬率為亂數模擬，每次模擬時，收益與帳戶餘額都會隨報酬率而變動。100歲時的期末餘額可能為負值（退休金短缺），也可能為正值（退休金還有剩餘）

規畫模式

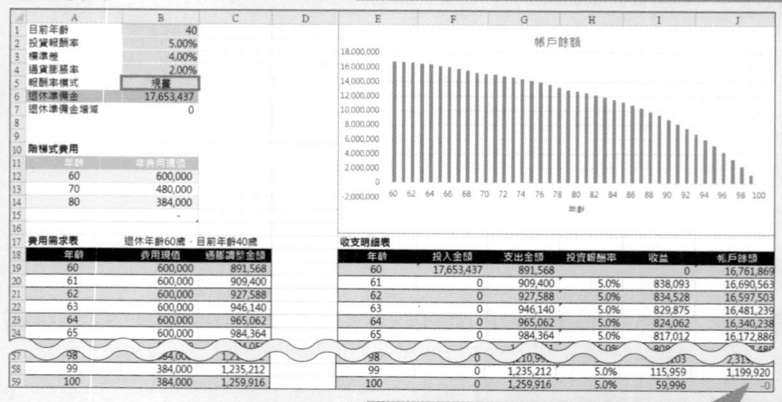

	A	B
1	目前年齡	40
2	投資報酬率	5.00%
3	標準差	4.00%
4	通貨膨脹率	2.00%
5	報酬率模式	規畫
6	退休準備金	17,653,437
7	退休準備金增減	0

階梯式費用

年齡	年費用現值
60	600,000
70	480,000
80	384,000
	-

費用需求表　退休年齡60歲、目前年齡40歲

年齡	費用現值	通膨調整金額
60	600,000	891,568
61	600,000	909,400
62	600,000	927,588
63	600,000	946,140
64	600,000	965,062
65	600,000	984,364
98	384,000	[illegible]
99	384,000	1,235,212
100	384,000	1,259,916

收支明細表

年齡	投入金額	支出金額	投資報酬率	收益	帳戶餘額
60	17,653,437	891,568		0	16,761,869
61	0	909,400	5.0%	838,093	16,690,563
62	0	927,588	5.0%	834,528	16,597,503
63	0	946,140	5.0%	829,875	16,481,239
64	0	965,062	5.0%	824,062	16,340,238
65	0	984,364	5.0%	817,012	16,172,886
98	0	[illegible]	[illegible]	[illegible]	[illegible]
99	0	1,235,212	5.0%	115,959	1,199,920
100	0	1,259,916	5.0%	59,996	-0

退休後的投資報酬率固定為每年5%，帳戶餘額會逐年降低，直到100歲時剛好為0

整理：怪老子

階梯式費用表》描述退休後不同年齡層的年度生活費

「年齡」欄為該年齡層的起始歲數，必須由小而大排列；「年費用現值」欄敍述該年齡層的年費用。在圖 2 中，代表 60 ～ 69 歲的年度費用現值為 60 萬元，70 ～ 79 歲為 48 萬元，80 歲以上為 38 萬 4,000 元。

費用需求表》列出退休後、經通膨調整的每年生活費現金流量

1. 年齡：一律以「退休年齡 60 歲」為起始值。

2. 費用現值：根據該列的「年齡」為查詢值，讓 VLOOKUP 函數到階梯式費用表，區間搜尋該年齡的費用現值。

3. 通膨調整金額：將「費用現值」欄位的數值，按照通貨膨脹率調整為該年的幣值，公式為「現值 *（1 ＋通貨膨脹率）^ 年數」。

退休準備金（圖 2 儲存格「B6」）就是「費用需求表」的「通膨調整金額」欄，每一筆現金流量現值的加總，以 Excel 的淨現值函數 NPV 所計算出來，公式為：

退休準備金
＝NPV（投資報酬率, 費用需求表[通膨調整金額]）*（1 ＋投資報酬率）

淨現值函數NPV用於計算一系列現金流量的現值，此處將生活費設定於每年初就得付出，視為期初年金，所以NPV函數的回傳值得再乘上（1＋投資報酬率）

步驟2》利用模擬功能，觀察退休準備金的可能變化

根據計算出的退休準備金，可以製作一張具有驗算功能的「收支明細表」，檢視退休金是否真的足夠。

收支明細表》具驗算功能，方便隨時檢視

收支明細表中，「投入金額」欄只有退休的第 1 年（60 歲）投入全部的規畫退休金，其他年度都不再投入，所以都是 0。而每年度的「支出金額」等於該年度的費用需求表「通膨調整」金額。

收支明細表「投資報酬率」的值，會根據使用者選擇的報酬率模式（儲存格 B5）有所不同——在「規畫」模式下，使用「投資報酬率」（儲存格 B2）；在「模擬」模式下，則使用模擬報酬率。所以在收支明細表的投資報酬率欄位，每一個儲存格的公式均為：

```
投資報酬率
＝ IF（報酬率模式＝"規畫", 投資報酬率 ,NORM.INV（RAND（）,
  投資報酬率 , 標準差））
```

「收益」欄是每年度的投資收益，是上一年度的「帳戶餘額」乘上該年度的「投資報酬率」；「帳戶餘額」則是上一年度的帳戶餘額加上本年度收益，並減去本年度的支出金額。而整張試算表的觀察重點為—— 100 歲時的帳戶餘額，是否每次模擬時都大於 0。

為了清楚看到帳戶餘額的變化，我們可以將每年度帳戶餘額以直條圖

畫出，不僅能清楚看到 100 歲的餘額，還可以看到其他年度的帳戶餘額變化。像是在「規畫」模式時，「收支明細表」全部使用「平均報酬率」計算帳戶餘額，帳戶餘額會愈來愈少，直到 100 歲帳戶餘額為 0，也就是 100 歲時退休金全部花完（詳見圖 2）。

而「模擬」模式時，投資報酬率的數值會以亂數產生，所以收益及帳戶餘額欄位會隨著模擬報酬率不同而變動。可以發現每一次模擬的結果，100 歲「帳戶餘額」有時還有剩餘，有時可能會短缺很多。

每一次按鍵盤上的「Shift + F9」鍵，又會重新模擬一次，出現不同的數值。若將標準差（儲存格 B3）的數值設定成 0.0001%（不能設定成 0，會出現錯誤），因為波動程度非常低，就會發現模擬值跟規畫值非常類似。而這也代表退休金的規畫，是假設為沒有波動的情況，但這在實際投資中不可能出現的，除非報酬率等於無風險報酬。

所以，在「退休準備金」下方的儲存格，多了一個「退休準備金增減」參數（儲存格 B7），可以讓使用者增加或減少退休金，看看得要增加多少金額，才有辦法增加不會在 100 歲前把退休金花完的信心；增加退休金用正值，減少退休金則使用負值。

接著就來實際練習製作退休規畫模擬試算表（詳見實作練習①），以及平均報酬率與標準差的次數分配圖（詳見實作練習②）。

實作練習①

輸入共同參數欄位、階梯式費用表、費用需求表、收支明細表欄位後，將共同參數的❶儲存格「B1：B7」命名為「A1：A7」的名稱（選取儲存格「A1：B7」，點選「公式」索引頁標籤→「從選取範圍建立」，並於「以選取範圍建立名稱」小視窗勾選「最左欄」，按「確定」即可）。

選取❷儲存格「A11：B15」，定義為表格，並命名為「階梯式費用」。

選取❸儲存格「A18：C59」，定義為表格，並命名為「費用需求表」。

選取❹儲存格「E18：J59」，定義為表格，並命名為「收支明細表」。

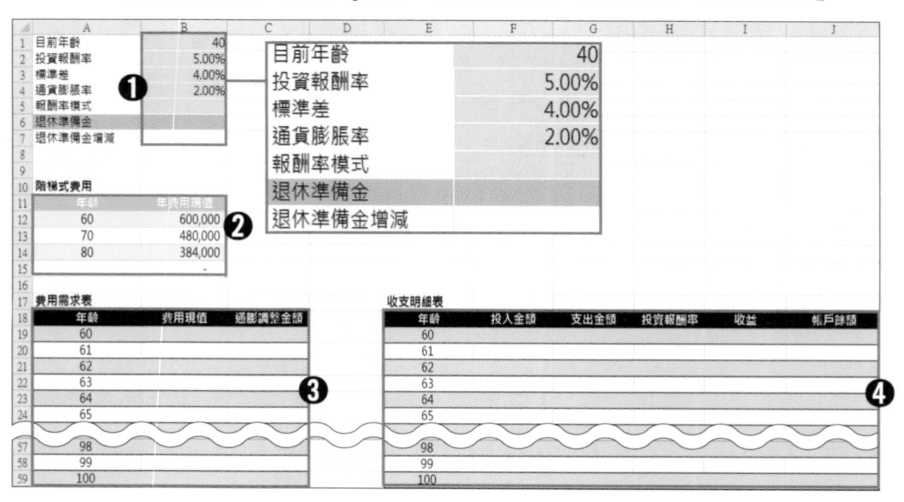

STEP 2

選取❶儲存格「B5」，點選❷「資料」索引頁標籤項目下❸「資料驗證」中的❹「資料驗證」，於跳出視窗❺「設定」項目中的❻「儲存格內允許」下拉選單，選取「清單」，並在❼「來源」當中輸入文字「規畫,模擬」，按下❽「確定」。

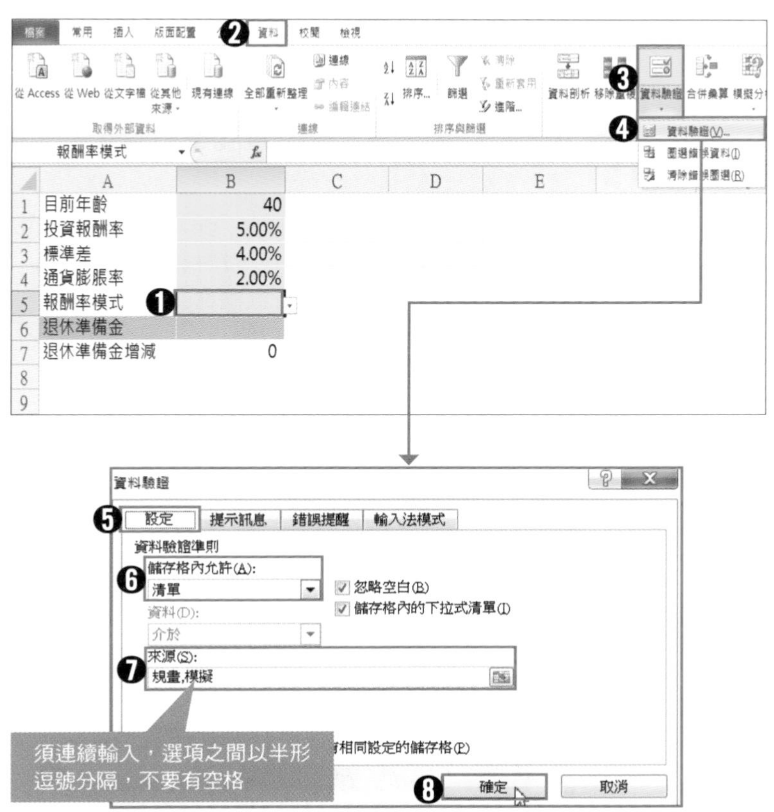

接著，輸入費用需求表公式：

1. **費用現值**：第 1 列❶儲存格「B19」輸入「**= VLOOKUP（[@ 年齡], 階梯式費用 ,2）**」，並將公式往下複製至「B20：B59」。

2. **通膨調整金額**：第 1 列❷儲存格「C19」輸入「**= [@ 費用現值]*（1 +通貨膨脹率）^（[@ 年齡] －目前年齡）**」，並將公式往下複製至「C20：C59」。

在❸儲存格「B17」輸入「**= " 退休年齡 60 歲、目前年齡 "& 目前年齡 &" 歲 "**」。

再輸入「退休準備金」公式，在❹儲存格「B6」輸入「**= NPV（投資報酬率 , 費用需求表 [通膨調整金額]）*（1 +投資報酬率）**」。

	A	B	C	D
1	目前年齡	40		
2	投資報酬率	5.00%		
3	標準差	4.00%		
4	通貨膨脹率	2.00%		
5	報酬率模式	規畫		
6	退休準備金 ❹	17,653,437		
7	退休準備金增減	0		
8				
9				
10	階梯式費用			
11	年齡	年費用現值		
12	60	600,000		
13	70	480,000		
14	80	384,000		
15		-		
16				
17	費用需求表	退休年齡60歲、目前年齡40歲 ❸		
18	年齡	費用現值	通膨調整金額	
19	60 ❶	600,000	891,568 ❷	
20	61	600,000	909,400	
21	62	600,000	927,588	
22	63	600,000	946,140	
23	64	600,000	965,062	
24	65	600,000	984,364	
25	66	600,000	1,004,051	
26	67	600,000	1,024,132	
27	68	600,000	1,044,615	

再來，輸入「收支明細表」公式：

1. **投入金額**：在第 1 列❶儲存格「F19」輸入「**＝退休準備金＋退休準備金增減**」，並將「投入金額」其他列，鍵入數字 0。

2. **支出金額**：在第 1 列❷儲存格「G19」輸入「**＝費用需求表 [@ 通膨調整金額]**」，並將公式往下複製至「G20：G59」。

3. **投資報酬率**：第 1 列❸儲存格「H19」保持空白；第 2 列❹儲存格「H20」輸入「**＝ IF (報酬率模式＝ " 規畫 ", 投資報酬率 ,NORM.INV (RAND ( ) , 投資報酬率 , 標準差))**」，並將公式往下複製至「H21：H59」。

4. **收益**：在第 1 列❺儲存格「I19」輸入 0；第 2 列❻儲存格「I20」輸入「**＝ J19*[@ 投資報酬率]**」，並將公式往下複製至「I21：I59」。

5. **帳戶餘額**：在第 1 列❼儲存格「J19」輸入「**＝ [@ 投入金額] － [@ 支出金額]**」；在第 2 列❽儲存格「J20」輸入「**＝ J19 ＋ [@ 投入金額] ＋ [@ 收益] － [@ 支出金額]**」，並將儲存格「J20」公式往下複製至「J21：J59」。

	A	E	F	G	H	I	J
1	目前年齡						
2	投資報酬率						
3	標準差						
4	通貨膨脹率						
5	報酬率模式						
6	退休準備金						
7	退休準備金增減						
8							
9							
10	階梯式費用						
11	年齡						
12	60						
13	70						
14	80						
15							
16							
17	費用需求表	收支明細表					
18	年齡	年齡	投入金額	支出金額	投資報酬率	收益	帳戶餘額
19	60	60	❶ 17,653,437	❷ 891,568	❸	❺ 0	❼ 16,761,869
20	61	61	0	909,400	❹ 5.0%	❻ 838,093	❽ 16,690,563
21	62	62	0	927,588	5.0%	834,528	16,597,503
22	63	63	0	946,140	5.0%	829,875	16,481,239
23	64	64	0	965,062	5.0%	824,062	16,340,238
24	65	65	0	984,364	5.0%	817,012	16,172,886
25	66	66	0	1,004,051	5.0%	808,644	15,977,480
26	67	67	0	1,024,132	5.0%	798,874	15,752,222
27	68	68	0	1,044,615	5.0%	787,611	15,495,219

STEP 5

選取收支明細表的儲存格「E18：J59」後，點選❶「插入」索引頁標籤，再點選❷「直條圖」項目下「平面直條圖」中的❸「群組直條圖」。

STEP 6

出現直條圖後，在圖上按右鍵點選❶「選取資料」，並於「選取資料來源」小視窗當中的❷「圖例項目（數列）」窗格，只留下「帳戶餘額」，其餘刪除；於「水平（類別）座標軸標籤」窗格點選❸「編輯」，再於「座標軸標籤」小視窗中，選取❹「年齡」欄從60～100歲的儲存格範圍「E19：E59」，按下❺「確定」關閉座標軸標籤小視窗後，回到「選取資料來源」小視窗按❻「確定」，即可成功畫出所需要的直條圖。且當使用者更改儲存格「B1：B5」參數，帳戶餘額直條圖也會跟著變化。

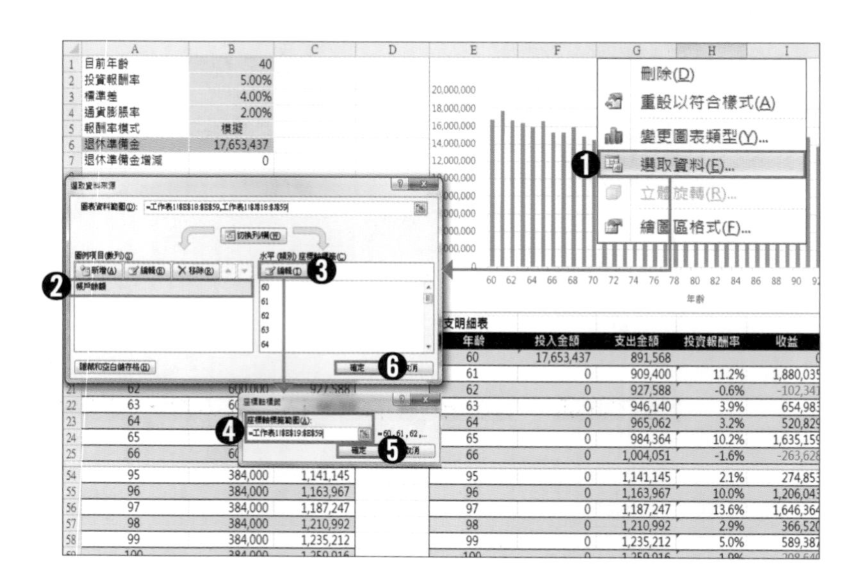

實作練習②

若要從「平均報酬率」和「標準差」，製作次數分配圖的話，首先要建立平均報酬率與標準差參數欄位。

在❶儲存格「A1」輸入文字「平均報酬率」，❷儲存格「A2」輸入文字「標準差」，❸儲存格「B1」輸入百分比數值「6.0%」，❹儲存格「B2」輸入百分比數值「5.0%」，並將儲存格「B1:B2」定義為「A1:A2」的名稱。

	A	B
1	❶平均報酬率	❸ 6.0%
2	❷ 標準差	❹ 5.0%

STEP 2

接著，建立模擬1萬次亂數表格。先建立表格欄位名稱，在❶儲存格「A4」輸入「次數」、❷儲存格「B4」輸入「模擬報酬率」。

而在次數欄，則以數列填滿方式，將❸儲存格「A5：A10004」填入1～10000的數值（數列填滿的方式，先選取儲存格「A5」，再點選「常用」索引頁標籤→「填滿」項目下的「數列」。在數列小視窗的「數列資料取自」勾選「欄」，類型為「等差級數」，間距值「1」、終止值「10000」，並按下「確定」即可）。

	A	B
1	平均報酬率	6.0%
2	標準差	5.0%
3	❶	❷
4	次數	模擬報酬率
5	1	4.613321%
6	2	
7	3	
8 ❸	4	
10002	9998	
10003	9999	
10004	10000	

STEP 3

選取❶儲存格「A4：B10004」，定義為表格。

在❷儲存格「B5」輸入「＝NORM.INV（RAND（），**平均報酬率，標準差**）」，並將公式往下複製至「B6：B10004」。

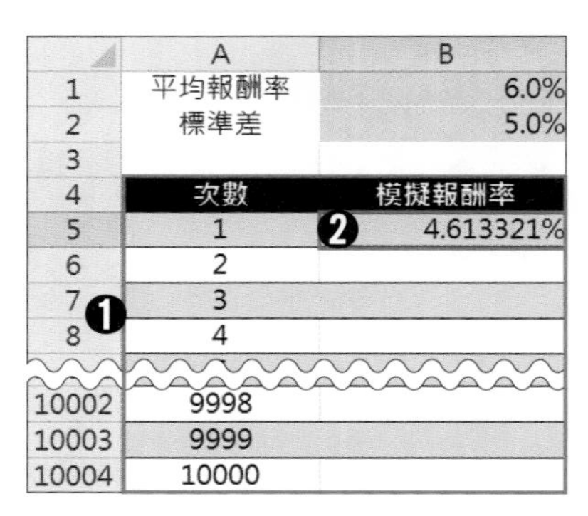

	A	B
1	平均報酬率	6.0%
2	標準差	5.0%
3		
4	次數	模擬報酬率
5	1	❷ 4.613321%
6	2	
7	3	
8	❶ 4	
10002	9998	
10003	9999	
10004	10000	

STEP 4

在❶儲存格「D1」輸入文字「報酬率」，❷儲存格「E1」輸入文字「出現次數」。在❸儲存格「D2：D18」輸入「-8%～24%」的百分比數值，每一個儲存格相差2%。

選取❹儲存格「E2：E18」，輸入「＝FREQUENCY（B5：B10004,D2：D18）」，接著按鍵盤上的「Ctrl＋Shift＋Enter」鍵。因為這裡是輸入陣列公式，所以公式輸入結束時不是按「Enter」鍵，而是必須先按著「Ctrl＋Shift」鍵不放，再加上「Enter」鍵，這樣就完成了次數分配表。

FREQUENCY函數是計算儲存格範圍中，出現指定儲存格數值的次數。在這裡使用陣列公式，則可以針對一組儲存格執行多重計算的工作。點選次數分配表「E2：E18」任一儲存格，會呈現「{＝FREQUENCY（B5：B10004,D2：D18）}」，左右都被大括弧{ }包圍，代表這是一個陣列公式。

	A	B	C	D	E
1	平均報酬率	6.0%		❶ 報酬率	出現次數 ❷
2	標準差	5.0%		-8%	30
3				-6%	44
4	次數	模擬報酬率		-4%	145
5	1	8.514004%		❸ -2%	321 ❹
6	2	-2.661203%		0%	571
17	13	12.012669%		22%	1[illegible]
18	14	-0.238187%		24%	1[illegible]

選取次數分配表的儲存格「D2：E18」，點選❶「插入」索引頁標籤，再點選❷「直條圖」項目下「平面直條圖」中的❸「群組直條圖」。

出現直條圖後，在圖上按右鍵點選❹「選取資料」，並於「選取資料來源」小視窗當中的❺「圖例項目（數列）」窗格，刪除「報酬率」，只留下「次數」；於「水平（類別）座標軸標籤」窗格點選❻「編輯」，再於「座標軸標籤」小視窗中，選取❼「報酬率」欄的儲存格「D2:D18」，按下❽「確定」關閉座標軸標籤小視窗後，回到「選取資料來源」小視窗按❾「確定」，即可畫出所需的直條圖。

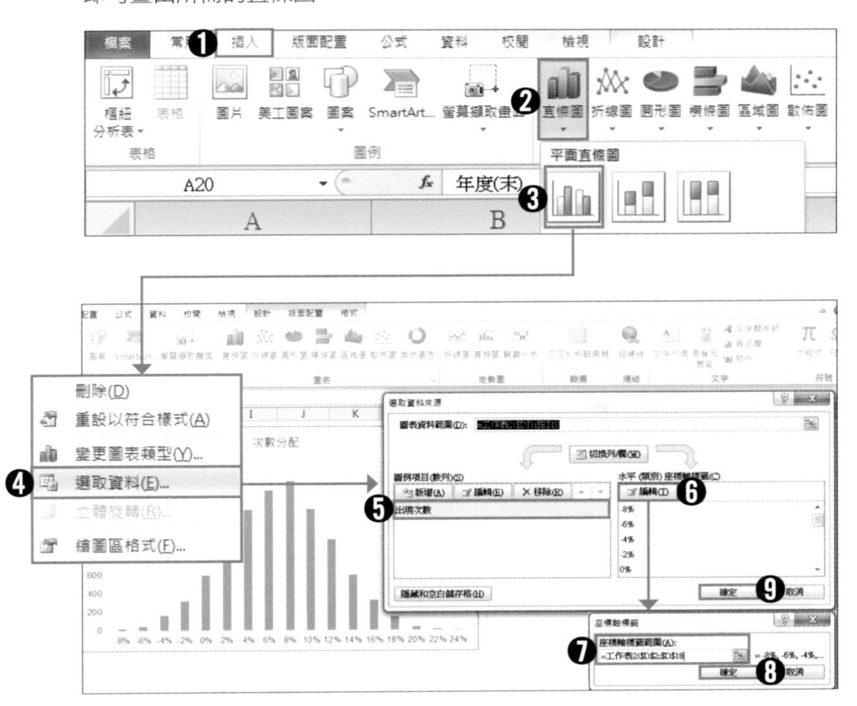

國家圖書館出版品預行編目資料

怪老子教你──這樣算解答一生財務問題 / 怪老子著
. -- 一版 . -- 臺北市 : Smart 智富文化 , 城邦文化 ,
民 105.05
面 ; 公分
ISBN 978-986-7283-71-9 (平裝)
1.EXCEL(電腦程式) 2. 財務管理
312.49E9 105006147

Smart 智富

怪老子教你──這樣算 解答一生財務問題

作者	怪老子
企畫	黃嫈琪
商周集團	
榮譽發行人	金惟純
執行長	王文靜
Smart 智富	
社長	朱紀中
總編輯	林正峰
攝影	高國展
編輯主任	楊巧鈴
編輯	李曉怡、林易柔、邱慧真、胡定豪、施茵曼 連宜玫、劉筱祺
美術編輯主任	黃凌芬
封面設計	廖洲文
版面構成	林美玲、張麗珍、廖彥嘉
出版	Smart 智富
地址	104 台北市中山區民生東路二段 141 號 4 樓
網站	smart.businessweekly.com.tw
客戶服務專線	(02)2510-8888
客戶服務傳真	(02)2503-5868
發行	英屬蓋曼群島商家庭傳媒股份有限公司城邦分公司
製版印刷	科樂印刷事業股份有限公司
初版一刷	2016 年(民 105 年)5 月
ISBN	978-986-7283-71-9

定價 480 元

Smart智富 讀者服務卡

2BB051

《怪老子教你──這樣算 解答一生財務問題》

為了提供您更優質的服務，《Smart智富》會不定期提供您最新的出版訊息、優惠通知及活動消息。請您提起筆來，馬上填寫本回函！填寫完畢後，免貼郵票，請直接寄回本公司或傳真回覆。Smart傳真專線：（02）2500-1956

1. 您若同意Smart智富透過電子郵件，提供最新的活動訊息與出版品介紹，請留下
   電子郵件信箱：

2. 您購買本書的地點為：□超商，例：7-11、全家
   □連鎖書店，例：金石堂、誠品
   □網路書店，例：博客來、金石堂網路書店
   □量販店，例：家樂福、大潤發、愛買
   □一般書店

3. 您最常閱讀Smat智富哪一種出版品？
   □Smart智富月刊（每月1日出刊） □Smart密技（每單數月25日出刊）
   □Smart理財輕鬆學 □Smart叢書 □Smart DVD

4. 您有參加過Smart智富的實體活動課程嗎？ □有參加 □沒興趣 □考慮中
   或對課程活動有任何建議或需要改進事宜：

5. 您希望加強對何種投資理財工具做更深入的了解？
   □現股交易 □當沖 □期貨 □權證 □選擇權 □房地產
   □海外基金 □國內基金 □其他：

6. 對本書內容、編排或其他產品、活動，有需要改善的事項，歡迎告訴我們，如希望Smart提供其他新的服務，也請讓我們知道：

您的基本資料：（請詳細填寫下列基本資料，本刊對個人資料均予保密，謝謝）

姓名： 性別：□男 □女

出生年份： 聯絡電話：

通訊地址：

從事產業：□軍人 □公教 □農業 □傳產業 □科技業 □服務業 □自營商 □家管

●填寫完畢後請沿著右側的虛線撕下。

廣 告 回 函
台灣北區郵政管理局登記證
台北廣字第000791號

免 貼 郵 票

●請沿著虛線對摺，謝謝。

●填寫完畢後請沿著左側的虛線撕下。

書號：2BB051

書名：怪老子教你── **這樣算 解答一生財務問題**